D1104596

LE CHOIX
VOUS APPARTIENT

DU MÊME AUTEUR :

La Dernière Porte, Lattès, 2003.
Au clair de lune, Lattès, 2004.
Le Visage de l'ange, Lattès, 2006.
L'Étrange Odd Thomas, Lattès, 2007.
Jour fatal, Lattès, 2008.

www.editions-jclattes.fr

Dean Koontz

LE CHOIX
VOUS APPARTIENT

Roman

Traduit de l'anglais (États-Unis) par Dominique Defert

JC Lattès
17, rue Jacob 75006 Paris

Titre de l'édition originale
VELOCITY
publiée par Bantam Books, un département de Bantam Dell,
une division de Random House Inc., New York

ISBN : 978-2-7096-2870-9
© 2005 by Dean Koontz
© 2009, éditions Jean-Claude Lattès pour la traduction française.

Ce livre est dédié à Donna et Steve Dunio,
Vito et Lynn Cerra, Ross et Rosemary Cerra.
Je ne saurai jamais pourquoi Gerda m'a dit oui à l'église.
Mais, du coup, votre famille a désormais une aile folle.

« Un homme, ça peut être détruit, mais pas vaincu. »

Ernest Hemingway, *Le Vieil Homme et la mer.*

« Et maintenant, vous vivez dispersés sur des rubans
  de bitume,
Et personne ne connaît son voisin, ni ne s'en préoccupe
À moins que celui-ci ne cause trop de gêne,
Mais vous allez et venez tous dans un grand brouhaha
  de moteurs
Peuple des routes, et habitants de nulle part. »

T.S. Eliot, Le Chœur II de *The Rock.*

I

LE CHOIX VOUS APPARTIENT

1.

Un demi pression à la main, le sourire aux lèvres, Ned Pearsall portait un toast à feu son voisin, Henry Friddle, dont la mort le mettait en joie.

Friddle avait été tué par un nain de jardin. Le malheureux avait dégringolé du toit de sa maison, pour atterrir sur le petit être au visage jovial. Le nain était en béton. Pas Henry Friddle.

Les vertèbres cervicales et le crâne brisés, Friddle était mort sur le coup.

Ce *crash* mortel sur un nain remontait à quatre ans déjà. Mais Pearsall célébrait encore l'événement au moins une fois par semaine.

Le seul autre client du bar, un gars de passage, était assis sur un tabouret, dans la courbe du comptoir en acajou. La haine tenace de Pearsall aiguisait sa curiosité.

— Ce voisin devait vraiment être un sale type, pour que vous soyez encore si remonté contre lui…

D'ordinaire, Pearsall aurait ignoré la remarque. Il se souciait des touristes comme des bretzels sur le comptoir.

La taverne offrait des bols de bretzels gratuits, parce qu'ils étaient bon marché. Mais Ned Pearsall préférait entretenir sa soif avec des cacahuètes bien salées.

Pour que Pearsall continue à laisser un pourboire, Billy Wiles, le barman, lui en offrait parfois un sachet.

Mais la plupart du temps, Pearsall devait payer ses cacahuètes. Ce qui avait le don de le mettre en rogne… Soit Ned

Pearsall ne comprenait pas les impératifs économiques inhérents à la gestion d'un bar, soit (et c'était plus vraisemblable) il avait fait de la grogne un art de vivre.

La tête de Pearsall ressemblait à une petite balle de squash, posée sur les épaules gigantesques d'un sumo. Si l'on considérait qu'être pilier de bar et maintenir sa rancœur à son top niveau étaient des disciplines sportives, alors Ned Pearsall était un grand athlète ! Sur ces terrains-là, nul doute qu'il aurait décroché une médaille olympique.

Au sujet d'Henry Friddle, Pearsall pouvait se montrer aussi intarissable avec les touristes qu'avec les natifs de Vineyard Hills. Quand, comme aujourd'hui, le seul client au bar était un type de passage, il préférait encore « pactiser avec le diable », comme il disait, que garder le silence. Tout plutôt que l'ennui !

D'autant que Billy, le barman, était loin d'être loquace ! Il n'avait rien de commun avec ces serveurs qui prennent leur comptoir pour une scène de théâtre. Billy était du genre à écouter.

S'adressant à l'inconnu, Pearsall déclara :

— Friddle était un porc !

La chevelure de l'étranger était noir corbeau, ses tempes grisonnantes, ses yeux gris pétillants de malice. Sa voix était chaude et grave.

— Vous n'y allez pas de main morte... Un porc ?

— Vous savez ce que ce pervers faisait sur son toit ? Il essayait de pisser sur les fenêtres de ma salle à manger !

Billy Wiles continua d'essuyer son bar comme si de rien n'était. Il avait entendu cette histoire tant de fois qu'il connaissait par cœur les réactions qu'elle suscitait.

— Friddle, ce porc, s'imaginait qu'avec l'altitude son jet pourrait porter plus loin, expliqua Pearsall.

— Qu'est-ce qu'il faisait dans la vie, ce type ? Il était ingénieur en aéronautique ?

— Prof de littérature contemporaine.

— Avec ce qui sort aujourd'hui en librairie, pas étonnant qu'il ait eu envie de se suicider ! répliqua le touriste.

Billy fut sensible à cette remarque. Finalement, cet homme pouvait être plus intéressant qu'il n'y paraissait.

— Non non, s'empressa de répondre Pearsall. Sa chute était accidentelle.

— Il était ivre?

— Non. Pourquoi vous pensez ça?

— Vous dites qu'il a escaladé un toit pour uriner sur vos fenêtres...

— C'était un malade, je vous dis! expliqua Ned Pearsall en posant son index sur son verre vide pour réclamer une nouvelle tournée.

— Henry Friddle était ivre, certes... mais de vengeance, intervint Billy en tirant la Budweiser.

L'étranger contempla un moment sa bière.

— De vengeance... Vous aviez donc uriné sur ses fenêtres en premier?

— Mais moi, ça n'avait rien à voir! se rebiffa Pearsall pour dissuader l'étranger de porter le moindre jugement hâtif.

— Ned n'est pas monté sur son toit, expliqua Billy.

— Exact! Je suis allé droit vers sa maison, comme un homme, je me suis campé sur sa pelouse et j'ai baptisé les fenêtres de sa salle à manger.

— Friddle et sa femme étaient à table..., précisa Billy.

Avant que le touriste ait eu le temps d'esquisser une grimace de dégoût, Pearsall enchaîna :

— Ils mangeaient des cailles aux raisins, ces cons!

— Et c'est pour ça que vous avez arrosé leurs fenêtres?

— Bien sûr que non! Vous me prenez pour un siphonné du carafon ou quoi!

Pearsall se tourna vers Billy et leva les yeux au ciel. Billy lui répondit par un haussement de sourcils fataliste comme pour dire : *Ce n'est qu'un touriste...*

— Ce que j'essaie de vous expliquer, c'est qu'ils se la pétaient vraiment. Toujours à manger des cailles, ou des escargots, ou des légumes bizarres.

— D'affreux m'as-tu-vu, je vois, renchérit le touriste avec une pointe d'ironie qui échappa à Ned Pearsall, mais que Billy perçut.

— Tout juste ! acquiesça Pearsall. Friddle se déplaçait en Jaguar et sa bonne femme – accrochez-vous bien – avait une voiture suédoise !

— Les voitures de Detroit étaient sans doute trop vulgaires pour eux, dit l'étranger.

— Exactement ! Faut vraiment être snob d'aller s'acheter une voiture en Suède !

— Je parie qu'en plus ils étaient amateurs de bons vins ?

— Dans le mille ! Vous les connaissiez ou quoi ?

— Non, mais je vois bien le genre. Des gens entourés de livres.

— Vous les cernez au poil ! Ils sont là, sous leur auvent, à renifler leur vin en lisant des bouquins.

— Et devant tout le monde... aucune pudeur ! Mais si ce n'est pas à cause de leur côté snob que vous avez pissé sur leur fenêtre, alors pourquoi ?

— Oh ! des raisons, j'en avais des centaines ! Il y a eu le coup de la mouffette, le coup de l'engrais, les pétunias crevés...

— ... et le nain de jardin, ajouta Billy en rinçant des verres dans l'évier.

— Ça, le nain, c'était le pompon ! acquiesça Pearsall.

— Je peux comprendre que la vue d'un flamant rose en plastique puisse vous donner une furieuse envie d'uriner, reconnut l'étranger. Mais, franchement, un nain de jardin...

Pearsall se renfrogna au souvenir de l'affront subi.

— Ariadne lui avait fait mon visage.

— Qui ça ?

— La femme de Friddle... Ariadne ! vous avez déjà entendu un prénom aussi pompeux ?

— Jamais. Décidément, vos Friddle ne font rien comme les autres.

— Elle était prof d'arts plastiques à la même université que lui. C'est elle qui a sculpté le nain, fait le moule, coulé le béton, puis qui l'a peint de la tête aux pieds.

— Une sculpture à votre effigie... c'est quasiment un honneur, dites donc.

— C'était un *nain*! rétorqua Pearsall, avec un résidu de mousse sur la lèvre supérieure qui lui donnait un air enragé. Un sale gnome pochetron! Le nez rouge comme une tomate. Avec une bouteille de bière dans chaque main.

— Et sa braguette était ouverte, ajouta Billy.

— Merci de me rappeler ce détail, grogna Pearsall. Le pire, c'est le cou et la tête d'oie morte qui pendaient de l'entre-jambe.

— C'est original.

— Au début, je me demandais ce que signifiait ce foutu truc.

— Un symbole? Une métaphore, peut-être?

— Ouais, ce doit être ça. Tous les gens qui passaient devant leur maison se payaient ma tête après.

— Pas besoin de voir le nain pour ça.

Comprenant de travers, Pearsall acquiesça.

— Exact! Il suffisait que les gens « entendent parler » de cette histoire pour qu'ils se marrent. Alors j'ai explosé le nain à coups de masse.

— Et ils vous ont fait un procès…

— Pire que ça! Ils en ont remis un autre. Comme Ariadne se doutait que je détruirais le premier, elle en avait préparé un deuxième.

— Et moi qui croyais qu'ici, à Vineyard Hills – le pays du vin –, il faisait bon vivre!

— Et puis ils m'ont dit que si je détruisais le numéro deux, non seulement ils en remettraient un autre, mais ils en fabrique-raient à la chaîne et les vendraient pour rien du tout à tous ceux qui voudraient un nain de jardin « Ned Pearsall ».

— Sans doute une menace en l'air, dit le touriste. Qui donc voudrait d'un truc pareil?

— Oh! des tas de gens! lui affirma Billy.

— Cette ville est devenue un repaire de vipères depuis que ces fanas de pâté et de fromage de Brie ont débarqué de San Francisco, déclara Pearsall d'un air maussade.

— Donc, ne pouvant plus pulvériser le second nain à coups de masse, vous avez pissé sur leur fenêtre…

— Exactement. Mais je n'ai pas agi sur un coup de tête. J'ai bien réfléchi à la question – pendant une semaine. Et finalement, j'ai décidé d'aller les inonder.

— Et ensuite, Friddle a escaladé son toit la vessie pleine, pour se faire justice.

— Ouais. Mais il a attendu le jour du repas d'anniversaire de maman !

— Ça, c'est indécent ! lança Billy.

— Est-ce que la mafia s'attaque aux membres innocents de la famille, je te le demande, Billy ? s'insurgea Pearsall.

La question était purement formelle, mais Billy joua le jeu, en songeant à son pourboire.

— Non, répondit-il. La mafia, elle, a de la *classe*.

— C'est un mot que ces profs à la noix ne sauraient même pas épeler, renchérit Pearsall. Maman soufflait ses soixante-seize bougies ce jour-là. Elle aurait pu faire une crise cardiaque.

— Donc, reprit le touriste, en voulant uriner sur vos fenêtres, Friddle est tombé du toit et s'est brisé le cou sur le nain « Ned Pearsall ». Belle ironie du sort !

— Ironie, je ne sais pas ; mais c'était bien fait.

— Raconte-lui ce que ta mère a dit, le pressa Billy.

Après une gorgée de bière, Pearsall s'exécuta :

— Elle m'a dit : « Chéri, tu devrais aller prier, voilà la preuve que Dieu existe ! »

— On reconnaît bien là les paroles d'une femme pieuse, conclut l'inconnu après un silence.

— Elle n'a pas toujours été croyante. Mais à soixante-douze ans, elle a eu une pneumonie.

— C'est sûr que, dans ces moments-là, il vaut mieux avoir Dieu dans sa poche.

— Elle s'est dit que si Dieu existait, Il la sauverait peut-être si elle lui demandait gentiment et que, de toute façon, cela valait le coup d'essayer. Au pire, c'était juste du temps perdu à miser sur le mauvais cheval.

— Mais le temps, c'est notre bien le plus précieux.

— C'est juste. Mais maman limitait les risques : elle priait en regardant la télé.

— Voilà une histoire bien édifiante, commenta le touriste avant de commander une nouvelle bière.

Billy sortit le grand jeu : il ouvrit une bouteille de Heineken, posa un verre glacé devant l'homme et murmura :

— C'est la maison qui offre.

— C'est très aimable à vous. Merci. Je vous trouvais bien discret pour un barman, mais je commence à comprendre pourquoi.

À l'autre bout du comptoir, Ned Pearsall leva son verre pour porter un toast.

— À Ariadne ! Paix à son âme.

Malgré lui, comme s'il ne pouvait s'en empêcher, l'étranger mordit à l'hameçon...

— Encore un tragique *crash* sur un nain de jardin ?

— Non, un cancer. Deux ans après la chute de Friddle. Je ne lui souhaitais pas ça. Vrai de vrai.

— Devant la mort, nos petites querelles paraissent bien dérisoires, déclara le touriste en versant la Heineken fraîche dans son verre incliné.

— Je la regretterai. Elle avait une de ces paires de nichons. Et elle ne portait pas toujours de soutif, cette salope.

Le touriste eut un petit tressaillement.

— Si elle était encore de ce monde, elle jardinerait, ou elle promènerait le chien, lâcha Pearsall d'un air rêveur, et on verrait encore ses deux beaux melons onduler sous son pull. C'était à vous couper le souffle, ça.

Le touriste jeta un coup d'œil à son propre reflet, dans le miroir situé derrière le bar. Sa consternation se voyait-elle ?

— Billy, demanda Pearsall, c'est pas vrai qu'elle avait une paire de lolos à tomber par terre ?

— Si, confirma Billy.

Pearsall glissa de son tabouret et zigzagua vers les toilettes. Il s'arrêta en chemin devant l'étranger.

— Même quand le cancer la ravageait, ses lolos n'ont jamais diminué de volume. Plus elle maigrissait, plus ils paraissaient énormes. Jusqu'à la fin, elle est restée bandante. Quel gâchis, hein, Billy ?

— Oui, quel gâchis, répéta Billy tandis que Pearsall se dirigeait vers les toilettes.

Après un instant de silence partagé, le touriste reprit la parole.

— Vous êtes un spécimen rare, monsieur Billy le Barman.

— *Moi?* Je n'ai jamais uriné sur les fenêtres de qui que ce soit.

— Vous êtes comme une éponge. Vous retenez tout.

Billy saisit un torchon pour essuyer des verres qu'il avait lavés.

— Et comme une pierre aussi. On a beau vous presser, rien n'en sort.

Billy continuait à lustrer ses verres.

Les yeux gris, pétillants de malice, brillaient de plus belle.

— Vous avez une vraie philosophie de la vie, ce qui est rare à notre époque où les gens ne savent plus qui ils sont ni à quel saint se vouer.

Ce discours-là était également au menu des conversations de bistrots, même si on le lui servait moins fréquemment. Comparées aux éructations de Ned Pearsall, ces réflexions alcoolisées pouvaient faire figure d'intelligence. Mais c'était juste de la psychanalyse de comptoir.

Billy était déçu. L'espace d'un instant, le touriste lui avait paru différent des clients habituels qui venaient réchauffer le vinyle des tabourets du bar. Il hocha la tête en souriant.

— Une philosophie de la vie… Comme vous y allez.

L'étranger sirotait sa Heineken.

Alors qu'il comptait se taire et en rester là, Billy s'entendit dire :

— Rester humble, garder le silence, se contenter de choses simples, ne pas trop rêver, profiter de ce qu'on a…

— Se suffire à soi-même, poursuivit le touriste dans un sourire, s'occuper de ses affaires, laisser le monde courir à sa perte si c'est vraiment ce qu'il veut.

— Il y a un peu de ça, concéda Billy.

— Ce n'est pas du Platon, mais reconnaissez que c'est une philosophie.

— Et vous, quelle est la vôtre ?

— Pour le moment, je crois que ma vie sera bien meilleure et beaucoup plus porteuse de sens si j'évite désormais toute conversation avec ce Ned Pearsall.

— Ça, ce n'est pas une philosophie, rétorqua Billy. C'est une lapalissade.

*
* *

À 16 h 10, Ivy Elgin arriva au bar. C'était une serveuse honorable, ni plus rapide ni plus drôle qu'une autre, mais son charme, lui, était sans égal.

Billy l'appréciait, mais ne cherchait pas à aller plus loin. Il était bien le seul homme du quartier à ne pas lui courir après.

Ivy avait des cheveux d'ébène, des yeux couleur miel comme le cognac, et un corps voluptueux à faire fantasmer Hugh Hefner, le patron de *Playboy*.

À vingt-quatre ans, elle avait gardé sa candeur et ne se rendait pas compte qu'elle incarnait le fantasme masculin par excellence. Elle ne cherchait jamais à aguicher. Parfois, elle pouvait faire la coquette, mais d'une façon absolument unique et irrésistible.

Sa beauté s'accompagnait d'une innocence de communiante. Ce mélange lui donnait un tel pouvoir de séduction qu'un sourire suffisait à faire fondre n'importe quel représentant de la gent masculine.

— Salut Billy ! lança Ivy en s'approchant du bar. J'ai vu un opossum mort sur Old Mill Road, à cinq cents mètres de Kornell Lane.

— Mort naturelle ou écrasé ?

— Écrasé.

— Et qu'est-ce que ça t'inspire ?

— Pour le moment, rien de précis, dit-elle en lui tendant son sac pour qu'il le range derrière le comptoir. C'est mon premier cadavre de la semaine, donc je ne peux en tirer aucune conclusion. Tout dépendra des prochains, s'il y en a d'autres.

Ivy jouait à l'apprenti haruspice. Les haruspices, dans la Rome antique, étaient des devins qui lisaient les augures dans les entrailles d'animaux sacrifiés.

Ils étaient respectés, voire vénérés par leurs contemporains, mais on devait rarement les inviter à dîner.

Ivy n'avait rien de morbide. La divination n'était pas le centre de sa vie et elle abordait très rarement ce sujet avec les clients.

Elle n'avait pas non plus l'estomac assez solide pour trifouiller dans les entrailles. Elle était un haruspice de nature délicate.

Elle préférait établir ses prophéties selon l'espèce des cadavres, les circonstances de leurs découvertes, leur position cardinale, géographique et autres critères qu'elle gardait secrets.

Ses prédictions ne se réalisaient pour ainsi dire jamais, mais Ivy persistait.

— Même si je n'en saisis pas encore le sens, annonça-t-elle à Billy en prenant son carnet de commandes et un stylo, ça n'augure rien de bon. Un opossum mort, ce n'est pas signe de bonheur.

— Ça, j'aurais pu le deviner tout seul.

— Surtout quand son museau est pointé vers le nord et sa queue vers l'est.

Des hommes assoiffés s'engouffraient dans le bar dans le sillage d'Ivy, comme si elle était le mirage d'une oasis dans le désert de leur vie. Seuls quelques-uns prenaient place au comptoir, les autres aimaient la voir s'affairer de table en table.

Les clients appartenaient à la classe moyenne et ne roulaient pas sur l'or. Et pourtant Ivy, simple serveuse, gagnait davantage en pourboires que si elle était sortie d'une grande école de commerce.

Une heure plus tard, à 17 heures, arriva Shirley Trueblood, la seconde serveuse, qui venait en renfort pour le service du soir. Âgée de cinquante-six ans, bien en chair, parfumée au jasmin, Shirley avait elle aussi sa propre cour. Certains hommes dans les bars aiment être maternés. Certaines femmes aussi.

Le cuisinier de jour, Ben Vernon, quitta ses fourneaux pour rentrer chez lui. Celui du soir, Ramon Padillo, prit la relève. Au menu, des plats simples, typiques des bars : cheeseburgers, frites, ailes de poulet, quesadillas, nachos, etc.

Ramon avait remarqué que les soirs où Ivy était présente, les plats épicés se vendaient mieux. Les types commandaient de préférence des plats à base de sauce tomate pimentée, vidaient des bouteilles de Tabasco, et réclamaient des hamburgers relevés avec des morceaux de jalapeños.

— Mon idée, avait-il confié un soir à Billy, est qu'inconsciemment ils se remplissent les testicules de stimulants, au cas où ils auraient une aventure avec elle.

— Avec Ivy, ils n'ont aucune chance.

— Sait-on jamais ? avait répondu Ramon d'une voix timide.

— Ne me dis pas que tu marches aussi aux piments ?

— J'en mange tellement que, certains soirs, j'ai l'estomac en feu. Mais je suis *prêt.*

Steve Zillis, le barman du soir, arrivait en même temps que Ramon. Ses horaires et ceux de Billy se chevauchaient pendant une heure. Steve était âgé de vingt-quatre ans ; sur le papier, il était de dix ans son cadet, mais en âge mental, il avait bien vingt ans de moins.

L'humour de Steve se limitait à raconter des blagues obscènes à faire piquer un fard à un bidasse en rut.

Il savait faire un nœud dans une queue de cerise rien qu'avec la langue, introduire des cacahuètes dans sa narine et les projeter en rafales dans un verre, ou bien encore faire sortir de la fumée de cigarette par ses oreilles.

Comme d'habitude, Steve fit son entrée en bondissant pardessus la porte du bar, au lieu de la pousser tout simplement.

— Quoi de neuf, docteur ?

— Encore une heure à tirer, déclara Billy. Et la vraie vie reprendra son cours.

— Mais c'est *ça,* la vraie vie ! protesta Steve. Être là où ça se passe !

Le plus tragique, chez Steve Zillis, c'est qu'il pensait vraiment ce qu'il disait... Dans sa tête, ce bar, pourtant parfaitement ordinaire, était le temple du *glamour* sur terre.

Après avoir noué son tablier, il saisit d'un geste vif trois olives dans un bol, jongla avec à toute vitesse, avant de les attraper dans sa bouche l'une après l'autre.

Deux soûlards accoudés au bar l'applaudirent, et Steve bomba le torse de fierté comme un ténor d'opéra recevant une ovation d'un parterre de gens cultivés et raffinés.

Malgré les pitreries affligeantes de Steve Zillis, cette dernière heure de service passa assez vite pour Billy. La taverne était noire de monde ; entre les clients de la fin d'après-midi qui s'attardaient, et ceux du soir qui arrivaient, il y avait de quoi occuper deux barmen non-stop.

Toute mesure gardée, Billy appréciait cette dernière heure de travail. Les consommateurs étaient encore cohérents et joyeux – moment de grâce éphémère avant que l'alcool ne les plonge dans l'hébétude et la mélancolie.

La façade vitrée étant orientée à l'est, les rayons du couchant ne pénétraient pas dans la salle. Un clair-obscur régnait dans la taverne, et la lumière des lustres enluminait le comptoir et les boiseries de reflets cuivrés.

Le parfum qui flottait dans l'air était agréable : l'odeur du bois imprégné de bière, la cire des bougies qui se consumaient, les cheeseburgers, le fumet des oignons frits...

Billy aimait bien l'endroit mais pas au point d'y faire des heures supplémentaires. Il quitta donc le bar à 19 heures tapantes.

Steve Zillis aurait fait un grand show pour sa sortie de scène. Billy, lui, s'effaça en toute discrétion, comme un fantôme.

Dans un peu moins de deux heures, les derniers rayons du soleil auraient disparu. À l'est, le ciel était teinté d'un bleu à la Maxfield Parrish. À l'ouest, il était d'un azur pâle, délavé par le soleil encore présent.

En approchant de sa Ford Explorer, Billy aperçut une feuille de papier glissé sous l'essuie-glace.

Sitôt installé derrière le volant, sa portière encore ouverte, il déplia la feuille, s'attendant à trouver une petite annonce manuscrite émanant de quelque chômeur, proposant ses services pour laver sa voiture ou faire des heures de ménage. Mais il s'agissait d'un message, dactylographié avec soin :

Si vous ne montrez pas ce billet à la police, et qu'elle n'intervient pas, je vais tuer une jolie enseignante blonde, quelque part dans le comté de Napa.

Mais si vous montrez ce billet aux policiers, c'est une vieille dame très active dans des œuvres de charité que je vais tuer.

Vous avez six heures pour décider. Le choix vous appartient.

Billy ne sentit pas tout de suite que le monde autour de lui venait de s'effondrer. Le grand plongeon n'avait pas encore commencé. Mais il était imminent...

2.

Mickey Mouse prit une balle en pleine gorge.

Le .9 mm claqua encore trois fois, à intervalles rapides, et la tête de Donald Duck fut réduite en bouillie.

Lanny Olsen – le tireur – vivait au bout d'une route défoncée, au flanc d'une colline rocailleuse où aucune vigne ne pourrait jamais pousser. La légendaire Napa Valley était hors de sa vue.

Sa demeure n'était pas située dans la vallée verdoyante et pittoresque, mais il y poussait de magnifiques pruniers, des ormes géants et des azalées sauvages. Et on y était à l'abri des regards…

Le voisin le plus proche habitait à une telle distance que Lanny Olsen aurait pu organiser des fêtes trois cent soixante-cinq jours par an sans déranger personne. Mais Lanny ne profitait pas de ce privilège car il se couchait généralement vers 21 h 30. La fiesta idéale, pour lui, c'était un pack de bière, un sachet de chips et une partie de poker.

En revanche, cette propriété lui permettait de s'exercer au tir à son gré. Au poste de police, c'était lui le mieux entraîné de l'équipe.

Enfant, il rêvait d'être dessinateur de dessins animés. Et il avait du talent à revendre. Les reproductions parfaites des personnages de Disney, Mickey Mouse et Donald Duck, épinglées sur des bottes de foin, étaient ses œuvres.

— Tu aurais dû voir ça, hier ! déclara Lanny en éjectant le chargeur vide de son pistolet. J'ai dégommé, en pleine tête, douze Bip Bip à la file. Pas une seule balle à côté !

— C'est Vil Coyote qui a dû être content. Ça t'arrive de tirer sur des cibles normales ?

— Ce serait moins drôle.

— Tu as déjà descendu les Simpsons ?

— Homer, Bart... Tous, sauf Marge ! Marge, jamais.

Lanny aurait dû faire les Beaux-Arts. Mais Ansel, son père despotique, avait décidé que son fils serait policier comme lui, tout comme son propre père l'avait été avant lui.

Pearl, la mère de Lanny, encourageait les dons artistiques de son fils, mais diminuée par sa maladie, elle n'avait plus la force de lutter contre les décisions de son mari. Lanny était âgé de seize ans quand les médecins avaient diagnostiqué chez elle un lymphome non hodgkinien.

La radiothérapie et les chimiothérapies l'assommaient. Même dans les périodes de rémission, elle était toujours épuisée.

Lanny était inquiet, il savait son père incapable de bien s'occuper d'elle. Il abandonna donc son rêve de suivre une école d'art. Il resta à la maison, intégra les forces de l'ordre, et prit soin de sa mère.

Contre toute attente, Ansel mourut en premier. Il arrêta un motard pour excès de vitesse, et le motard, lui, arrêta net la vie d'Ansel d'une balle de .38 tirée à bout portant.

Pearl avait contracté sa maladie très jeune, et vécut avec étonnamment longtemps. Pearl était morte il y a dix ans et Lanny avait aujourd'hui trente-six ans.

Il aurait pu alors envisager une reconversion, entrer aux Beaux-Arts... Mais l'inertie avait été plus forte que son désir de recommencer une nouvelle vie.

Il hérita de la demeure familiale, une maison victorienne cossue, ceinte d'une terrasse couverte, toute décorée de frises et de moulures, qu'il entretenait avec un soin extrême. Son travail de policier ne le passionnait guère ; n'ayant pas fondé de famille, il pouvait donc consacrer son temps libre à la maison.

Pendant que Lanny rechargeait son pistolet, Billy sortit le message de sa poche.

— Qu'est-ce que tu penses de ça ?

Lanny parcourut le billet des yeux; les merles profitèrent du cessez-le-feu pour revenir se poser sur les hautes branches des ormes.

Billy s'attendait à voir Lanny sourire, ou froncer les sourcils. Au lieu de ça, il resta impassible.

— D'où ça sort? demanda-t-il.

— Quelqu'un l'a glissé sous mon essuie-glace.

— Où étais-tu garé?

— Devant la taverne.

— C'était dans une enveloppe?

— Non.

— Tu n'as pas remarqué si quelqu'un t'observait quand tu as pris le mot, ou pendant que tu le lisais?

— Je n'ai vu personne.

— Et qu'est-ce que tu en penses?

— C'est justement la question que je t'ai posée, lui rappela Billy.

— C'est un canular. Une farce de mauvais goût.

— C'est ce que je me suis dit, d'abord, mais...

Billy regarda le billet d'un air inquiet.

Lanny fit quelques pas pour se mettre en face de nouvelles bottes de foin décorées de cibles en pied d'Elmer et de Bugs Bunny.

— Mais maintenant tu te dis : « Et si c'était vrai? » Tu as des doutes...

— Pas toi?

— Bien sûr. Tous les flics ont des doutes, tout le temps. Et ceux qui ne doutent pas ne font pas de vieux os. Ils se font descendre bêtement. Ou alors, ils ont la gâchette trop facile...

Récemment, Lanny avait blessé par balle un type ivre mort et très agressif, pensant qu'il était armé. En réalité, ce n'était pas un revolver que l'homme avait sorti de sa poche, mais un téléphone portable.

— Mais tu ne peux pas te laisser ronger par le doute perpétuel, continua-t-il. Par moments, il faut faire confiance à son instinct. Dans le cas présent, ton instinct dit la même chose que le mien : c'est un canular. Ça sent la blague pas drôle à plein nez... tu vois à qui je fais allusion...

— Steve Zillis ?

— Bingo !

Lanny se mit en position isocèle : jambes écartées, le bassin perpendiculaire à la cible, genoux légèrement fléchis, les deux mains fermées sur la crosse du pistolet. Il prit une grande inspiration et tira sur Elmer à cinq reprises, tandis qu'une nuée de merles s'échappait des ormes pour se réfugier dans le ciel.

Billy dénombra sur la carte quatre « tués », et un « blessé ».

— J'ai quand même du mal à imaginer Steve faire ce genre de choses...

— Pourquoi ?

— Parce qu'il se trimballe avec un coussin péteur dans la poche pour faire de gros bruits de pets quand il y a un silence dans la salle...

— Et alors ?

Billy replia le billet et le glissa dans la poche de sa chemise.

— Alors, cette idée est trop compliquée pour Steve, trop... subtile.

— C'est vrai que Steve est aussi subtil qu'une lessiveuse.

Lanny se remit en position et vida l'autre moitié de son chargeur sur Bugs Bunny. Cinq impacts mortels.

— Et si c'est pour de vrai ? demanda Billy.

— Aucune chance.

— Mais si c'est le cas...

— Il n'y a qu'au cinéma que les tueurs psychopathes s'amusent à ce genre de trucs. Dans la vie, ils tuent, point barre ! Ce qui les excite, c'est le sentiment de puissance... ça et parfois les rapports sexuels violents, mais certainement pas de te titiller le clampin avec des énigmes ou des devinettes.

Au sol, l'herbe était jonchée de douilles de pistolet. Le soleil couchant colorait les tubes de cuivre de reflets rouge sang.

Lanny sentait Billy encore sceptique.

— Quand bien même ce serait vrai – ce qui n'est pas le cas –, qu'est-ce que tu pourrais y faire ?

— Une enseignante blonde ou une vieille dame…

— Quelque part dans le comté ?

— Oui.

— Le comté de Napa, ce n'est pas San Francisco. Mais ce n'est pas non plus le désert. Il y a plein de villes, des gens partout… L'équipe du shérif et toutes les polices locales réunies ne suffiraient pas à couvrir toute cette zone.

— Il ne s'agit pas de protéger tout le monde. Il a précisé : une *jolie* enseignante blonde.

— Tout est relatif. Une blonde jolie pour toi peut être un thon pour moi.

— J'ignorais que tu étais si sélectif en matière de beauté féminine.

— Je suis carrément élitiste, tu veux dire ! sourit Lanny.

— Il y a aussi la vieille dame *très active dans des œuvres de charité.*

— Une foule de petites vieilles s'occupent de comités de bienfaisance. De leurs temps, on se souciait un peu plus de son prochain.

— Donc, tu ne vas rien faire ?

— Que veux-tu que je fasse, au juste ?

Aucune idée concrète ne venait à l'esprit de Billy.

— Je ne sais pas… On ne peut quand même pas rester les bras ballants.

— Par essence, la police est plus réactive que préventive…

— Donc, il faut attendre qu'il tue quelqu'un ?

— Ça n'arrivera pas.

— Il affirme pourtant le contraire, protesta Billy.

— C'est un canular. Steve Zillis a fini par progresser sur l'échelle de l'humour, et dépasser le stade des **caca**s prouts et des farces et attrapes.

— Tu as probablement raison, acquiesça Bill**y**.

— C'est évident !

Lanny désigna le dernier dessin fixé sur le mur de bottes de foin.

— Maintenant, avant que la nuit ne tombe complètement, je vais me faire Shrek et sa bande !

— C'est un bon film pourtant.

— Je ne suis pas critique de ciné! rétorqua Lanny avec impatience. Je veux juste m'amuser et m'entraîner.

— Ça va, j'ai compris, je te laisse. On se voit vendredi pour le poker.

— Ne viens pas les mains vides!

— Qu'est-ce que j'apporte?

— Jose viendra avec un ragoût, Leroy prend une tonne de chips mexicaines avec cinq sortes de sauces. Fais-nous donc ta fameuse tarte tamale...

Billy tressaillit.

— On dirait un groupe de vieilles rombières qui se préparent un après-midi tricot!

— Je sais, on est ridicules. Mais cela ne nous a pas encore tués.

— Va savoir?

— Si j'étais mort et en Enfer, Lucifer ne me laisserait pas m'éclater à dessiner mes personnages de dessins animés. Quant au Paradis, c'est sûr que ce n'est pas ici!

Le temps que Billy regagne sa Ford Explorer garée dans l'allée, Lanny Olsen avait commencé à faire un carton sur Shrek, la princesse Fiona, l'âne et toute la clique.

À l'est, le ciel était d'un bleu saphir. À l'ouest, l'azur s'effaçait pour laisser place à un dais doré marbré de rouge.

Les ombres s'allongeaient autour de Billy. Il resta un moment à côté de son 4 × 4, à regarder Lanny sur le pas de tir, tenter, pour la énième fois, de tuer son rêve inassouvi d'être dessinateur.

3.

Barbara Mandel, dans son lit à Whispering Pines, était belle comme une princesse de contes de fées endormie au sommet d'un donjon, attendant d'être réveillée par le baiser de son prince charmant.

La lumière des lampes venait caresser sa chevelure blonde déployée sur l'oreiller, chatoyante comme une flaque d'or fondu.

Billy se tenait à côté du lit. Aucune poupée de porcelaine n'aurait eu un visage aussi pâle et aussi parfait. La peau de Barbara semblait translucide, comme si la lumière pénétrait sa surface pour venir éclairer son visage de l'intérieur.

Mais en soulevant le drap et la fine couverture, il aurait mis à jour un objet indigne d'une princesse endormie : une sonde de nutrition entérale, reliée à son estomac.

Le médecin avait prescrit une alimentation en continu. La pompe injectait le liquide nourricier au goutte-à-goutte – un repas sans fin.

Cela faisait presque quatre ans que Barbara était dans cet état végétatif.

Son coma n'était pas des plus profonds. Il lui arrivait quelquefois de bâiller, de soupirer, de passer sa main droite sur son visage, sa gorge, sa poitrine.

Parfois même, elle parlait, mais jamais plus de quelques mots, des paroles énigmatiques qui ne s'adressaient à personne de présent dans la chambre mais plutôt à quelque fantôme divaguant dans son esprit.

Même quand elle parlait ou bougeait la main, elle restait insensible à ce qui se passait autour d'elle. Elle était inconsciente, ne réagissait à aucun stimulus extérieur.

Pour l'heure, elle reposait en silence, le front aussi lisse que du lait dans un seau, les yeux immobiles sous ses paupières, les lèvres légèrement entrouvertes. Un spectre aurait respiré plus bruyamment !

Billy sortit d'une des poches de sa veste un carnet à spirale. Un petit stylo à bille y était accroché. Il déposa le tout sur la table de chevet.

La petite chambre était très peu meublée : un lit d'hôpital, une table de nuit, une chaise. Depuis longtemps, Billy avait ajouté un tabouret de bar. Ainsi, il pouvait s'asseoir en hauteur pour voir au mieux Barbara.

La clinique Whispering Pines offrait de bons soins, mais l'environnement était austère. Seule la moitié des patients étaient de véritables convalescents, les autres avaient été placés là par leurs familles et abandonnés à leur sort.

Perché sur son tabouret, à côté du lit, Billy lui raconta sa journée. Du lever du soleil à la séance de tir de Lanny sur des héros de dessins animés.

Elle n'avait jamais réagi à ses paroles, mais Billy était persuadé que quelque part, du fond de sa geôle, Barbara l'entendait. Il avait besoin de croire que sa présence, sa voix, son amour, la réconfortaient.

Quand il avait tout dit, il restait là, à l'observer. Parfois, il ne la voyait pas telle qu'elle était devenue, mais telle qu'elle avait été, débordante de vie, exubérante, comme elle le serait encore aujourd'hui si le sort ne lui avait pas joué ce sale tour.

Au bout d'un moment, Billy sortit la lettre de la poche de sa chemise, pour la relire en silence.

À peine avait-il achevé sa lecture, que Barbara se mit à murmurer quelques mots qui pénétrèrent son esprit avant même que ses tympans aient eu le temps de transmettre l'information.

— Je veux savoir ce qu'elle dit…

Billy se leva d'un bond du tabouret, comme sous l'effet d'un électrochoc. Il se pencha au-dessus du garde-fou du lit, pour scruter la jeune femme.

Jamais auparavant, durant son coma, elle n'avait prononcé un mot qui pouvait avoir quelque rapport avec ce qu'il disait ou faisait.

— Barbara ?

Elle était immobile, les yeux clos, les lèvres entrouvertes – une dépouille mortuaire dans son suaire blanc.

— Tu m'entends ?

Du bout de ses doigts tremblants, il toucha son visage. Aucune réaction.

Il lui avait déjà raconté le contenu de cette lettre, mais il se mit à lui lire à voix haute, dans le doute – et si les mots qu'elle avait murmurés faisaient référence à ce billet ?

À sa fin de sa lecture, Barbara resta de marbre. Il prononça encore son prénom, en vain.

Reprenant sa place sur le tabouret, il s'empara du carnet posé sur la table de chevet. Avec le petit stylo, il inscrivit les paroles de la jeune femme et la date du jour.

Il possédait un carnet pour chaque année de son sommeil anormal. Chacun d'eux ne contenait qu'une centaine de pages, petit format. Pourtant, aucun n'était rempli, car Barbara ne parlait pas – loin s'en fallait – à chacune de ses visites.

je veux savoir ce qu'elle dit

Après avoir daté cette phrase, inhabituelle par sa cohérence intrinsèque, il feuilleta les pages précédentes du bloc-notes, sans s'occuper des dates, juste pour relire quelques citations.

des agneaux pourraient pas les lui pardonner
les fluets et les joufflus
ma langue d'enfant
la foi de son épitaphe
papa, patates, poulet, prune, prisme
la saison des ténèbres
ça enfle et roule
une grande vague
tout étincelante
vingt-trois, vingt-trois

Billy ne distinguait ni signification interne, ni ce à quoi chaque phrase pouvait se référer.

De temps en temps, au fil des semaines, des mois, Barbara avait souri. À deux reprises, même, elle avait ri – doucement.

Mais, quelquefois, les mots murmurés de la jeune femme le mettaient mal à l'aise, lui glaçaient le sang :

déchiré, meurtri, haletant, ensanglanté
de sang et de feu
hachettes, couteaux, baïonnettes
rouge dans leurs yeux fous

Ces propos troublants n'étaient pas articulés sur un ton douloureux, mais dans un même murmure monocorde.

Néanmoins, Billy était inquiet. Barbara, du tréfonds de son coma, semblait prisonnière, terrorisée, dans un endroit sombre et effrayant.

Soudain, elle plissa le front et parla à nouveau.

— La mer…

Au moment où il notait ces mots, elle ajouta :

— Ce qu'elle…

Un grand silence s'installa dans la pièce, comme si les innombrables molécules d'air s'agglutinaient, formant des capillaires invisibles pour porter la faible voix de la jeune femme jusqu'à lui.

Elle posa sa main droite sur ses lèvres, comme pour éprouver la texture de ses mots.

— Ce qu'elle essaie de dire, encore et encore.

C'étaient les propos les plus cohérents qu'elle ait prononcés depuis qu'elle était dans le coma. Et quasiment les plus longs.

— Barbara ?

— Je veux savoir ce qu'elle dit… la mer.

Elle fit glisser sa main sur sa poitrine. Les rides s'effacèrent de son front. Ses yeux, qui s'étaient agités derrière ses paupières, redevinrent immobiles.

Le stylo suspendu au-dessus du carnet, Billy attendit, mais Barbara ne parla plus, son silence se faisant peu à peu aussi prégnant que l'immobilité de l'air. Le silence grandit encore, s'épaissit autour de Billy, comme du ciment sur le point de prendre… L'envie irrépressible de fuir le saisit ; il lui fallait quitter cette chambre au plus vite s'il ne voulait pas se retrouver englué comme un moustique du jurassique piégé dans un morceau d'ambre.

Barbara pouvait rester ainsi muette et inerte pendant des heures, des jours, voire pour toujours...

Billy lui fit un baiser, mais pas sur les lèvres – sans le consentement conscient de Barbara, c'eût été, à ses yeux, un petit viol. Le contact de sa joue était doux et chaud.

Cela faisait maintenant trois ans, dix mois et quatre jours qu'elle était tombée dans le coma – juste un mois après qu'ils eurent célébré leurs fiançailles.

4.

La demeure de Billy n'était certes pas aussi isolée que celle de Lanny, mais elle était bâtie sur un demi-hectare de terrain bordé d'aulnes et de cèdres, dans une petite rue tranquille avec très peu de maisons alentour.

Ses voisins lui étaient de parfaits inconnus – et l'éloignement des maisons n'y était pour rien. Ils n'avaient jamais cherché à entrer en contact avec lui et c'était très bien ainsi.

À l'origine, le propriétaire et l'architecte avaient dû, de toute évidence, trouver un compromis pour arriver à cette construction hybride, mi-bungalow mi-chalet. L'allure générale de la maison était celle d'un bungalow. Mais le bardage, en cèdre blanchi par les intempéries, évoquait une construction de montagne, impression renforcée par l'auvent pourvu de solides poteaux de bois brut.

À l'inverse de la plupart des maisons hybrides, celle-ci avait un certain charme. La nuit, quand la lumière était allumée à l'intérieur, la maison, avec ses carreaux biseautés en forme de losange, paraissait parée de joyaux. Le jour, la girouette sur le toit, représentant un cerf bondissant, tournait avec une grâce indolente, même dans les pires bourrasques.

Le garage, situé derrière la maison, abritait non seulement sa voiture, mais également son atelier de menuiserie.

Billy gara l'Explorer, referma la lourde porte et se dirigea vers la maison ; un hibou, perché sur le toit du garage, se mit à hululer.

Aucun autre congénère ne lui répondit. Mais Billy crut entendre les mulots pousser de petits cris effrayés dans les massifs ; il percevait même leurs tremblements de terreur, à l'idée d'avoir à traverser la pelouse à découvert avant de pouvoir trouver refuge dans les herbes hautes des collines.

Son esprit était embrumé, ses pensées confuses. Il s'arrêta pour prendre un grand bol d'air et savourer le parfum des conifères. L'odeur forte lui remit les idées au clair.

Être lucide se révéla une très mauvaise idée. Billy buvait rarement mais, ce soir, il avait grande envie d'une bière avec un coup de gnôle.

Les étoiles, dans le ciel sans nuage, brillaient trop fort, comme autant d'aiguilles acérées.

Quand il gravit les marches menant à l'auvent pas une planche ne grinça. Billy avait désormais tout le temps du monde pour entretenir sa maison.

Il avait cassé la vieille cuisine pour refaire lui-même tous les meubles et placards en merisier.

Il avait posé aussi du carrelage en granit noir, au sol comme sur les plans de travail.

Tout était simple et fonctionnel. Au départ, c'est dans ce style qu'il avait prévu de retaper toute la maison, mais au fil du temps, il s'était éloigné de son idée première.

Il se versa une Guinness bien fraîche dans un mug, réhaussée d'une bonne rasade de bourbon. Quand il avait décidé de boire, il fallait que ce soit fort, en goût comme en alcool.

Alors qu'il se préparait un sandwich au pastrami, le téléphone sonna.

— Allô ?

Son interlocuteur resta silencieux, même au second « allô ? ».

D'ordinaire, il en aurait conclu que la ligne était en dérangement et aurait raccroché. Mais pas ce soir…

Tout en écoutant le silence, il tira de sa poche le message, le déplia et le lissa avec soin sur le plan de travail.

Au bout de la ligne, c'était le néant, un vide sourd comme une cloche sans battant. Aucun grésillement. Pas un souffle ne lui parvenait, comme si la personne à l'autre bout du fil avait cessé de respirer et était morte.

· Qu'il s'agisse d'un plaisantin ou d'un tueur, il cherchait de toute évidence à déstabiliser Billy, à l'intimider. Billy ne lui fit pas le plaisir de répéter « allô » une troisième fois.

Chacun sondait le silence de l'autre, comme cherchant à tirer quelque chose de ce rien.

Au bout d'une minute d'attente, Billy commença à se demander s'il y avait vraiment quelqu'un en ligne.

S'il s'agissait de l'auteur du billet, raccrocher était une erreur. Ce geste serait interprété comme un signe de peur ou de faiblesse.

La vie lui avait enseigné qu'il fallait se montrer patient. En outre, il lui était déjà arrivé de passer pour un idiot : il savait donc que le ridicule ne tuait pas et que son ego s'en remettrait. Alors, il attendit.

En entendant le petit clic de déconnection, Billy comprit qu'il y avait bel et bien eu un interlocuteur à l'autre bout du fil, et qu'il venait de raccrocher. Ce que les bips de la tonalité lui confirmèrent tout de suite après.

Avant de reprendre la préparation de son sandwich, Billy fit le tour de ses quatre pièces et de la salle de bains. Il abaissa les stores à lames de chacune de ses fenêtres.

Attablé dans sa cuisine, il avala son sandwich avec deux gros cornichons, et but une autre Guinness, mais sans bourbon cette fois.

Il n'avait pas la télévision. Les émissions de divertissement l'ennuyaient, quant aux infos… il n'avait nulle envie de connaître les vicissitudes du monde.

Seules ses pensées lui tenaient compagnie à table. Son sandwich terminé, il ne s'attarda pas dans la cuisine.

*
* *

Un mur entier du salon était couvert de livres du sol au plafond. Depuis son enfance, Billy avait été un lecteur vorace.

Il avait perdu le goût de la lecture depuis trois ans, dix mois et quatre jours. C'est leur amour commun des livres, des fictions en tout genre, qui les avaient réunis, Barbara et lui.

Un des rayonnages contenait les œuvres complètes de Dickens – un cadeau de Barbara pour Noël. Elle adorait cet auteur.

Ces derniers temps, Billy ne supportait pas l'oisiveté. Rester assis dans un fauteuil, un livre à la main, le rendait nerveux, comme s'il était soudain vulnérable.

Et puis certains livres étaient trop déstabilisants. Ils faisaient remonter à la surface des souvenirs qu'il préférerait oublier. Alors le mal était fait ; il avait beau souffrir le martyre, il ne pouvait plus les chasser.

Les boiseries qui couvraient le plafond étaient à l'image de son besoin compulsif d'activité. La finition des détails était impressionnante. Au centre de chaque panneau finement ciselé, trônait un motif de feuilles d'acanthe, sculpté à la main dans des blocs de chêne clair puis teinté avec une lasure pour s'harmoniser avec le rouge des panneaux d'acajou.

On ne trouvait ce style de double plafond ni dans un chalet de montagne, ni dans un bungalow. Mais Billy s'en fichait. Ce projet lui avait occupé les mains et l'esprit pendant des mois.

Le plafond de son bureau était encore plus ouvragé que celui du salon.

Il n'y venait pas pour s'installer devant son ordinateur – cyclope inutile qui le narguait de son œil noir. À la place, Billy s'assit à son établi devant ses ciseaux à bois.

D'autres blocs de chêne clair, empilés dans un coin de la pièce, dégageaient une douce odeur de bois. Il comptait sculpter dans ceux-là les ornements qui décoreraient le plafond de sa chambre qui, pour l'heure, était simplement enduit de plâtre.

Un lecteur CD et deux petites enceintes étaient posés sur l'établi. Billy lança le disque de zydeco[1] qui se trouvait sur la platine.

---

1. Musique des Noirs américains de Louisiane du début du siècle dernier, dont l'instrument emblématique de la section rythmique est la « planche à laver ». *(N.d.T.)*

Il cisela ses blocs jusqu'à ce que ses mains lui fassent mal et que sa vue se brouille. Puis il éteignit la musique pour aller se coucher.

Étendu sur le dos, dans le noir, le regard levé vers le plafond qu'il ne pouvait voir, il attendait que ses paupières s'alourdissent et se ferment. Il attendait.

Il y eut du bruit sur le toit. Quelque chose grattait les bardeaux de cèdre. Sans doute le hibou.

Aucun hululement, cependant. Peut-être s'agissait-il d'un raton laveur ou d'un autre animal?

Il jeta un coup d'œil au réveil sur la table de nuit. 0 h 20.

Vous avez six heures pour décider. Le choix vous appartient.

Ça ira mieux demain. Tout s'arrangeait après une bonne nuit de sommeil. Enfin, pas totalement, mais toujours assez pour vous donner la force de persévérer.

Je veux savoir ce qu'elle dit, la mer. Ce qu'elle essaie de dire, encore et encore.

Il ferma les yeux un court instant, mais ce n'était pas une bonne idée. Les paupières devaient se clore d'elles-mêmes pour que le sommeil s'ensuive.

Sur le réveil, il vit les chiffres passer de 0 h 59 à 1 h 00.

Le message était sur son pare-brise à sa sortie de la taverne, à 19 heures. Six heures s'étaient écoulées.

Quelqu'un avait été assassiné. Ou pas. Non, sûrement pas.

Bercé par les tapotis du hibou sur le toit (si toutefois c'était bien le hibou), Billy s'endormit.

5.

La taverne n'avait pas de nom, ou, plutôt, sa fonction lui servait de nom. L'enseigne accrochée à une poterne au milieu du parking bordé d'ormes, le long de la nationale, indiquait simplement TAVERNE.

Jackie O'Hara était le propriétaire du lieu. C'était un gros bonhomme, plein de taches de rousseur, doux comme un agneau, que tout le monde considérait comme un ami ou un lointain et gentil tonton.

Il n'avait aucune envie de faire figurer son patronyme sur l'enseigne.

Enfant, Jackie rêvait d'entrer dans les ordres. Il désirait aider les gens, les guider sur la voie menant au Seigneur.

Mais, en grandissant, il s'était aperçu que la nature avait ses exigences. Plutôt que de risquer de devenir un mauvais prêtre, Jackie, adolescent encore, avait préféré jeter l'éponge et ne pas salir son rêve d'enfant.

Finalement, il avait trouvé un sens à sa vie en faisant de ce bar un lieu sain à l'ambiance conviviale. Mais de là à mettre son nom sur l'enseigne… c'eût été péché de vanité.

Billy Wiles était persuadé que Jackie aurait fait un excellent prêtre. Tous les êtres humains ont du mal à maîtriser leurs pulsions, mais rares sont ceux qui, comme Jackie, faisaient preuve d'humilité, d'altruisme, et reconnaissaient ainsi leurs faiblesses.

« La taverne de Vineyard Hills », « la taverne des ormes », « la taverne des chandelles », « la taverne de la grand-route ».

Régulièrement, les clients proposaient des noms. Jackie les trouvait toujours pompeux ou inappropriés, ou encore ridicules.

Le mardi matin, quand Billy arriva à la taverne à 10 h 45, un quart d'heure avant l'ouverture, il n'y avait que deux voitures sur le parking : celle de Jackie et celle de Ben Vernon, le cuisinier de jour.

Debout à côté de son véhicule, Billy contempla la ligne des collines à l'horizon, de l'autre côté de la nationale. Elles étaient brun foncé au sommet, à l'endroit où les bulldozers les avaient scalpées, et couleur sable là où l'herbe avait jauni sous la chaleur de l'été.

La Peerless Properties, un grand consortium immobilier, construisait un vaste complexe du nom de Vineland, sur près de cinq cents hectares. Le projet comprenait un grand hôtel avec parcours de golf, trois piscines et courts de tennis, entre autres aménagements. De plus, cent quatre-vingt-dix résidences de vacances, valant plusieurs millions de dollars chacune, allaient être bâties puis vendues « clés en main » à des gens qui ne prenaient visiblement pas leurs loisirs à la légère.

Le béton des fondations avait été coulé au début du printemps. Les murs sortaient peu à peu de terre.

En avant-poste du chantier pharaonique qui défigurait les collines, un grand panneau animé, en cours d'achèvement, se dressait au milieu d'un pré, à trente mètres de la route. L'œuvre monumentale mesurait vingt-cinq mètres de haut pour cinquante de long ; elle était constituée de pièces de bois peintes articulées, représentant un motif en noir et blanc

De style Art déco, le panneau représentait, de façon stylisée, une gigantesque machine avec un jeu de roues, de bielles et de pistons digne d'une locomotive à vapeur. Il y avait aussi des engrenages géants et une collection de pièces mécaniques mystérieuses qui étaient sans rapport avec l'univers ferroviaire.

Un homme en bleu de chauffe était représenté dans la partie qui évoquait une locomotive, prisonnier de la machine. Le corps courbé en deux, comme pris dans une tempête, il était arc-bouté contre un énorme volant et luttait de toutes ses forces

pour le faire tourner avec, sur son visage, une expression de terreur et de détermination farouches. On avait l'impression que
l'ouvrier, s'il cessait un instant ses efforts, serait emporté par
le mécanisme et déchiqueté.

Aucune partie mobile n'était encore en fonction. Malgré son
immobilité, l'œuvre donnait déjà une illusion de mouvement
et de rapidité.

Il s'agissait d'une commande passée à un artiste célèbre –
Valis. Il édifiait l'œuvre avec une équipe d'une quinzaine de
personnes.

Elle était censée représenter la frénésie du monde moderne,
l'individu broyé par la société.

Le jour de l'inauguration de Vineland, Valis en personne
mettrait le feu à son œuvre et la réduirait en cendres, pour sym-
boliser la fin d'un mode de vie aliénant, et l'avènement d'une
liberté nouvelle, à savoir celle qu'offrait le complexe hôtelier.

La plupart des habitants de Vineyard Hills et des environs se
moquaient du panneau animé, et quand ils disaient que c'était
de l'« art moderne », il prononçait le mot « art » avec une ironie manifeste.

Billy aimait plutôt bien cette chose colossale, mais à ses
yeux la brûler n'avait aucun sens.

Le même artiste avait un jour attaché vingt mille ballons
rouges gonflés à l'hélium sur un pont en Australie, pour donner l'impression que les ballons portaient l'édifice. Avec une
commande à distance, il avait fait éclater tous les ballons au
même moment.

En ce qui concernait ce pont, Billy ne voyait pas l'intérêt de
faire éclater les ballons ; sans doute n'entendait-il rien à l'*art*
moderne !

Il n'était certes pas critique, mais son sentiment était que cet
ouvrage était soit de l'art mineur soit du bel artisanat. Pourquoi
le brûler ? C'était incompréhensible. Un musée jetait-il au feu
des toiles de Rembrandt à la Saint-Jean ?

À bien des égards, la société actuelle dépassait son entendement, ce n'est pas ce petit détail qui allait l'empêcher de dor-

mir. Mais la nuit où le panneau serait enflammé, il ne viendrait pas assister au spectacle.

Billy pénétra dans la taverne.

L'odeur était si présente dans l'air qu'on en avait presque le goût sur la langue : Ben Vernon préparait un chili !

Derrière le bar, Jackie O'Hara faisait l'inventaire des réserves d'alcool.

— Billy, tu as vu l'édition spéciale sur Channel Six hier soir ?

— Non.

— Tu as raté l'émission sur les OVNI et les enlèvements par les extraterrestres ?

— J'écoutais de la musique en sculptant.

— Un gars racontait qu'il a été emporté sur leur vaisseau mère qui se trouvait en orbite autour de la Terre...

— C'est ça leur scoop ? J'ai entendu cette histoire un millier de fois.

— ... et qu'un bataillon d'ET lui a fait un examen proctologique complet !

— C'est ce qu'ils disent tous, déclara Billy en poussant le battant pour passer derrière le bar.

— Je sais. Tu as raison. Mais il y a un truc que je ne pige pas, dit Jackie en fronçant les sourcils. Pourquoi une race supérieure, à l'intelligence cent fois plus développée que la nôtre, se taperait des milliards de kilomètres à travers l'univers juste pour examiner nos derrières ? Ils sont pervers ou quoi ?

— En tout cas, ils n'ont jamais regardé mes fesses, assura Billy. Pas plus que celles de ce type, si vous voulez mon avis.

— C'est un témoin plutôt fiable. C'est un écrivain. Je veux dire qu'il a déjà publié un tas d'autres bouquins avant celui-là.

— Le fait d'être édité ne fait pas de lui un type crédible, déclara Billy en prenant un tablier pour le nouer à sa taille. Hitler aussi a écrit des livres.

— Ah bon ? s'étonna Jackie.

— Eh oui.

— Hitler ? Celui qu'on connaît ?

— Ben oui, pas *Bob* Hitler.

— Tu te payes ma tête?

— Renseignez-vous, vous verrez.

— Et qu'est-ce qu'il écrivait? Des livres genre d'espionnage ou autre?

— Autre.

— Le type dont je te parle est un auteur de science-fiction.

— Le contraire m'eût étonné!

— Attends, c'est de la vraie science-fiction, répéta Jackie en insistant sur le mot « science ». Ce qu'il raconte est vraiment troublant...

Jackie souleva un ramequin blanc sur le plan de travail et émit un grognement de lassitude et de dégoût en découvrant une vingtaine de queues de cerise à l'eau-de-vie que Steve avait nouées avec sa langue.

— Je vais finir par lui faire une retenue sur son salaire avec tout ce qu'il consomme, celui-là! maugréa-t-il.

— Ça fait rire les clients.

— Parce qu'ils ont le cerveau embué par l'alcool. Steve joue le rigolo de service, mais il n'est pas drôle du tout en vrai.

— Chacun a sa propre vision de l'humour.

— Non, ce que je veux dire c'est qu'il fait semblant d'avoir le cœur léger, d'être de bonne humeur, plein d'entrain, mais tout ça c'est du bidon.

— Il est pourtant tout le temps comme ça.

— Demande donc à Celia Reynolds!

— Qui est-ce?

— La voisine de Steve. Elle habite la maison d'à-côté.

— Les querelles de voisinage, c'est fréquent. Il ne faut pas prendre ce que disent les voisins pour argent comptant.

— Il paraît qu'il pique des crises terribles dans le jardin.

— Des crises? Comment ça?

— Il devient fou furieux, qu'elle dit. Il saccage des trucs à la hache.

— Quel genre de trucs?

— Des chaises, par exemple.

— Les chaises du voisin?

— Non, les siennes. Il passe ses nerfs dessus jusqu'à ce qu'elles soient en miettes.

— Pourquoi fait-il ça?

— Il jure, pousse des cris de rage en s'acharnant dessus. Comme s'il avait besoin de libérer sa colère.

— Sur une chaise?

— Oui. Et sur des pastèques aussi...

— Peut-être qu'il en est friand.

— Ce n'est pas pour les manger! Il tape dessus comme une brute jusqu'à ce qu'elles soient réduites en bouillie.

— En leur braillant des insultes?

— Exactement. Il pousse des hurlements de bête enragée. Des pastèques entières y passent. Deux fois, Celia l'a vu s'en prendre aussi à des bonnes femmes en plastique.

— Des quoi?

— Tu sais, ces espèces de machins qu'on voit dans les vitrines des magasins.

— Des mannequins?

— Oui. Il les a éclatés à la hache et à coups de masse.

— Où aurait-il trouvé des mannequins?

— Comment veux-tu que je le sache!

— Ça paraît un peu gros...

— Parles-en à Celia, je te dis! Elle te le confirmera.

— Elle a demandé à Steve pourquoi il faisait ça?

— Non. Elle n'ose pas, elle a trop peur.

— Et tu la crois?

— Celia n'est pas du genre à fabuler.

— Vous pensez Steve dangereux?

— Sans doute que non, mais on ne sait jamais.

— Fichez-le à la porte, si vous avez des doutes.

Jackie haussa les sourcils.

— Pour qu'il fasse comme ces malades qui font la une des journaux? Je ne tiens pas à ce qu'il rapplique *ici* avec sa hache...

— De toute façon, cette histoire ne colle pas. Même vous, vous avez du mal à y croire.

— Si, j'y crois. Celia va à la messe trois fois par semaine.

— Jackie, vous rigolez avec Steve toute la journée. Vous êtes comme cul et chemise, tous les deux.

— En même temps, je le surveille du coin de l'œil.

— Ça ne se voit pas.

— C'est pourtant la vérité. Seulement, je n'ai pas envie d'être injuste.

— Comment ça?

— C'est un bon barman, il fait son boulot. (Jackie prit un air contrit. Ses joues dodues s'empourprèrent.) Je n'aurais pas dû t'en parler. Mais c'est juste à cause de ces queues de cerise. Ça finit par m'agacer…

— Une vingtaine de cerises à l'eau-de-vie. Il y en a pour cher?

— Ce n'est pas une question d'argent. C'est ce machin qu'il fait avec sa langue, je trouve ça déplacé, pour ne pas dire obscène.

— Je n'ai jamais vu de client s'en plaindre. D'ailleurs de nombreuses femmes ont l'air d'apprécier le spectacle…

— Les homos aussi…, ajouta Jackie. Je ne veux pas que ce bar soit un lieu uniquement pour célibataires, qu'ils soient homos ou hétéros. Je tiens à ce que ce soit un bar *familial*.

— Ça existe, ça? Un bar familial?

— Bien sûr! rétorqua Jackie d'un air choqué. (La taverne ne se voulait pas uniquement un bar, mais aussi un restaurant.) Nous proposons bien des menus enfants, non? Avec petites portions de frites…

Avant que Billy ait eu le temps de répondre, le premier client de la journée passa la porte. Il était 11 h 04. L'homme commanda un bloody mary avec un bâton de céleri – une version toute personnelle d'un brunch.

Pendant le coup de feu de midi, Billy tenait le bar et Jackie apportait les plats en salle à mesure qu'ils sortaient du gril de Ben.

Le mardi, ils avaient beaucoup de travail (c'était le jour du chili) mais pas au point de faire venir une serveuse en renfort. Par chance, un tiers des consommateurs se contentait d'un simple verre d'alcool pour le déjeuner et un deuxième tiers se rassasiait avec un sachet de cacahuètes ou les petites saucisses tenues au chaud sur le comptoir, ou encore se gavait de bretzels gratuits.

Tout en préparant les cocktails et les bières pression, Billy Wiles était perturbé par une image qui passait en boucle dans son esprit : Steve Zillis en train de démolir un mannequin à coups de hache, Zillis qui tapait comme un forcené, encore et encore...

Au fil des heures, voyant que personne ne parlait d'une enseignante abattue d'un coup de feu ou d'une vieille dame de charité bastonnée à mort, Billy commença à se détendre. À Vineyard Hills la Tranquille, nichée dans la paisible Napa Valley, la nouvelle d'un meurtre sanglant aurait eu tôt fait de faire le tour de la ville. Le mot sur son pare-brise était sans doute un canular.

L'après-midi fut calme. À 16 heures, la belle Ivy Elgin arriva pour commencer son service. Dans son sillage, des hommes assoiffés, telle une meute de chiens excités suivant un rôti sur pied – pour un peu, ils en auraient eu la langue pendante et la bave aux lèvres.

— Alors, quelles sont les morts du jour ? lui demanda Billy, en se sentant tressaillir malgré lui.

— Une mante religieuse sur le perron derrière la maison, pile sur le seuil ! répondit Ivy.

— Et alors, comment interprètes-tu ça ?

— Ce qui est religieux trouve la mort.

— C'est plutôt obscur...

— J'essaie encore de décrypter...

Shirley Trueblood arriva une heure plus tard, imposante dans son uniforme jaune aux revers blancs.

Juste après, ce fut au tour de Ramon Padillo. Il huma les fragrances de chili, et poussa un grognement.

— Ça manque de cumin !

Steve Zillis fit son entrée en scène à 18 heures. Il laissait derrière lui une odeur de dentifrice mentholé et d'après-rasage à la verveine.

— Quoi de neuf, docteur ?

— C'est toi qui m'as téléphoné hier soir ? lui demanda Billy.

— Moi ? Pourquoi veux-tu que je t'appelle ?

— Je ne sais pas. J'ai reçu un coup de fil, la ligne était mauvaise, mais je me disais que ça pouvait être toi.

— Et tu as essayé de me rappeler ?

— Non. Je n'étais pas sûr que c'était toi. Juste une impression. Je n'entendais presque rien…

— De toute façon, commença Steve en piochant trois olives dans un bocal, j'étais sorti avec une copine hier soir.

— Tu quittes le boulot à 2 heures du matin, et tu *sors* ensuite ?

Steve afficha un large sourire et lui fit un clin d'œil.

— C'était la pleine lune, hier. Et ça m'excite à chaque fois comme une bête ! lança-t-il en accentuant le mot « bête ».

— À 2 heures du matin, moi, je me précipite dans mon lit.

— Ne le prends pas mal, vieux, mais avec toi, les aiguilles risquent pas de passer dans le rouge.

— Ce qui signifie ?

Steve haussa les épaules, puis se mit à jongler avec les olives.

— Quoi ? C'est vrai… les gens se demandent pourquoi un joli garçon comme toi vit comme une vieille fille.

— Qui dit ça ? demanda Billy en balayant les clients du regard.

— Des tas de gens.

Steve attrapa la première olive dans sa bouche, puis la deuxième, et la dernière, et les mâcha vigoureusement sous les applaudissements de la rangée de consommateurs installés sur les tabourets.

Durant sa dernière heure de service, Billy observa les moindres faits et gestes de Steve. Mais il ne remarqua rien de suspect.

Soit Steve n'était pas l'auteur du canular, soit il était beaucoup plus fourbe et rusé qu'il ne paraissait.

Mais, au fond, peu lui importait. Personne n'avait été tué. Le billet était une blague et, un jour ou l'autre, il saurait le fin mot de l'histoire.

À 19 heures, au moment où Billy s'apprêtait à quitter la taverne, Ivy Elgin vint à lui, les yeux brillant d'une excitation qu'elle avait du mal à contenir.

— Quelqu'un va mourir dans une église.

— Qu'est-ce qui te fait penser ça ?

— La mante religieuse. Ce qui est religieux trouve la mort.

— Et dans quelle église ?

— Nous verrons bien.

— Ça ne sera forcément pas dans une église. Peut-être que ça veut juste dire qu'un pasteur ou qu'un prêtre va mourir.

Elle vrilla son regard dans le sien, deux prunelles étincelantes.

— Je n'avais pas songé à cette version. Tu as peut-être raison. Mais l'opossum, dans tout ça, comment s'intègre-t-il dans le schéma général ?

— Je n'en ai pas la moindre idée, Ivy. C'est toi le devin ; moi, je n'ai aucun don pour les oracles.

— Je sais, mais tu es gentil. Tu t'intéresses à ce que je dis, sans jamais te moquer de moi.

Il avait beau travailler aux côtés d'Ivy cinq jours par semaine, sa beauté hors du commun et son puissant sex-appeal lui faisaient parfois oublier qu'Ivy était au fond plus une jeune fille qu'une femme – elle n'était peut-être pas vierge, mais elle était douce, candide et vertueuse.

— Je vais réfléchir au sujet de l'opossum. Va savoir ? Peut-être ai-je un petit talent caché pour la divination ?

— Merci, Billy, dit-elle avec un sourire à faire se pâmer un eunuque. Parfois, ce don est un... fardeau. Un petit coup de main, ce n'est pas de refus.

Au-dehors, le paysage baignait dans une teinte jaune citron, sous les rayons obliques du couchant. Les ombres pourpres des ormes viraient déjà au noir

En approchant de sa Ford Explorer, Billy aperçut un nouveau billet glissé sous son essuie-glace.

6.

Bien qu'il n'ait eu vent d'aucune mort violente, ni d'une femme blonde, ni d'une dame âgée, Billy s'arrêta net à quelques pas de son véhicule ; il n'avait aucune envie de découvrir le contenu de ce second message.

Tout ce qu'il désirait, c'était aller s'asseoir au chevet de Barbara un moment, puis rentrer chez lui. Il ne lui rendait pas visite tous les soirs, mais très souvent.

Ses arrêts à Whispering Pines étaient un des piliers sur lesquels reposait sa modeste vie. C'était un moment important de son existence qu'il attendait avec impatience, au même titre que l'heure de la fin de son service, ou le moment où il pourrait se mettre à son établi pour sculpter ses morceaux de bois.

Il n'était pas stupide, cependant. Loin de là. Et il avait conscience que de la solitude à l'isolement total, il n'y avait qu'un pas.

Une ligne fine sépare l'homme reclus, blessé par la vie, de l'ermite terrorisé par le monde extérieur. Et une autre ligne, plus ténue encore, sépare l'ermite du misanthrope aigri.

Prendre le mot sur son pare-brise, le chiffonner dans son poing et le jeter en boule par terre, sans le lire, c'était, à n'en pas douter, franchir la première de ces lignes. Et ensuite, y aurait-il un retour possible ?

La vie ne l'avait pas gâté. Mais sa prudence naturelle lui disait qu'en jetant ce papier, il jetterait aussi tout ce qui aujourd'hui l'aidait à vivre. Son existence ne s'en trouverait pas simplement changée, elle serait plus difficile encore à supporter.

Ainsi pris dans les affres du doute, il ne prêta pas attention à la voiture de patrouille qui entrait sur le parking. Au moment où il saisissait le billet glissé sous son essuie-glace, il sursauta en apercevant Lanny Olsen, en uniforme, planté à ses côtés.

— Encore un message, déclara Lanny comme s'il s'y attendait.

Sa voix était fébrile. L'angoisse se lisait sur son visage. Ses yeux étaient deux fenêtres béantes donnant sur un lieu hanté.

Depuis sa naissance, Billy avait grandi et vécu dans un monde qui réfutait l'existence de l'innommable. La pire abomination était qualifiée de simple horreur, et par voie de conséquence, l'horreur était déclassée en crime, le crime en délit, et le délit en simple nuisance. Pourtant, il sentit une vague de dégoût le traverser avant même de savoir précisément ce qui amenait Lanny Olsen.

— Billy... Ça ne va pas du tout...

— Qu'est-ce qu'il y a ?

— Je sue à grosses gouttes. Regarde, je dégouline.

— Quoi ? Dis-moi ce qui se passe ?

— Je n'arrête pas de transpirer. Et ce n'est pas à cause de la chaleur.

Soudain, Billy se sentit poisseux et sale aussi. Il se passa la main sur le visage et observa sa paume, s'attendant à la voir maculée de crasse. Mais à l'œil nu, elle paraissait propre.

— J'ai besoin de boire une bière, reprit Lanny. Deux, même. Il faut que je me pose quelque part, et que je réfléchisse.

— Regarde-moi !

Lanny ne parvenait pas à croiser son regard. Toute son attention était fixée sur le bout de papier dans la main de Billy.

Le billet était toujours plié... en revanche quelque chose se déployait dans l'estomac de Billy, s'épanouissait dans ses boyaux comme une fleur grasse, huileuse, aux pétales innombrables et suintants. Une mauvaise intuition l'envahissait jusqu'à la nausée.

Il savait déjà ce qui se passait... La seule vraie question à poser c'était : *qui.* Et Billy la posa.

Lanny humecta ses lèvres avant de répondre.
— Giselle Winslow.
— Je ne la connais pas.
— Moi non plus.
— Ça s'est passé où ?
— Elle était prof de littérature à Napa.
— Blonde ?
— Oui.
— Et jolie, devina Billy.
— Elle l'était... avant. Quelqu'un l'a tabassée, presque à mort. Celui qui l'a mise dans cet état savait comment s'y prendre pour faire durer le supplice... un expert.
— Tu as dit qu'elle était *presque* morte ?
— À la fin, il l'a étranglée avec sa paire de collants.
Billy sentit ses jambes se dérober sous lui. Il prit appui contre sa voiture, incapable d'articuler un mot.
— C'est sa sœur qui l'a trouvée, il y a deux heures à peine.
Lanny avait toujours les yeux fixés sur le message plié dans la main de Billy.
— C'est hors de notre juridiction, reprit Lanny. C'est la police de Napa qui a hérité de l'affaire. C'est déjà ça. Ça me met moins la pression.
Quand Billy retrouva l'usage de la parole, sa voix lui parut rugueuse, inhabituelle.
— Le message disait qu'il tuerait une enseignante si je n'informais pas la police. Or, je t'en ai parlé, à toi.
— Il disait qu'il la tuerait si tu n'alertais pas les policiers et s'ils *n'intervenaient pas.*
— Mais je suis allé te voir, j'ai essayé. Bon sang, tu es bien d'accord que j'ai essayé ?
Lanny finit par regarder Billy dans les yeux.
— C'était une visite informelle. Tu n'es pas, à proprement parler, allé trouver la police. Tu t'es adressé à un ami, et il se trouve que cet ami est policier.
— Mais je te l'ai montré ce mot ! protesta Billy, agacé par son ton plaintif, comme s'il cherchait à se justifier.

L'écœurement comprimait les parois de son estomac, mais il serra les dents.

— Ça puait le faux à plein nez, déclara Lanny.

— De quoi parles-tu ?

— De la première note. C'était forcément un canular. Une mauvaise blague. Pas un policier au monde n'aurait flairé là-dedans un parfum de vérité.

— Elle était mariée ?

Une Toyota pénétra sur le parking pour aller se garer une vingtaine de mètres plus loin.

En silence, ils suivirent des yeux le conducteur qui descendit de son véhicule et se dirigea vers la taverne. À une telle distance, il n'aurait pas pu saisir leur conversation mais les deux hommes préféraient rester prudents.

Un air de country leur parvint de la taverne quand l'homme ouvrit la porte. Sur le juke-box tournait une chanson d'Alan Jackson, qui parlait d'un chagrin d'amour.

— Elle était mariée ? répéta Billy.

— Qui ?

— La femme ! L'enseignante ! Giselle Winslow.

— Non, pas à ma connaissance. En tout cas, personne n'y a fait allusion. Montre-moi ce nouveau billet.

— Est-ce qu'elle avait des enfants ? reprit Billy en conservant le papier.

— Qu'est-ce que ça peut faire ?

— C'est important.

Soudain, Billy s'aperçut qu'il avait serré les poings de colère. L'homme devant lui était pourtant un ami, du moins selon ses critères d'ermite. Néanmoins, desserrer les doigts lui demanda un grand effort.

— C'est important pour moi, Lanny.

— Je ne sais pas si elle avait des enfants. Probablement pas. D'après ce que l'on m'a dit, elle vivait seule.

Deux grosses vagues de trafic passèrent sur la nationale, dans un rugissement mécanique suivi par les ondes de chocs successives engendrées par chaque véhicule déchirant les nappes d'air.

— Écoute, Billy, reprit Lanny d'un ton suppliant, une fois le silence revenu. Sur le principe, je suis dans la merde.

— *Sur le principe ?* répéta Billy qui trouvait le terme cocasse en pareille situation, bien qu'il n'eût aucune envie de rire.

— Pas un seul collègue n'aurait pris cette fichue note au sérieux. Mais ils vont tous dire maintenant que j'aurais dû y croire.

— *Moi*, j'aurais dû !

— Tu ne pouvais pas savoir, protesta Lanny, affolé. C'est facile de dire ça après coup ! Faut pas commencer avec ces conneries. Ne dis surtout pas ça ! Il faut que notre défense soit cohérente.

— Notre défense ? Contre quoi ?

— Je ne sais pas… contre tout et n'importe quoi. Je ne suis pas au top, tu sais.

— Au top ?

— Mes états de service. Ils ne sont pas au mieux. J'ai deux rapports contre moi.

— Qu'est-ce que tu as fait ?

Lanny encaissa la question comme un coup de poing.

— Mais rien, Billy, je ne suis pas un flic corrompu, qu'est-ce que tu crois !

— Je n'ai jamais dit ça.

— J'ai quarante-six ans, et je n'ai jamais touché à de l'argent sale. Et ce n'est pas demain la veille que ça arrivera.

— D'accord ! D'accord !

— Je n'ai rien fait de mal ! Absolument rien !

Cette véhémence pouvait être un grand numéro de comédie… mais Lanny ne continua pas sur ce registre ; il écarquilla soudain les yeux et se tut. Peut-être était-il effrayé par l'image que lui renvoyait sa conscience ?… Il commença à se mordiller la lèvre inférieure comme s'il ruminait une pensée désagréable qu'il voulait cracher une fois pour toutes.

Billy attendit, en jetant un coup d'œil à sa montre.

— C'est vrai que, parfois…, reprit enfin Lanny. Je suis un peu tire-au-flanc. Je m'ennuie ferme, tu sais. Peut-être parce que ce n'est pas la vie dont je rêvais…

— Tu n'as pas d'explications à me donner, déclara Billy.

— Je sais. Mais que j'aime ou non mon boulot de flic, c'est tout ce que j'ai aujourd'hui. C'est ma vie. Et je ne veux pas me retrouver à la rue. Alors, il faut que je voie ce nouveau message, Billy. S'il te plaît, donne-le-moi.

Billy compatissait, mais il n'avait pas l'intention de lâcher le papier, qui était à présent imprégné de sa sueur. Il le déplia et le lut.

Si vous n'alertez pas la police, s'ils n'interviennent pas, je tuerai un homme célibataire dont le monde ne pleurera pas la perte.

Si vous allez à la police, je tuerai une jeune mère de deux enfants.

Vous avez cinq heures pour décider. Le choix vous appartient.

Dès la première lecture, Billy avait parfaitement compris le message, pourtant, il le relut une seconde fois avant de le passer à Lanny.

L'anxiété, qui est la rouille de l'humain, rongea le visage de Lanny Olsen, quand il parcourut les lignes.

— Putain de taré…, lâcha-t-il.

— Je file à Napa !

— Pourquoi ?

— Je dois porter les deux messages à la police.

— Pas si vite, attends. Qui te dit que le prochain meurtre aura lieu à Napa ? La victime peut tout aussi bien être de St. Helena ou de Rutherford…

— Ou d'Angwin, l'interrompit Billy. Ou de Calistoga.

Pour le convaincre, Lanny en remit une couche :

— Ou encore de Yountville, Circle Oaks, Oakville… Tu n'as aucune idée du lieu. Tu ne sais rien !

— J'en sais suffisamment, rétorqua Billy, pour savoir ce que je dois faire.

— Les vrais tueurs ne jouent pas à ces jeux-là, dit Lanny qui relisait la note en clignant des yeux sous la transpiration.

— Celui-là, si.

— Laisse-moi réfléchir une minute.

Lanny replia le papier et le rangea dans sa poche.

— Réfléchis tant que tu veux, moi je file à Napa, répliqua Billy en récupérant la note illico dans la poche de Lanny.

— Non, ne fais pas ça. Surtout pas ! Ne fais pas l'idiot.

— Il sera bien forcé d'arrêter, si je refuse de jouer le jeu.

— Tu vas condamner à mort une jeune mère de deux enfants… C'est ça que tu veux ?

— Comment oses-tu dire ça ? On va dire que je n'ai rien entendu.

— Alors, je répète : tu vas condamner à mort une jeune mère de deux enfants.

— Je ne vais condamner à mort personne, répondit Billy en secouant la tête.

— Le choix vous appartient, cita Lanny. C'est ça, ton choix ? Que deux gamins deviennent orphelins ?

Billy ne reconnaissait plus Lanny… Ce visage pâle d'angoisse, ces yeux enflammés… ce n'était plus le Lanny avec qui il jouait au poker ou passait ses soirées… Cet homme, devant lui, était devenu un parfait étranger.

— Le choix t'appartient, répéta Lanny.

Billy ne tenait pas à se brouiller avec son ami. Il avait encore un reste de vie sociable, et n'avait nulle envie de basculer définitivement dans le club exclusif et fermé des anachorètes.

Peut-être Lanny perçut-il l'inquiétude de son ami ? Son expression se radoucit soudain.

— Tout ce que je te demande, c'est de ne pas me lâcher. Je marche en terrain miné.

— Nom de Dieu, Lanny…

— Je sais. Je t'en demande beaucoup…

— Ne t'avise plus jamais de me faire ce genre de plan…

— Oui, bien sûr. Excuse-moi, je suis allé trop loin. C'est juste que le shérif est une telle peau de vache. Tu le connais. Avec le dossier que je traîne derrière moi, il sautera sur l'occasion pour me reprendre mon insigne. Il me reste six ans à tirer pour avoir droit à une retraite correcte.

Il y avait, dans le regard de Lanny, un tel désespoir – et autre chose, pis encore, que Billy ne voulait nommer – qu'il dut détourner les yeux, feindre d'avoir en face de lui le Lanny d'avant, pour trouver la force de poursuivre cette discussion.

— Qu'attends-tu de moi, au juste ?

Interprétant cette question comme une capitulation, Lanny retrouva un semblant de calme.

— Tu n'auras pas à le regretter, Billy. Tout va bien se passer, je te le promets

— Je n'ai pas dit que j'étais d'accord. Je te demande simplement ce que tu veux.

— Je comprends. Et j'apprécie ton geste. Tu es un vrai ami. Tout ce que je te demande, c'est de me laisser une heure, juste une heure, pour réfléchir.

— Le délai est encore plus court, répondit Billy en contemplant le bitume craquelé à ses pieds. Dans le premier message, il me donnait six heures. Maintenant, cinq.

— Je veux juste une heure. Une seule.

— Il doit savoir que je quitte mon service à 19 heures… c'est à ce moment-là, donc, que le compte à rebours commence. J'ai jusqu'à minuit. Ensuite, avant l'aube, il tuera l'un ou l'autre… En agissant ou non, je fais un choix. Mais je refuse d'admettre que c'est moi qui décide. C'est lui qui tue…

— Une heure ! promit Lanny, ensuite je préviendrai le shérif Palmer. Le temps de trouver la bonne approche, le bon angle d'attaque qui me permettra de sauver mes fesses.

L'attention de Billy fut détournée par un cri familier, qu'il était cependant rare d'entendre dans cette région, et il leva les yeux au ciel.

Trois mouettes, blanches contre l'azur, tournaient dans le ciel. Ces oiseaux s'aventuraient rarement si loin au nord de la baie de San Pablo.

— Billy, il me faut ces messages si je veux pouvoir les donner au shérif.

— Je préfère les garder, répondit Billy en observant les volatiles.

— Ce sont des pièces importantes pour l'enquête, avança Lanny d'un ton plaintif. Cet enfoiré de Palmer va me faire la peau si je ne les ai pas récupérées pour les mettre en lieu sûr...

D'ordinaire, avec le crépuscule, les mouettes regagnaient toujours leur territoire en bord de mer. La présence de ces oiseaux était étrange. Fallait-il y lire un présage ? Leurs cris froids et perçants donnèrent à Billy la chair de poule.

— Je n'ai que la dernière note, annonça-t-il.

— Où est l'autre ?

— Chez moi, à côté du téléphone dans la cuisine.

Et s'il retournait à la taverne pour interroger Ivy Elgin sur la signification de la présence des mouettes ?

— Bon, tant pis, annonça Lanny. Donne-moi déjà celle que tu as. Palmer viendra sûrement te parler. On récupérera l'autre billet à ce moment-là.

Le problème, c'est qu'Ivy ne pouvait interpréter les signes que sur des cadavres...

Devant l'hésitation de Billy, Lanny haussa le ton.

— Nom de Dieu, Billy, regarde-moi ! Qu'est-ce qu'ils ont, ces oiseaux ?

— Je ne sais pas.

— Tu ne sais pas quoi ?

— Ce qu'il y a avec ces oiseaux. (À contrecœur, Billy tira le papier de sa poche pour le remettre à Lanny.) Je te laisse une heure.

— C'est parfait. Je t'appelle.

Lanny tourna les talons pour s'éloigner, mais Billy l'arrêta en posant une main sur son épaule.

— Comment ça, tu m'appelles ? Tu m'as bien dit que tu allais le donner à Palmer ?

— Je te téléphonerai avant, dès que j'aurai bidouillé une histoire pour me couvrir.

— Bidouillé..., répéta Billy avec aigreur.

Soudain silencieuses, les mouettes obliquèrent vers l'ouest, dans le soleil couchant.

— Je t'expliquerai d'abord au téléphone ce que je compte raconter à Palmer, pour qu'on ait la même version. Et, ensuite, j'irai le voir.

Billy regrettait déjà de s'être séparé du mot. Mais c'était effectivement une pièce importante pour l'enquête, et la logique voulait qu'il la confie à Lanny.

— Où seras-tu dans une heure ? À Whispering Pines ?

Billy secoua la tête.

— Je vais passer à la clinique, mais j'y resterai seulement un quart d'heure. Ensuite, je rentre à la maison. Appelle chez moi. Une dernière chose…

— Billy…, s'impatienta Lanny. Le temps est compté, tu te souviens ?

— Comment ce dingue sait-il ce que je choisis de faire ou pas ? Comment a-t-il su que je suis allé te voir, au lieu d'aller au poste de police ? Comment saura-t-il ce que je vais faire dans les heures qui restent avant minuit ?

Lanny fronça les sourcils, dubitatif. Il n'avait aucune réponse.

— Il doit m'épier, conclut Billy.

Lanny balaya du regard le parking, la taverne, et la cime des ormes.

— Tout allait trop bien, déclara Lanny.

— Tu trouves ?

— Oui. Ça roulait comme sur des roulettes… mais il a fallu qu'on tombe sur un os.

— Il y a toujours un os.

— Oui, toujours…, reconnut Lanny avant de se diriger vers sa voiture de patrouille.

Le fils unique de feu Mrs. Olsen paraissait effondré ; il avançait les épaules basses, le pantalon au bas des fesses.

Billy voulait s'assurer qu'ils se quittaient bons amis, mais il ne pouvait lui poser la question de manière aussi directe. Pourtant, il fallait qu'il sache…

— Il y a quelque chose que je ne t'ai jamais dit, et que j'aurais dû te dire depuis longtemps…, lança Billy presque malgré lui.

Lanny s'arrêta et se retourna, l'air méfiant.

— Toutes ces années où ta mère était malade, où tu as pris soin d'elle, au point d'abandonner ton rêve... Tu as été exemplaire, au moment où il le fallait. Ça, ça compte plus que ton travail de policier.

L'air embarrassé, Lanny regarda les arbres au loin.

— Merci, Billy! lâcha-t-il, troublé.

Il semblait sincèrement touché de voir que Billy se rendait compte de son sacrifice.

— Mais ce n'est pas ça qui assurera ma retraite, ajouta-t-il avec ironie, comme si un besoin maladif le poussait à minimiser son mérite, à s'en moquer même.

Billy regarda Lanny monter dans la voiture et s'éloigner.

Avec le silence qui suivit la disparition des mouettes, le jour s'évanouit lentement; les collines, les prés, les arbres se couvrirent d'un linceul d'ombres.

Plus loin, de l'autre côté de la nationale, l'ouvrier automate de dix mètres, immobile, luttait pour ne pas être broyé par les rouages impénétrables du monde industriel ou des idéologies barbares... ou de l'art moderne.

7.

Pour Billy, voir le visage de Barbara lové au creux de l'oreiller était à la fois une joie et un déchirement, le rappel de tout ce qu'il avait perdu et sa raison d'espérer.

Barbara était son ancre – une ancre à double effet. Le premier, salvateur, l'aidait à rester stable dans les bourrasques. Sa seule vue l'empêchait de perdre pied, quels que soient les événements de la journée.

Mais l'aspect négatif, c'est que chaque souvenir d'elle, du temps où elle n'était pas juste en vie mais « vivante », était autant de maillons d'une chaîne attachée à ses pieds. Si elle devait quitter le coma pour sombrer corps et âme dans les eaux noires de l'oubli, elle entraînerait Billy avec elle dans l'abîme.

Il lui rendait visite non seulement dans l'espoir qu'elle perçoive sa présence du fond de sa geôle, mais aussi pour apprendre l'amour et le détachement, apprendre à rester en repos et, peut-être, parvenir à trouver un moment de paix fugace.

Mais ce soir, la paix ne viendrait pas…

Son attention passait sans arrêt du visage de Barbara au cadran de sa montre, puis à la fenêtre où le ciel jaune se parait de rouge avec le crépuscule, comme un signe funeste.

Il feuilletait son petit carnet de notes, parcourant les pages, relisant les paroles mystérieuses qu'elle avait prononcées.

Quand une série de mots l'intriguaient particulièrement, il les lisait à voix haute :

… un crachin noir…

… mort du soleil…

... cet habit d'épouvantail...
... des foies d'oies obèses...
... une rue étroite de maisons hautes...
... une citerne pour contenir le brouillard...
... leurs grelots au son limpide...
... des formes étranges... un mouvement fantomatique...

Billy espérait que Barbara, en entendant ces bribes de phrases énigmatiques prononcées dans son coma, serait tentée de parler, de développer ses propos, de leur donner du sens.

Certains soirs, sa lecture avait provoqué une réaction chez la jeune endormie. Mais jamais elle n'avait éclairci ses paroles précédentes. À la place, elle psalmodiait une nouvelle litanie tout aussi impénétrable.

Ce soir, elle resta silencieuse, ne répondant que par quelques soupirs, sans émotion ni affect, comme si elle était un respirateur artificiel, expulsant de temps en temps une expiration plus profonde sous quelque fluctuation aléatoire d'énergie.

Après avoir lu deux séries de phrases, Billy rangea le carnet dans sa poche.

À cause de sa nervosité du moment, il avait lu de manière trop sèche et trop rapide. Pour un peu, on aurait pu le croire en colère... Ce n'était pas bon pour Barbara.

Il se leva et se dirigea vers la fenêtre.

Whispering Pines était situé au bord d'un vignoble qui s'étalait en pente douce. La chambre donnait sur les alignements de ceps aux feuilles vert émeraude qui vireraient au rouge l'automne venu. Pour l'heure, les grappes de raisins, minuscules, étaient encore loin de la maturité. On ne vendangerait que dans plusieurs semaines.

Entre chaque rangée, la terre pourpre, fertilisée au moult de raisin, était striée de noir par les ombres du crépuscule.

À une trentaine de mètres, un homme, seul, se tenait au milieu des vignes. Il ne portait aucun outil et ne semblait pas être au travail.

Un viticulteur? Un négociant?... en tout cas il n'avait pas l'air pressé... Il se tenait immobile, les deux pieds plantés dans le sol, les mains enfouies dans les poches de son pantalon.

Il semblait observer la clinique.

À cette distance et dans le contre-jour, il était impossible de discerner les traits du visage. Il était debout au milieu des rangs – silhouette noire se découpant sur le soleil couchant.

Billy entendait son cœur battre la chamade – une cavalcade dans sa cage thoracique. Ne pas céder à la panique. Rester calme. Quels que soient les événements à venir, il devait garder la tête froide pour y faire face.

Billy se détourna de la fenêtre et se dirigea vers le lit.

Les yeux de Barbara étaient en mouvement sous ses paupières – signe qu'elle rêvait, aux dires des médecins.

Le coma étant en soi un sommeil bien plus profond que la normale, Billy se demandait si les rêves de Barbara étaient également plus intenses – théâtres d'actions enfiévrées, de sons assourdissants, de symphonies de couleurs psychédéliques.

Et les cauchemars ? Étaient-ils, eux aussi, plus vrais que nature, perpétuels et terribles ? C'était là la grande crainte de Billy.

Quand il l'embrassa sur le front, elle murmura :

— Le vent tourne à l'est…

Billy attendit un instant, mais elle ne dit plus rien ; ses yeux s'agitaient et roulaient dans leur orbite, poursuivant des fantômes derrière ses paupières closes.

Comme ces mots n'évoquaient aucune menace et que le ton de sa voix restait neutre, sans trace d'angoisse, Billy en conclut que le rêve en cours devait être serein.

Par automatisme, presque malgré lui, il saisit, sur la table de nuit, l'enveloppe couleur crème sur laquelle était inscrit son nom d'une écriture rapide. Il la glissa dans sa poche, sans même l'ouvrir. C'était un mot de Jordan Ferrier, le médecin de Barbara.

Quand il s'agit de discuter de soins et de traitements, les docteurs utilisent toujours le téléphone pour communiquer avec la famille. Lorsqu'ils ont recours au papier, ce n'est plus pour parler de médecine mais de la part du Diable.

De retour à la fenêtre, Billy constata que l'homme des vignes avait abandonné son poste d'observation.

Quand il quitta Whispering Pines un peu plus tard, Billy s'était préparé mentalement à trouver un troisième message sur son pare-brise. Mais ce coup de grâce lui fut épargné.

Finalement, l'inconnu des vignes était peut-être une personne ordinaire, vaquant à des affaires parfaitement honnêtes. Rien de plus, rien de moins.

Billy rentra directement chez lui, laissa l'Explorer dans le garage et monta les marches du perron côté jardin pour entrer par l'arrière de la maison.

La porte était ouverte...

8.

Dans les deux notes, Billy n'était pas personnellement menacé. Sa vie n'était pas en péril. Il aurait de loin préféré être confronté à un danger physique plutôt qu'à ces choix cornéliens.

Toutefois, à la vue de sa porte ouverte, il se demanda s'il n'était pas plus sage d'attendre dans le jardin l'arrivée de Lanny et du shérif Palmer.

Mais cette option ne fit que lui traverser l'esprit. Il se fichait que Lanny et Palmer le prennent pour un froussard, mais il avait son amour-propre...

Il entra donc. Personne ne l'attendait tapi dans la cuisine.

La lumière déclinante du jour mourait sur les carreaux sans parvenir à pénétrer dans les pièces. Par prudence, il alluma les lumières à mesure qu'il s'aventurait dans la maison.

Aucun intrus nulle part, ni derrière les meubles, ni dans les placards. Aucune trace non plus d'effraction. Ce qui était curieux.

Le temps de revenir dans la cuisine, il commençait à se demander s'il n'avait pas simplement oublié de refermer la porte.

Mais il rejeta cette hypothèse lorsqu'il vit le double de la clé de la cuisine abandonné sur le comptoir, près du téléphone. Cette clé de secours était cachée sous un pot de lasure dans le garage.

Billy s'était servi de ce double cinq ou six mois plus tôt. À cette époque, il était peu probable qu'on le surveillât.

Pariant sur l'existence de ce sésame, le tueur avait donc fouillé le garage, car l'endroit était parfait pour une cachette.

L'atelier de Billy, digne d'un menuisier professionnel, occupait les deux tiers de l'espace, avec une belle collection d'étagères et de placards. Retrouver un petit objet parmi toutes ces cachettes possibles revenait à chercher une aiguille dans une botte de foin. Une fouille, pour l'intrus, de plusieurs heures…

Le tueur, voulant faire connaître sa venue, avait peut-être volontairement laissé en évidence cette clé de secours… Mais il aurait été plus simple pour lui de casser un carreau de la porte pour entrer dans la maison, signalant de fait sa visite, plutôt que se donner la peine d'inspecter le garage à la recherche de cette clé…

Alors que Billy réfléchissait à cette énigme, il s'aperçut que ladite clé se trouvait à l'endroit exact où il avait laissé le premier mot du tueur… Et que celui-ci avait disparu.

Billy regarda partout autour de lui. La lettre n'était nulle part ; ni par terre, ni sur un autre meuble. Il commença à ouvrir les tiroirs. Rien dans celui-là. Rien non plus dans le suivant. Ni dans le suivant encore…

C'est alors qu'il comprit ; l'assassin de Giselle Winslow n'avait jamais mis les pieds chez lui. Le visiteur n'était autre que Lanny Olsen !

Lanny connaissait la cachette. Et Billy lui avait dit où se trouvait le premier mot…

Lanny l'avait interrogé sur son emploi du temps, il voulait savoir si Billy passait à la clinique ou rentrait directement chez lui.

Un sentiment de malaise envahit Billy, un malaise engendrant aussitôt un doute affreux.

Si Lanny comptait récupérer le mot tout de suite (et non plus tard avec le shérif), pourquoi ne l'avait-il pas dit ? Son silence prouvait que Lanny n'avait pas l'intention de jouer son rôle de policier, ni même d'aider son ami, mais simplement de sauver sa peau.

Cela paraissait incroyable. Il devait forcément y avoir une explication...

Peut-être, en quittant le parking de la taverne, Lanny s'était-il dit qu'il lui fallait les deux notes avant d'aller voir Palmer? Peut-être n'avait-il pas voulu appeler Billy à la clinique, de crainte de le déranger?

Auquel cas, il aurait pu laisser un petit mot à la place de la note...

Sauf si... sauf si son intention était de détruire ces pièces au lieu d'aller voir le shérif et, plus tard, prétendre que Billy n'était jamais venu le prévenir avant le meurtre de Giselle Winslow. Laisser alors un mot pour annoncer qu'il avait pris la première lettre du tueur était forcément la dernière chose à faire.

Lanny Olsen avait toujours été un brave type; il avait, certes, des défauts, mais il était foncièrement honnête, bon et loyal. Il avait sacrifié ses rêves pour soigner sa mère malade.

Billy glissa la clé de secours dans sa poche. Il lui trouverait une autre cachette.

Combien de mauvais rapports au juste émaillaient les états de service de Lanny? Il était « tire-au-flanc » disait-il... Cela signifiait quoi exactement?

Avec le recul, Billy se rendit compte de tout le désespoir de Lanny, de sa terreur quand il lui disait:

... ce n'est pas la vie dont je rêvais... mais que j'aime ou non mon boulot de flic, c'est tout ce que j'ai aujourd'hui. C'est ma vie. Et je ne veux pas me retrouver à la rue.

Même les hommes honnêtes ont un point de rupture. Lanny devait en être plus près que Billy le supposait.

L'horloge murale indiquait 20 h 09.

Dans moins de quatre heures, quelle que soit sa décision, quelqu'un allait mourir. Comment assumer une telle responsabilité?

Lanny devait l'appeler à 20 h 30.

Billy n'avait aucune intention d'attendre plus longtemps. Il décrocha son téléphone et composa le numéro de portable de Lanny.

Après cinq sonneries, la boîte vocale prit l'appel. Billy laissa un message :

— C'est moi. Je suis à la maison. C'est quoi ce bordel ? À quoi tu joues ? Appelle-moi, tout de suite !

Il jugea plus prudent de ne pas passer par le standard de la police pour joindre Lanny. Son appel laisserait une trace dont il ne pouvait encore évaluer les conséquences.

La trahison de son ami, si c'était le cas, contraignait Billy à agir avec précaution, comme s'il était coupable lui-même – alors qu'il n'avait rien à se reprocher !

Ressentir de la colère, du chagrin aurait été compréhensible. Mais c'est la rancœur qui monta en lui, si puissante qu'il en eut la gorge nouée.

Détruire ces lettres et cacher leur existence sauverait peut-être la peau de Lanny, mais compliquait grandement la situation de Billy. Sans ces documents, Billy aurait un mal fou à convaincre les autorités de la véracité de son histoire, sans compter que ces pièces pouvaient renfermer des informations cruciales sur la psychologie du tueur.

S'il se rendait à la police, il passerait pour un mythomane ou pour un barman voulant se faire mousser, ou tout simplement pour un suspect.

Cette pensée le saisit d'effroi. Il resta ainsi immobile plus d'une minute entière – lui, un suspect !

Il avait la bouche sèche. Sa langue était collée à son palais.

Il se rendit à l'évier et se servit un verre d'eau au robinet. Il eut du mal à faire passer la première gorgée, puis en trois grandes lampées, il vida le verre.

L'eau glacée, bue trop vite, traça un sillon douloureux dans son œsophage et réveilla sa nausée. Il posa le verre sur la paillasse et se pencha au-dessus de l'évier, le temps que les haut-le-cœur se dissipent.

Il s'aspergea le visage à l'eau froide, se lava les mains à l'eau chaude.

Il fit les cent pas dans la cuisine, s'assit un moment à la table, se releva et recommença à arpenter la pièce.

À 20 h 30, il était à côté du téléphone ; il fixait l'appareil des yeux, même s'il savait qu'il y avait guère de chance qu'il se mette à sonner.

À 20 h 40, il décrocha son portable pour appeler Lanny, ne voulant pas occuper sa ligne fixe. Encore une fois, il tomba sur le répondeur.

Il faisait trop chaud dans la pièce. Il étouffait !

À 20 h 45, Billy sortait sur le perron. Il avait besoin d'air.

Il avait laissé la porte ouverte, pour pouvoir entendre le téléphone sonner, le cas échéant.

Le ciel, indigo à l'orient, était traversé d'ondes iridescentes orange et vertes lancées par le couchant.

Les bois alentour formaient une ligne de plus en plus sombre. Si un observateur hostile était posté dans ce couvert, tapi dans les fougères et les philodendrons, seul un chien limier pourrait percevoir sa présence.

Non loin de là, une centaine de crapauds, invisibles, avaient commencé leur concert avec le crépuscule, mais dans la cuisine, c'était le silence complet.

Peut-être Lanny avait-il besoin d'un peu de temps encore pour « bidouiller » la vérité ?

Sans doute ne cherchait-il pas seulement à sauver sa peau. Il ne pouvait être devenu si vite un monstre d'égoïsme…

Lanny restait un flic, tire-au-flanc ou non, aux abois ou non. Tôt ou tard, il allait s'apercevoir qu'il ne pouvait songer uniquement à ses seuls intérêts, entraver la bonne marche d'une enquête, laisser d'autres personnes mourir encore…

Le ciel acheva de virer au pourpre, tandis qu'au couchant, les nuées formaient une flaque rouge sang.

9.

À 21 heures, Billy retourna dans la maison. Il ferma la porte derrière lui et la verrouilla.

Dans trois heures exactement, le sort d'une personne serait scellé et si le tueur suivait son programme, elle serait morte avant l'aube.

La clé du 4 x 4 se trouvait sur la table de la cuisine. Billy la ramassa.

Il pourrait peut-être partir à la recherche de Lanny. Ce qu'il croyait plus tôt être de la rancœur était de la simple exaspération. Maintenant, il éprouvait du ressentiment... une boule noire et amère. Il brûlait à présent d'avoir une explication avec Lanny, d'homme à homme.

Préservez-moi de l'ennemi qui a quelque chose à gagner, et de l'ami qui a quelque chose à perdre.

Lanny était de service de jour. Il avait terminé son travail à l'heure qu'il était.

Selon toute vraisemblance, il devait être terré chez lui. Et s'il n'était pas à son domicile, retrouver sa piste ne serait guère compliqué ; il avait peu d'amis et il n'y avait qu'une poignée de bars et de restaurants qu'il fréquentait.

Par devoir, par espoir aussi – un espoir douloureux – Billy n'osait quitter la cuisine et restait à côté du téléphone. Lanny n'appellerait pas. Mais le tueur pouvait le faire.

La veille, la personne muette à l'autre bout du fil n'était autre que l'assassin de Giselle Winslow. Billy n'en avait pas la preuve, mais il en était convaincu.

Peut-être téléphonerait-il encore ce soir? Si Billy pouvait lui parler, peut-être pourrait-il apprendre quelque chose?

Billy ne se faisait, certes, guère d'illusions. Il n'avait aucune chance de convaincre ce monstre de faire preuve de clémence. Un psychopathe ne saurait être dévié de son chemin ou déstabilisé par des arguments ayant trait à l'amour de son prochain.

Mais arracher quelques mots à cet inconnu pourrait avoir une importance capitale. L'ethnie, le pays natal, le niveau d'instruction, l'âge… tant d'informations pouvaient être véhiculées par une voix…

Avec un peu de chance, le tueur pourrait même lâcher involontairement quelques renseignements sur lui. Un indice, une bribe d'information pouvait en dire long après analyse… ainsi Billy pourrait se rendre à la police avec quelque chose de tangible.

Une confrontation avec Lanny serait satisfaisante pour son ego, mais cela ne ferait pas sortir Billy du piège que lui avait tendu le tueur.

Il accrocha la clé de la Ford Explorer au tableau à clous.

La veille, dans un accès d'angoisse, il avait baissé les stores de toutes les fenêtres. Le matin, avant le petit déjeuner, il avait rouvert ceux de la cuisine. Il les ferma de nouveau.

Il resta immobile, au milieu de la pièce.

Le téléphone…

Voulant s'asseoir à la table, il posa la main sur le dossier de la chaise, mais il ne la tira pas à lui.

En arrêt, il fixa des yeux les dalles de granit noir au sol.

Il était une fée du logis. Le carrelage était impeccable, d'un lustre parfait.

La pierre noire sous ses pieds semblait n'avoir pas de substance, comme si Billy était en suspension dans l'air, haut dans le ciel nocturne, avec un vide de dix kilomètres sous lui.

Il tira enfin la chaise et s'assit. Une minute plus tard, il était de nouveau debout.

Que faire? Que décider? Il n'en avait aucune idée. Quant à s'occuper l'esprit, tromper le temps… c'était au-dessus de ses forces même si, ces dernières années, cela avait été son activité principale…

N'ayant pas dîné, il se dirigea vers le réfrigérateur. Il n'avait pas faim, évidemment. Aucune denrée garnissant les étagères ne lui faisait envie.

Il regarda les clés de la voiture accrochées au tableau.

Il revint vers le téléphone et le fixa des yeux.

Il se rassit.

Apprenez-nous l'amour et le détachement. Apprenez-nous à rester en repos.

Au bout d'un moment, il se rendit dans son bureau, où il passait ses soirées à sculpter ses motifs sur son petit établi.

Il prit quelques outils et un morceau de bois qu'il n'avait pas achevé de tailler et retourna dans la cuisine.

Il y avait un téléphone dans le bureau, mais Billy préférait rester dans la cuisine ce soir. Il y avait là-bas un canapé confortable et il craignait d'être tenté de s'y étendre ; et s'il s'endormait ? Et si le téléphone sonnait et qu'il ne l'entendait pas ? Un appel du tueur ou de quelqu'un d'autre…

Dans le doute, il s'installa à la petite table avec ses outils et son morceau de bois au motif de feuilles d'acanthe inachevé.

N'ayant pas d'étau à disposition, il ne pouvait sculpter que de menus détails, un peu comme l'on cisèle un petit objet avec un Opinel. La lame en grattant le chêne émettait un bruit creux, comme si ce n'était pas du bois qu'il creusait, mais un morceau d'os.

À 22 h 10 – moins de deux heures avant l'heure fatidique –, n'y tenant plus, il décida d'aller voir le shérif.

La maison de Billy ne se trouvait pas dans une ville, mais elle faisait partie de la juridiction du shérif. La taverne se trouvait à Vineyard Hills, mais le bourg était trop petit pour avoir sa propre police municipale ; le shérif Palmer représentait la loi, là-bas aussi.

Billy récupéra les clés sur le tableau à clous, ouvrit la porte, traversa le perron en direction du garage, et se figea soudain.

Si vous allez à la police, je tuerai une jeune mère de deux enfants.

Il ne voulait pas prendre cette décision. Il ne voulait provoquer la mort de personne !

Dans tout le comté de Napa, il y avait des dizaines de jeunes mamans ayant deux enfants. Cent, peut-être, deux cents... Ou plus encore.

Même avec cinq heures devant eux, les policiers n'auraient pu alerter toutes les victimes potentielles. Même en se servant des médias pour prévenir la population, cela aurait pris des jours...

Maintenant qu'il restait moins de deux heures, ils ne pouvaient rien tenter d'efficace. Ils passeraient vraisemblablement leur temps à interroger Billy.

La jeune mère, évidemment présélectionnée par le tueur, serait tuée.

Et si les enfants se réveillaient ? Le tueur ne pouvait laisser de témoins vivants...

Le dingue n'avait pas spécifié qu'il tuerait *uniquement* la mère.

Dans l'air moite, une odeur capiteuse montait des bois saturés d'humus et gagnait la terrasse.

Billy revint dans la cuisine et verrouilla la porte.

Plus tard, en taillant les nervures d'une feuille, il se coupa le pouce. Il n'alla pas chercher un pansement. La blessure était superficielle ; elle se fermerait rapidement.

Quand il s'entailla une phalange, il resta abîmé dans son travail. Il travaillait de plus en plus vite, sans même remarquer qu'il s'était coupé une troisième fois.

On eût dit que Billy Wiles voulait saigner, voulait que son sang coule.

Ses mains ne cessant de papillonner autour du morceau de bois, les blessures ne se refermaient pas. Le bois était tout taché de sang.

Quand il s'aperçut que le chêne était devenu rouge, il laissa tomber son ouvrage et son ciseau.

Il resta immobile, à fixer ses mains cramoisies, le souffle court, haletant sans raison visible. Le sang finit par cesser de couler; mais il ne reprit pas son ouvrage après s'être lavé les mains au robinet.

23 h 45; après s'être séché les mains avec un torchon, il ouvrit une Guinness qu'il but au goulot. Il la vida quasiment d'un trait.

Cinq minutes plus tard, il ouvrit une deuxième bière. Cette fois, il la versa dans un verre pour se forcer à se poser, à ne pas boire trop vite.

Il resta assis devant sa Guinness, juste en face de l'horloge murale.

23 h 50. Fin du compte à rebours…

Malgré tous ses efforts, Billy ne pouvait plus nier l'évidence. Il avait bel et bien pris une décision. *Le choix vous appartient.* Ne rien faire, c'était choisir.

La mère et ses deux enfants… elle ne mourrait pas cette nuit. Si le dingue tenait sa part du marché, la jeune maman s'endormirait ce soir et verrait l'aube se lever.

Billy avait influé sur son destin. Il pouvait nier, fuir, fermer les stores pour le restant de ses jours, et franchir la ligne de non-retour et devenir ermite, il ne pouvait plus échapper à cette vérité fondamentale : il avait eu sa mort entre les mains et décidé qu'elle vivrait.

Le tueur lui avait offert une association. Un partenariat dont Billy ne voulait pas. Mais il était désormais bel et bien partie prenante; il avait participé à une opération illicite, à une attaque sauvage et concertée à l'image des OPA hostiles du monde boursier.

Billy termina sa deuxième bière un peu avant minuit. Il en voulait une troisième, une quatrième…

Ne pas boire, garder les idées claires ? À quoi bon… les jeux étaient faits !

Sa part du contrat était remplie. Il avait fait un choix. Le tueur exécuterait sa sentence.

La partie était terminée pour cette nuit; mais sans bière, Billy ne trouverait pas le sommeil. Autant recommencer à tailler ses morceaux de bois…

Il avait mal aux mains. Non à cause de ses entailles, mais d'avoir trop serré le bois et le manche de ses outils.

Il devait dormir, s'il voulait pouvoir affronter la journée qui l'attendait. Au matin, on découvrirait un nouveau meurtre. Billy saurait alors l'identité de la personne qu'il avait condamnée à mort.

Billy posa son verre dans l'évier. Il n'avait plus besoin de faire durer ses bières. Chaque canette était un uppercut, et son but était de s'assommer pour de bon.

Il ouvrit une troisième bière, s'installa dans un fauteuil du salon et but dans l'obscurité.

La fatigue émotionnelle était aussi invalidante que sa consœur physique. Il était sans force.

À 1 h 44, le téléphone le réveilla. Il se leva d'un bond, comme si le siège avait été une catapulte. La canette vide tomba au sol.

Espérant que ce fût Lanny, il décrocha sitôt arrivé dans la cuisine, à la quatrième sonnerie.

— Allô ?

Aucune réponse.

C'était le tueur. Le fou !

Billy savait que la tactique du silence ne le mènerait nulle part.

— Que voulez-vous ? Pourquoi moi ?

L'inconnu à l'autre bout du fil ne répondit pas.

— Je ne vais pas entrer dans votre jeu ! lança Billy, même si l'argument était futile puisqu'ils savaient l'un comme l'autre que la partie était engagée.

Un simple rire sardonique de la part de son interlocuteur aurait déjà été une petite victoire, mais l'autre resta de marbre.

— Vous êtes un dingue, un pervers… (Voyant que cela ne suscitait aucune réaction, Billy en rajouta une couche :) Vous êtes un débris humain…

Une salve parfaitement inoffensive. À l'époque où il vivait, ces insultes surannées ne risquaient guère de faire mouche. Il devait exister un groupe de hard-rock s'appelant *Dingue et Pervers* et sans doute un autre baptisé *Débris humain*.

Le monstre ne risquait pas de mordre à l'hameçon. Il coupa la communication.

Billy raccrocha à son tour; ses mains tremblaient. Ses paumes étaient moites; il les essuya sur sa chemise.

Une idée lui vint soudain à l'esprit. Pourquoi n'y avait-t-il pas pensé la veille, dès le premier appel! Il revint vers le téléphone, décrocha le combiné, attendit d'avoir la tonalité et appuya sur la touche de rappel automatique du dernier appel reçu.

À l'autre bout de la ligne, le téléphone sonna, encore et encore, sans que personne ne réponde.

Mais le numéro sur l'écran du téléphone lui était familier. C'était celui de Lanny.

10.

Élégante sous le ciel étoilé, dans son écrin de verdure, l'église se dressait le long de la nationale, à trois cents mètres de la rue où habitait Lanny Olsen.

Billy s'engagea sur le parking et se gara sous un grand chêne ; il éteignit les phares, coupa le moteur.

Les murs de stuc blanc étaient renforcés par des contreboutants qui s'élevaient jusqu'au toit de tuiles orange. Dans la niche du clocher, une statue de la Vierge Marie, les bras ouverts pour recevoir toute la misère humaine.

Ici, tous les enfants baptisés semblaient devoir devenir des saints ; ici, tous les mariages étaient des promesses d'un long bonheur quels que soient les tempéraments des mariés.

Billy avait une arme, bien sûr.

Une arme ancienne, certes, achetée voilà bien longtemps, mais en parfait ordre de marche. Billy la nettoyait et la lubrifiait régulièrement.

Le revolver était rangé avec une boîte de balles calibre .38. Aucun signe de corrosion sur les douilles.

Quand il avait sorti, chez lui, l'arme de sa mallette, elle lui avait paru plus lourde que dans son souvenir. Et maintenant, alors qu'il la récupérait sur le siège côté passager, elle n'avait toujours rien perdu de sa lourdeur.

Le Smith & Wesson ne pesait qu'un kilo ; sans doute, son poids supplémentaire était-il celui de son histoire...

Billy descendit de la Ford Explorer et verrouilla les portières.

Une voiture passa sur la grande route. Le faisceau des phares balaya les alentours à plus de trente mètres de Billy.

Le curé logeait à l'autre bout de l'église. Même si le prêtre était insomniaque, il ne pouvait avoir entendu arriver la Ford Explorer.

Billy s'enfonça sous le grand chêne, pour gagner, de l'autre côté, une prairie. L'herbe lui montait jusqu'aux genoux.

Au printemps, des cascades de coquelicots striaient ce versant de la colline, comme autant de coulées de lave flamboyante. Ces rus écarlates s'étaient taris et avaient disparu avec l'été.

Billy s'arrêta pour laisser à ses yeux le temps de s'acclimater à l'obscurité.

Immobile, il scruta le silence. Pas un souffle de vent. Aucun bruit de circulation sur la nationale. Sa présence avait fait taire les cigales et les crapauds. Il entendait presque le murmure des étoiles.

Progressant à vue (n'ayant pas d'autres sens sur lesquels se fier), il grimpa le pré en pente douce, et obliqua vers la rue défoncée et parsemée de nids-de-poule qui menait chez Lanny.

Et s'il croisait un serpent à sonnette dans les hautes herbes ? Le danger était réel… par les chaudes nuits d'été, les reptiles sortaient pour chasser les mulots et les lapereaux… Sans avoir été mordu, Billy atteignit enfin la rue. Il dépassa deux maisons et continua à avancer en silence, sous le ciel sans lune.

À la deuxième maison, un chien se précipita sur la clôture. Il n'aboya pas, mais se mit à courir comme un dératé le long du grillage, en couinant pour attirer l'attention de Billy.

La maison de Lanny était la suivante, près d'un kilomètre plus loin. Il y avait de la lumière à toutes les fenêtres, filtrant à travers les vitres nues ou les doubles rideaux.

Billy se tapit derrière un prunier du jardin. Il avait vue sur la façade de la maison et le flanc nord.

Il était possible que toute cette affaire ne soit qu'un canular et que Lanny en soit l'auteur…

Billy n'avait pas la preuve qu'une enseignante blonde avait été assassinée à Napa. Il tenait l'information de Lanny.

Il n'avait vu aucun article dans les journaux relatant le meurtre. Le corps avait été découvert trop tard pour que la nouvelle puisse être publiée dans les éditions du jour. De toute façon, Billy lisait rarement les journaux.

Il ne regardait pas davantage la télévision. De temps en temps, il écoutait les bulletins météo à la radio en conduisant, mais le plus souvent il mettait un CD de musique cajun ou de western swing pour lui tenir compagnie pendant le trajet.

Un dessinateur humoristique pouvait être un plaisantin, c'était dans la logique des choses, non ? Chez Lanny, toutefois, la veine de l'humour était garrottée depuis si longtemps qu'elle était quasiment bouchée... Lanny était d'une compagnie agréable, mais ce n'était pas à proprement parler un grand comique.

Une mauvaise blague ?... Billy n'en aurait pas mis sa main, ni une autre partie de son corps, à couper.

Il se souvenait du désespoir de Lanny, de sa terreur plus tôt sur le parking de la taverne. On lisait en Lanny comme dans un livre ouvert. S'il avait voulu être acteur et non dessinateur, et si sa mère n'était pas tombée malade pour lui briser ce rêve, Lanny serait tout de même devenu policier avec de très mauvais états de service.

Après avoir surveillé les lieux et s'être assuré que personne ne se trouvait derrière une fenêtre, Billy traversa la pelouse, longea l'auvent pour aller jeter un coup d'œil sur le côté sud de la maison. Là aussi, toutes les fenêtres étaient éclairées.

Il fit le tour de la bâtisse. La porte, côté jardin, était ouverte. Sur le seuil, un carré de lumière, comme une invite...

Une invite trop évidente... un piège ?

Billy s'attendait à trouver le cadavre de Lanny à l'intérieur.

Si vous n'alertez pas la police, s'ils n'interviennent pas, je tuerai un homme célibataire dont le monde ne pleurera pas la perte.

Il n'y aurait pas grand monde aux funérailles de Lanny. Quelques dizaines de personnes, tout au plus. Mais bon nombre, parmi elles, le pleureraient. Pas le monde entier, certes, mais plusieurs personnes.

Quand Billy avait choisi d'épargner la mère des deux enfants, il n'avait pas vu qu'il avait condamné Lanny.

S'il avait su, peut-être aurait-il choisi l'autre option… il était plus facile d'opter pour la mort d'une inconnue que pour celle d'un ami. Même si l'inconnue en question était une mère.

Il chassa cette pensée de son esprit.

Au fond du jardin, il y avait une grosse souche de chêne, un arbre malade qu'il avait fallu abattre des années plus tôt. Un mètre vingt de diamètre pour cinquante centimètres de hauteur.

Sur le côté de la souche, un trou creusé par les intempéries et les moisissures… Dans la cavité, un sac plastique étanche. Dans le sac, le double des clés de la maison.

Après avoir récupéré le sésame, Billy revint avec précaution vers la façade et reprit son poste d'observation derrière le prunier.

Personne n'avait éteint les lumières. Aucun visage ne se profilait derrière les fenêtres ; aucun mouvement suspect derrière les rideaux.

Une part de lui voulait appeler le 911, le numéro des secours. Faire venir la police ici, leur raconter toute l'histoire. Mais c'était risqué.

Il ne comprenait pas les règles de ce jeu étrange ; comment gagnait-on la partie ? Seul le tueur le savait. Peut-être le psychopathe avait-il envie de voir un serveur innocent se faire arrêter pour deux meurtres qu'il n'avait pas commis ?

Billy avait été suspecté d'un crime une fois. Cette expérience l'avait marqué à vie. Jusqu'au tréfonds de sa chair.

Il ne voulait pas revivre ça. Il y avait trop perdu la première fois.

Il quitta sa cachette, monta les marches du perron et se dirigea en silence vers la porte d'entrée.

La clé fonctionnait. La serrure n'a même pas grincé, les gonds n'ont pas couiné. La porte s'est ouverte dans un silence parfait.

11.

La demeure victorienne s'ouvrait sur un grand hall d'entrée, avec un plancher de bois sombre. Un couloir aux murs lambrissés menait vers le fond de la maison, un escalier desservait les étages.

Sur un mur, le dessin d'une main sur une feuille blanche. Un pouce arrondi, trois doigts potelés, et un rabat laissant deviner la présence d'un gant. La main de Mickey ?

Deux doigts étaient repliés contre la paume. Le pouce et l'index évoquaient la forme d'un pistolet pointé vers l'escalier.

Billy reçut le message cinq sur cinq. Mais il préféra l'ignorer pour le moment.

Il laissa la porte ouverte, au cas où une retraite précipitée s'imposait.

Le revolver pointé vers le plafond, Billy obliqua à gauche, en direction du salon. On eût dit que Mrs. Olsen mère était encore de ce monde. Rien n'avait changé dans cette pièce depuis dix ans. Lanny l'utilisait rarement.

La salle à manger n'était pas plus occupée ; Lanny prenait ses repas dans la cuisine ou dans le boudoir devant la télé.

Sur le seuil, scotché au mur, un autre dessin, le doigt pointé vers le hall et l'escalier. Billy continua à avancer dans la direction opposée.

Dans le boudoir, la télévision était éteinte, mais des flammes léchaient les fausses bûches de la cheminée à gaz, et des braises rougeoyaient, plus vraies que nature.

Sur la table de la cuisine, une bouteille de rhum, une maxi bouteille de Coca, et un seau à glace. Dans une assiette, à côté du soda, un petit couteau à dent, et des tranches de citron vert.

Il y avait un grand verre aussi, couvert de condensation, empli à moitié d'un breuvage sombre. À la surface flottait un quartier de citron et quelques restes argentés de glaçons.

Après avoir volé la première lettre du tueur dans la cuisine de Billy et l'avoir détruite avec la seconde dans l'espoir de sauver sa place et sa retraite, Lanny avait voulu noyer ses regrets dans le *cuba libre* !

Si les bouteilles de Coca et de rhum étaient pleines quand Lanny s'était attelé à cette tâche, il devait être, à l'heure qu'il était, emporté très loin dans les brumes éthyliques de l'oubli et ne serait pas de retour sur terre avant demain matin.

La porte de l'office était fermée. Même s'il était peu probable que le dingue se trouve caché parmi les rayonnages de conserves, Billy préféra s'en assurer.

La main droite contre son flanc, le revolver pointé devant lui, il tourna la poignée d'un geste vif et tira la porte. Personne.

Dans un tiroir du buffet, Billy récupéra un torchon propre. Il essuya ses empreintes sur la poignée du tiroir et le bouton de la porte de l'office, puis glissa le linge sous sa ceinture, le laissant pendre devant lui, comme si c'était son chiffon pour essuyer le bar.

Sur le comptoir, près de la cuisinière : le portefeuille de Lanny, ses clés de voiture, de la monnaie et son téléphone portable. Et aussi son pistolet .9 mm de service, dans son holster de ceinture.

Billy prit le téléphone portable, l'alluma et appela la boîte vocale. Le seul message était celui qu'avait laissé Billy, un peu plus tôt dans la soirée :

C'est moi. Je suis à la maison. C'est quoi ce bordel ? À quoi tu joues ? Appelle-moi, tout de suite !

Après avoir entendu sa propre voix, il effaça le message.

Peut-être était-ce une erreur ? Mais il ne voyait pas en quoi ce message pouvait l'aider à prouver son innocence. Au contraire.

Cela révélait qu'il avait vu Lanny le soir même et qu'il était en colère contre lui.

Ce qui le rangerait immédiatement parmi les suspects.

La présence de son message sur le répondeur de Lanny l'avait inquiété durant tout le trajet. L'effacer lui paraissait une sage précaution, s'il devait trouver à l'étage ce à quoi il s'attendait.

Il éteignit le téléphone et essuya ses empreintes avec le torchon. Il le remit à sa place sur le comptoir.

À voir Billy aussi méticuleux, on pourrait croire qu'il avait déjà eu l'occasion de dissimuler des forfaits. Ce qui n'était pas le cas. Mais les circonstances avaient aiguisé son esprit comme son imagination. N'importe quel indice pouvait être mal interprété et retenu contre lui.

Une heure plus tôt, à 1 h 44, le tueur avait téléphoné à Billy depuis cette maison. L'appel figurait forcément dans les archives de la compagnie de téléphone…

Peut-être la police en déduirait-elle que Billy ne pouvait être sur les lieux du crime à l'heure du meurtre.

Mais, plus vraisemblablement, elle soupçonnerait Billy d'avoir passé lui-même cet appel chez lui, en demandant à un complice de décrocher, afin de se forger un alibi.

Les flics voyaient le mal partout. Par expérience, ils avaient appris à se méfier de tout le monde.

Quant aux relevés de la compagnie de téléphone, Billy ne voyait pas, pour le moment, ce qu'il pouvait y faire. Il y réfléchirait plus tard.

Des affaires plus urgentes exigeaient son attention. Trouver le cadavre, par exemple…

Inutile de perdre du temps à chercher les deux lettres du tueur. Lanny les avait forcément détruites, sinon elles seraient encore sur la table où il s'était soûlé, ou abandonnées sur le comptoir à côté de son portefeuille et de son téléphone portable…

La fausse cheminée allumée par une chaude nuit d'été laissait deviner où étaient passées ces lettres.

Scotchée sur le côté d'un placard, une main dessinée pointait vers les portes battantes donnant sur l'escalier du hall d'entrée.

Billy était enfin prêt à obtempérer, mais une ultime frayeur le figea sur place.

Être en possession d'une arme, et se savoir capable d'en faire usage, ne le métamorphosait pas pour autant en héros intrépide. Il avait peu de chance de tomber nez à nez avec l'assassin. Mais, d'une certaine manière, il aurait préféré ça à ce qui l'attendait là-haut...

La bouteille de rhum était tentante. L'effet des trois Guiness s'était dissipé. Son cœur battait la chamade depuis près d'une heure, son métabolisme tournait à plein régime.

Pour quelqu'un qui ne buvait pas, Billy, ces derniers temps, s'était aperçu qu'un ivrogne sommeillait en lui et ne demandait qu'à se réveiller.

Il craignait de ne pouvoir aller jusqu'au bout... voilà ce qui lui ôtait toutes ses forces. Quelles seraient alors les conséquences s'il laissait le tueur remporter cette partie ?

Il sortit de la cuisine et longea le couloir menant au hall. L'escalier n'était pas plongé dans la pénombre ; c'était déjà ça. Il y avait de la lumière dans le vestibule et sur le palier à l'étage.

En montant les marches, il ne se donna pas la peine d'appeler Lanny. Il n'aurait aucune réponse ; plus jamais, sans doute, Billy n'entendrait la voix de Lanny.

12.

À l'étage : le couloir, avec trois chambres, une salle de bains et des toilettes. Quatre des cinq portes étaient fermées.

De chaque côté de la chambre principale, des mains dessinées pointaient du doigt en direction de la porte ouverte.

Rechignant à l'idée d'être rabattu, comme ces bêtes qu'on dirige sur la rampe de l'abattoir, Billy décida de garder la chambre principale pour la fin. Il inspecta d'abord la salle de bains, puis les toilettes, ainsi que les deux autres chambres, dont une abritait la table à dessins de Lanny.

Avec le torchon, il essuyait chaque bouton de porte derrière lui.

Il ne lui restait plus que la chambre principale à visiter. Billy se tenait dans le couloir, l'oreille aux aguets. Un silence total.

Une boule s'était formée dans sa gorge, et il ne parvenait pas à déglutir pour la faire passer. Il ne pouvait l'avaler, car elle n'était pas plus réelle que la fine couche de glace qui descendait le long de son dos.

Il pénétra dans la chambre, où deux lampes étaient allumées.

Le papier peint aux motifs de roses, choisi par la mère de Lanny, n'avait pas été changé après sa mort, ni même quelques années plus tard, au moment où Lanny avait décidé de quitter son ancienne chambre pour s'installer dans celle-là.

Avec le temps, le fond avait pris une jolie teinte mordorée.

Le couvre-lit jeté sur les draps était l'un des favoris de Pearl Olsen : tout rose, avec des fleurs brodées sur les bords.

Quand Mrs Olsen suivait ses séances de chimiothérapie, et plus tard les traitements éprouvants de radiothérapie, Billy venait lui tenir compagnie dans cette chambre. Parfois, il lui parlait, ou la regardait dormir. Le plus souvent, il lui faisait la lecture.

Elle adorait les récits d'aventures épiques. Les histoires qui avaient pour décor les Indes britanniques, ou celles ayant pour personnages des geishas, des samouraïs, des chefs de guerre chinois et des pirates des Caraïbes.

Pearl avait quitté ce monde et, à présent, Lanny aussi. Vêtu de son uniforme, il était assis sur un fauteuil, ses jambes appuyées sur un repose-pieds, mais il était parti, lui aussi.

Il avait reçu une balle dans le front.

Billy ne voulait pas voir cette image. Il redoutait de la garder gravée à jamais dans sa mémoire. Il voulait s'enfuir.

Toutefois, prendre ses jambes à son cou n'était pas une solution. Cela n'en avait jamais été une, ni vingt ans plus tôt, ni jamais depuis. S'il s'enfuyait, on le pourchasserait et cela se terminerait par l'hallali.

La chasse était ouverte, et pour des raisons qu'il ignorait, c'était lui le gibier. Déguerpir à la vitesse de l'éclair ne le sauverait pas. La vitesse n'est jamais ce qui sauve le renard. Pour échapper aux meutes de chiens et aux chasseurs, les renards ont besoin de ruse et d'un certain goût du risque.

Billy ne se comparait pas à un renard. Il se voyait plutôt comme un lapin, mais il ne détalerait pas ventre à terre pour autant.

L'absence de tout épanchement sanguin de la blessure indiquait deux choses : la mort avait été instantanée, et l'arrière du crâne avait dû éclater en morceaux.

Pourtant aucune tache de sang, aucun éclat de cervelle ne souillait le papier peint derrière le fauteuil. Lanny n'était pas assis ici quand il avait été abattu, ni ici ni nulle part dans cette chambre.

Puisqu'il n'y avait aucune trace de sang dans toute la maison, le meurtre avait dû avoir lieu à l'extérieur.

Peut-être Lanny s'était-il levé de la table de la cuisine, abandonnant son rhum Coca, à moitié soûl ou ivre mort, peut-être avait-il éprouvé le besoin de prendre l'air… Ou peut-être avait-il eu peur de ne pas arriver à viser correctement la cuvette des toilettes, et était sorti soulager sa vessie.

Le tueur fou avait dû emmailloter le cadavre dans une bâche ou quelque chose de ce genre pour transporter le corps dans la maison sans mettre du sang partout.

Même si l'assassin était costaud, ramener le mort du dehors et le monter jusqu'à la chambre, dans cet escalier pentu, avait dû lui demander beaucoup d'efforts. Pourquoi se donner cette peine ?

Pour se lancer dans une telle entreprise, il fallait que le tueur ait une bonne raison.

Les yeux de Lanny étaient ouverts, légèrement sortis de leur cavité. Le gauche était de travers, comme si Lanny avait eu un œil de verre de son vivant.

L'onde de choc. Durant le court instant où la balle avait traversé le crâne, la pression était montée d'un coup, juste avant que le projectile ne ressorte.

Un roman, dans une édition d'un club du livre, était posé sur les genoux de Lanny. Un volume plus petit et moins luxueux que l'édition originale que l'on trouvait en librairie. Au moins deux cents ouvrages semblables étaient alignés sur des étagères au fond de la chambre.

Billy pouvait voir le titre, le nom de l'auteur, et l'illustration sur la couverture. C'était l'histoire d'une quête d'un trésor et d'un grand amour dans le Pacifique Sud.

Voilà longtemps, il avait lu ce roman à Pearl Olsen. Elle l'avait apprécié, comme tous les livres qu'il lui lisait.

La main droite de Lanny, molle, reposait sur le livre. Il semblait avoir marqué sa page avec une photo, qui dépassait un tout petit peu de l'ouvrage.

Une mise en scène… Le psychopathe avait arrangé ce tableau, pour son plaisir, pour sa satisfaction… à moins qu'il ne s'agisse d'un message – une énigme ?

Avant de toucher à la scène, Billy l'observa attentivement. Rien dans cette image ne semblait porteur d'un sens secret, rien susceptible d'exciter le tueur au point de justifier qu'il ait consacré tant d'efforts à sa création.

Billy déplorait la mort de Lanny, mais un sentiment plus fort l'habitait : la colère. On avait privé Lanny de sa dignité, même dans la mort. Le monstre l'avait transporté et installé sur ce siège comme un vulgaire mannequin, une poupée – un jouet.

Lanny avait trahi Billy, mais cela n'avait plus d'importance. Quand on est face au trépas, face au grand vide, on oublie les offenses. Tout ce qui demeure, ce sont les moments de camaraderie, les joies partagées.

Même s'ils avaient été frères ennemis au dernier jour de la vie de Lanny, à présent, ils étaient dans la même équipe, unis contre le même adversaire.

Billy crut entendre un bruit dans le couloir.

Sans hésiter, saisissant son arme des deux mains, il bondit hors de la chambre, et balaya le couloir de droite à gauche avec son .38. Personne !

Les portes de la salle de bains, des toilettes et des autres chambres étaient fermées, comme il les avait laissées.

Inutile d'inspecter à nouveau ces pièces. Le bruit qu'il avait entendu pouvait être un de ces craquements typiques des vieilles maisons protestant sous le poids des années. En tout cas, ce n'était pas le son d'une porte que l'on ouvre ou que l'on ferme.

Il essuya la paume de sa main gauche sur sa chemise, changea l'arme de main, puis essuya la droite, avant d'y reprendre le revolver et de se diriger vers le palier.

Du rez-de-chaussée, comme du perron devant la porte d'entrée, aucun son ne lui parvenait… juste le silence d'une nuit d'été, un silence de mort.

13.

Alors que Billy se tenait en haut des marches, à sonder le silence, une douleur sourde commença à battre sous ses tempes ; il serrait les dents, plus fort encore que la mâchoire d'un étau.

Il essaya de relâcher sa tension et de souffler par la bouche. Il fit des mouvements de tête de droite à gauche, pour détendre les muscles raidis de son cou.

L'angoisse est parfois bénéfique quand elle sert à rester concentré et en alerte. La peur peut paralyser, mais aussi aiguiser l'instinct de survie.

Billy retourna dans la chambre principale.

En approchant de la porte, il eut une brusque bouffée de panique : et si le corps et le livre avaient disparu ? Mais non, Lanny était toujours sur le fauteuil…

Billy piocha deux Kleenex dans une boîte de mouchoirs posée sur la table de nuit. S'en servant comme d'un gant improvisé, il écarta la main du mort qui était posée sur le livre.

Tout en laissant le roman sur les genoux du cadavre, il l'ouvrit à la page marquée par la photographie.

Il s'attendait à trouver des phrases ou des paragraphes biffés ou surlignés… un autre message. Mais le texte était exempt de tout caviardage.

Toujours à l'aide des Kleenex, il récupéra la photo, un instantané.

Une jeune femme ; jeune, blonde, jolie. Rien sur l'image n'indiquait sa profession, mais Billy savait qu'elle avait été enseignante.

Le tueur avait dû trouver ce cliché chez elle, à Napa. Avant ou après avoir découvert ce souvenir de sa beauté, le psychopathe l'avait cognée jusqu'à la rendre méconnaissable.

Le monstre avait sans aucun doute placé la photo dans ce livre pour confirmer aux autorités que les deux meurtres étaient bien l'œuvre du même homme. Il faisait le fanfaron. Il voulait sa part de gloire.

La seule sagesse que nous puissions espérer acquérir est la sagesse de l'humilité…

Le monstre n'avait pas retenu cette leçon. Et ce sera peut-être sa perte.

S'il regardait trop longtemps cette photo, Billy allait être submergé par le chagrin, même s'il s'agissait pour lui d'une parfaite inconnue. Il reposa vite le cliché sur le livre et referma dessus les pages jaunies.

Après avoir replacé la main du mort sur le roman, il roula en boule les deux Kleenex et se rendit dans la salle de bains attenante à la chambre. Il poussa le bouton de la chasse d'eau avec le tampon de mouchoirs en papier et les jeta dans le tourbillon de la cuvette.

De retour dans la pièce, Billy s'arrêta devant le fauteuil. Que faire ?

Lanny ne méritait pas d'être abandonné ici, sans l'intervention d'un prêtre ou la promesse que justice lui serait faite. Même s'il n'était pas un ami proche, il avait été un compagnon. De plus, il était le fils de Pearl Olsen… et ça, ce n'était pas rien.

Toutefois, appeler le bureau du shérif pour signaler le crime, même de façon anonyme, serait une erreur. La police viendrait trouver Billy… ils voudraient comprendre pourquoi on l'avait appelé, depuis cette maison, peu après le meurtre… et Billy ne savait pas encore quoi leur répondre.

Peut-être y avait-il d'autres indices – inconnus de lui encore – qui le désigneraient comme suspect. Des preuves indirectes…

Peut-être le tueur voulait-il faire accuser Billy de ces meurtres et d'autres encore…

À l'évidence, pour le psychopathe, tout cela était un jeu. Les règles, si tant est qu'il y en ait, étaient connues de lui seul.

Lui seul définissait les termes exacts de la victoire. Remporter la mise finale, faire échec et mat, marquer le but décisif, c'était peut-être, dans le cas présent, envoyer Billy en prison pour le restant de ses jours ! Et tout cela davantage par facétie que par désir de se soustraire à la justice.

Billy n'ayant pas même idée des limites du terrain de jeu, la perspective d'être interrogé par le shérif John Palmer ne le réjouissait guère.

Il avait besoin de temps pour réfléchir. Au moins quelques heures. Jusqu'à l'aube.

— Je suis désolé, dit-il à Lanny.

Il éteignit, l'une après l'autre, les deux lampes de chevet.

Si la maison continuait à briller dans la nuit comme le gâteau d'anniversaire d'un centenaire, cela risquait d'attirer l'attention. Tout le monde savait que Lanny Olsen était un couche-tôt.

La bâtisse était située au sommet de la rue en impasse, au point le plus élevé et le moins habité. Personne n'était censé venir ici, si ce n'est pour rendre visite à Lanny, ce qui ne risquait guère d'arriver durant les heures prochaines.

Depuis minuit, on était passé de mardi à mercredi. Pour les deux journées à venir Lanny était de repos. On ne remarquerait donc pas son absence au travail avant vendredi.

Par précaution toutefois, Billy alla éteindre les lumières dans toutes les pièces de l'étage.

Il fit de même dans le couloir, et redescendit l'escalier, guère rassuré de sentir cet antre noir dans son dos.

Dans la cuisine, il ferma la porte donnant sur l'extérieur, et la verrouilla.

Il comptait emporter le double des clés de Lanny.

Il fit à nouveau le tour des pièces du rez-de-chaussée, pour éteindre toutes les lampes, y compris les fausses bûches en céramique de la cheminée à gaz, en utilisant le canon de son revolver pour appuyer sur les boutons.

Une fois sur le perron, il ferma la porte d'entrée, et essuya la poignée avec le torchon.

En descendant les marches, il eut le sentiment d'être surveillé. Il balaya du regard la pelouse, les arbres, et jeta un dernier coup d'œil vers la maison.

Toutes les fenêtres étaient éteintes, des carrés noirs, noirs comme la nuit alentour... Billy s'éloigna de ce cube de ténèbres pour rejoindre le dais vertigineux du ciel avec ses étoiles tremblotantes, qui flottaient sur leur océan d'encre.

14.

D'un pas vif, il descendit la rue, se tenant sur le bas-côté, prêt à plonger derrière les arbustes à la moindre lueur de phares.

De temps en temps, il jetait des regards derrière lui. Autant qu'il puisse en juger, personne ne le suivait.

La nuit était sans lune, un atout pour un éventuel poursuivant. Cela aurait dû aussi faire l'affaire de Billy, mais il se sentait tout de même nu et vulnérable sous la clarté de toutes ces étoiles.

Le chien de la maison voisine recommença ses allers-retours derrière la clôture, en poussant des gémissements implorants.

Billy éprouvait de la compassion pour cet animal solitaire. Toutefois, la situation critique dans laquelle il se trouvait et l'urgence du moment ne lui laissaient guère le loisir de s'arrêter et de consoler cette bête.

De plus, derrière chaque élan d'affection se cachait le risque de souffrir. On ne peut sourire sans montrer les dents.

Billy continua donc sa route, en surveillant ses arrières, le revolver serré dans son poing, puis il bifurqua à gauche vers le pré, foulant l'herbe infestée de serpents.

Une question le taraudait : le tueur était-il quelqu'un de ses connaissances ou un parfait inconnu ?

Si le dingue connaissait Billy depuis longtemps – bien avant de rédiger sa première lettre –, s'il s'agissait d'un psychopathe qui n'arrivait plus à refouler ses pulsions meurtrières, l'identifier serait un travail difficile, mais pas impossible. Fouiller toutes ses relations, passer au crible tous ses souvenirs à la

recherche de la moindre bizarrerie pourrait l'aider à mettre à
jour des indices. Par déduction, chance et intuition, il parvien-
drait peut-être à mettre un visage sur l'ennemi...

Mais si le dingue était un inconnu qui avait jeté son dévolu
sur Billy par pur hasard, pour le tourmenter, voire le détruire,
les recherches se révéleraient beaucoup plus aléatoires. Cerner
les traits d'un parfait étranger, envisager un mobile à partir du
néant total serait une tâche ardue.

Il n'y a pas si longtemps dans l'histoire du monde, les vio-
lences – à l'exception des massacres des guerres – étaient des
actes, pour la plupart, personnels et individualisés. C'étaient
les rancunes, les offenses, les adultères ou les dettes qui déclen-
chaient des pulsions meurtrières.

Dans le monde actuel, ces dernières décennies, et plus encore
ces dernières années, la violence était devenue impersonnelle.
Les terroristes, les gangs des rues, les sociopathes solitaires, ou
ceux qui agissent en groupe au nom de quelque utopie, tuaient
des gens qu'ils ne connaissaient pas, sans aucun grief concret,
dans le seul but d'attirer l'attention, de faire entendre leur voix,
d'instiller la terreur, ou même parfois juste pour le simple plaisir.

Le tueur, connu ou non de Billy, était un adversaire inquié-
tant. De toute évidence, il était à la fois hardi et prudent ; c'était
un fou, mais qui savait se contrôler, habile, ingénieux, rusé, à
l'esprit tortueux et machiavélique.

À l'opposé, la vie de Billy Wiles était une ligne droite, limpide et évidente. Il n'avait pas l'esprit retors. Ses désirs étaient
simples. Tout ce qu'il souhaitait, c'était continuer à vivre, et
garder l'espoir.

Alors qu'il pressait le pas dans les hautes herbes qui lui
fouettaient les jambes et dont les brins semblaient échanger
des murmures conspirateurs, il se sentait davantage mulot que
chasseur nocturne.

Le chêne majestueux se dressa enfin devant lui. Quand il
passa sous ses frondaisons, des présences invisibles remuèrent
dans les branchages, des bruissements d'ailes et de plumes,
mais aucune créature ne prit son envol.

Derrière l'Explorer, l'église ressemblait à une sculpture de glace légèrement phosphorescente.

En approchant du véhicule, il déverrouilla les portes à distance avec la télécommande et le véhicule répondit par deux bips électroniques et un appel de phares.

Il s'installa au volant, ferma la porte et remit les verrous. Il jeta le revolver sur le siège passager.

Alors qu'il allait insérer la clé de contact, quelque chose l'en empêcha. Un bout de papier plié en deux avait été fixé sur la colonne de direction avec un petit bout de scotch.

Un message.

Le troisième.

Le meurtrier avait dû se poster le long de la nationale, pour surveiller la route menant chez Lanny Olsen, pour voir si Billy allait mordre à l'appât... Il avait repéré l'Explorer sur le parking.

Le véhicule était fermé à clé. Pour y pénétrer, le dingue aurait dû briser une vitre... mais elles étaient toutes intactes. L'alarme ne s'était pas déclenchée.

Jusqu'ici, chaque instant de ce cauchemar éveillé avait le goût amer de la réalité, aussi tangible que la morsure du feu sur les doigts. Mais la découverte de cette troisième note projetait Billy sur un seuil incertain reliant le monde réel à un autre surnaturel.

Pétri de terreur, Billy décolla le message de la colonne de direction et le déplia.

Le plafonnier, activé automatiquement à l'ouverture de la portière, était encore allumé, car il venait tout juste de s'installer dans le véhicule.

Le message – sous la forme d'une question – était lapidaire et parfaitement clair.

Êtes-vous prêt pour votre première blessure ?

15.

Êtes-vous prêt pour votre première blessure ?

Le temps ralentit brusquement sa course... le billet lui glissa des doigts et se mit à flotter dans l'air, comme une plume, descendant lentement vers ses cuisses. La lumière du plafonnier s'éteignit.

Pris d'une terreur blanche, il se tourna lentement pour sonder, derrière lui, l'antre noir de l'habitacle, tout en cherchant à tâtons son revolver sur le siège passager.

Certes l'espace entre le dossier et la banquette était trop exigu pour qu'un homme puisse s'y cacher totalement... mais Billy s'était installé au volant très vite, sans faire attention...

Au moment où ses doigts effleuraient enfin la crosse de l'arme, la vitre de sa portière vola soudain en éclats.

Surpris par la pluie d'éclats scintillants jaillissant sur sa poitrine et ses cuisses, Billy laissa échapper le revolver qui tomba au sol.

Alors que les débris de verre Securit pleuvaient encore, et que Billy commençait tout juste à se retourner vers l'impact, le dingue se pencha dans l'habitacle et saisit Billy par les cheveux.

Coincé entre le volant et le tableau de bord, Billy ne pouvait récupérer le revolver. Il tenta d'attraper la main qui le tirait en arrière, de la griffer pour lui faire lâcher prise, mais en vain, car elle était protégée par un gant de cuir.

Le type était fort, brutal et implacable.

Les cheveux de Billy auraient déjà dû être arrachés de son crâne. La douleur était atroce. Sa vue se brouilla.

Le tueur voulait lui faire passer la tête à la renverse, par la vitre brisée.

Les restes de verre lui griffaient l'arrière du crâne. Le dingue tira de plus belle. La secousse lui fit claquer les mâchoires, lui arrachant un cri sourd.

Billy agrippa le volant de sa main gauche, et l'appuie-tête de sa main droite, résistant de toutes ses forces. Ses cheveux allaient lâcher... il allait en perdre une poignée énorme. Et il serait libre.

Mais le cuir chevelu tenait bon; aucun espoir de libération en vue... alors Billy pensa au klaxon... S'il parvenait à l'actionner, à le maintenir enfoncé, des gens viendraient, et le dingue serait bien obligé de déguerpir...

Mais seul le prêtre dans le presbytère l'entendrait... cela ne suffirait pas pour faire prendre la fuite au tueur. Non, il abattrait l'ecclésiastique d'une balle en pleine tête, comme ce pauvre Lanny.

Dix secondes s'étaient écoulées depuis qu'il avait brisé la vitre, et Billy, la tête en arrière, était inexorablement tiré à travers l'encadrement de la fenêtre.

La douleur était si intense que les racines de ses cheveux semblaient lui tirer tout le visage; la douleur s'étendait jusqu'à ses joues, comme un feu ardent brûlant ses chairs, jusqu'à ses épaules, ses bras... Son cuir chevelu, pour résister à la traction, lui pompait toute son énergie.

Sa nuque se glaça au contact du cadre de la vitre. Des bris compacts du verre lui lacéraient la nuque.

Sa tête commençait à pendre dans le vide. Il serait si rapide de lui trancher la gorge, si aisé de lui briser la colonne vertébrale !

Il lâcha le volant. Sa main tâtonna dans son dos, pour trouver la poignée de la portière.

S'il arrivait à ouvrir la porte et la pousser avec assez de violence, peut-être pourrait-il déséquilibrer son assaillant, le faire tomber, et l'obliger ainsi à lâcher prise ou le faire enfin céder les racines de ses cheveux ?

Pour atteindre la poignée – qui glissait dans ses doigts moites – il devait tordre son bras derrière lui et ses doigts n'avaient plus la liberté de mouvement nécessaire pour actionner le levier.

Pressentant l'intention de Billy, le dingue s'appuya de tout son poids contre la portière.

La tête de Billy dépassait largement du véhicule à présent et, soudain, un visage apparut au-dessus de lui, à l'envers du sien. Une face sans traits. Un fantôme encapuchonné.

Il cligna des yeux.

Non, ce n'était pas une capuche. Mais une cagoule. Une cagoule noire.

Malgré le peu de lumière, Billy apercevait les yeux enfiévrés de l'inconnu, luisant dans les interstices.

Soudain, il sentit une bruine se répandre sur le bas de son visage, du nez jusqu'au menton. Quelque chose d'humide, froid, caustique et doux à la fois, avec une forte odeur de médicament.

Il hoqueta sous le choc, puis tenta de retenir sa respiration, mais la brève aspiration avait fait son œuvre. Des vapeurs astringentes lui brûlaient les narines. Sa bouche fut envahie de salive.

Le visage masqué grandit, comme une lune noire fondant sur lui, avec deux cratères à la place des yeux.

16.

L'effet du sédatif s'estompait. Telle la chaîne d'une ancre, la douleur, peu à peu, remontait Billy des abîmes de l'inconscience.

Dans sa bouche, un drôle de goût, comme s'il avait bu un cocktail à base de sirop d'érable et d'eau de Javel. Un mélange doux-amer. La vie, en somme.

Pendant un moment, il ne sut pas où il se trouvait. D'ailleurs, peu lui importait. Il émergeait tout juste d'un océan de torpeur, encore balayé par les vagues du sommeil, et n'avait qu'un désir, celui d'y replonger.

Mais finalement, la douleur lancinante le contraignit à rester en surface, à garder les yeux ouverts pour analyser ses sensations, se situer dans l'espace. Il était étendu sur le dos, sur une surface dure – le parking de l'église.

De faibles effluves de goudron, d'huile et d'essence lui parvenaient. Ainsi que la fragrance subtile de bois humide et de glands provenant du chêne qui se dressait au-dessus de lui dans la pénombre. Et l'aigreur aussi de son propre souffle.

Il lécha ses lèvres. Un goût de sang.

En passant la main sur son visage, Billy sentit une substance visqueuse : probablement un mélange de sang et de sueur… car l'obscurité l'empêchait de distinguer le liquide sur ses doigts.

La douleur provenait essentiellement de la région de son cuir chevelu. Sans doute une séquelle après le traitement infligé à ses cheveux…

Une lente pulsation, ponctuée par des tiraillements aigus, irradiait son crâne. Toutefois, le mal ne provenait pas du sommet de sa tête, à l'endroit où la résistance de ses cheveux avait été sévèrement testée, mais plutôt du haut du front.

Quand il leva une main hésitante à la recherche de la source de la pulsation, ses doigts rencontrèrent quelque chose de fin et métallique saillant de son front, à environ deux centimètres sous la ligne des cheveux. Ce simple effleurement déclencha un éclair de douleur qui lui arracha un cri.

Êtes-vous prêt pour votre première blessure ?

Il remit l'examen des dégâts à plus tard, quand il pourrait voir de quoi il retournait.

La blessure ne serait pas mortelle. Le dingue n'avait pas eu l'intention de le tuer, seulement de lui faire mal, peut-être lui laisser une cicatrice, le marquer à vie.

Non seulement Billy respectait son adversaire, mais à présent il était certain que celui-ci ne pouvait commettre d'erreur, du moins aucune capitale.

Billy s'assit. La douleur augmenta. Ce fut pis encore quand il se mit sur ses jambes.

Chancelant, il balaya le parking du regard. Son assaillant était parti.

Haut dans le ciel nocturne, un amas d'étoiles en mouvement, les lumières d'un avion qui s'en allait vers l'ouest dans un grondement. Sans doute un avion militaire s'envolant vers une zone de conflit. Mais une autre bataille se déroulait ici.

Il ouvrit la portière de l'Explorer.

Des éclats de verre pilé jonchaient le fauteuil. Il saisit une boîte de Kleenex posée sur le tableau de bord et s'en servit pour chasser les débris tranchants du coussin.

Il chercha le message qu'il avait trouvé scotché sur le Neiman. Visiblement, le tueur l'avait repris.

La clé était tombée sous la pédale des freins. Sur le tapis de sol, devant le siège passager, il trouva son revolver.

Le tueur lui permettait donc de conserver l'arme pour la suite du jeu. Elle ne lui faisait pas peur.

En se redressant, Billy fut pris de vertige ; un effet rémanent sans doute de la substance dont il avait été aspergé – du chloroforme, ou quelque anesthésiant.

Une fois assis derrière le volant, portière close et moteur en marche, Billy eut un moment d'hésitation. Était-il en mesure de conduire ?

Il alluma l'air conditionné, et dirigea les deux buses d'air vers son visage.

Alors qu'il évaluait encore son degré d'étourdissement, le plafonnier s'éteignit automatiquement. Billy le ralluma.

Il inclina le rétroviseur central pour inspecter son visage. Il ressemblait à un diable de bandes dessinées : la peau rouge foncé, et les dents brillantes ; et les yeux d'un blanc surnaturel.

En relevant le miroir, il comprit ce qui lui faisait si mal.

Voir ne veut pas dire forcément croire. Il préféra penser que le produit anesthésiant lui jouait des tours, qu'en plus des vertiges, il provoquait des hallucinations...

Billy ferma les yeux et prit de profondes inspirations, pour chasser cette image de son esprit, en espérant qu'en rouvrant les paupières l'illusion se serait dissipée.

Mais rien n'avait changé. Au milieu de son front, environ deux centimètres sous les cheveux, trois gros hameçons étaient plantés dans sa chair. La pointe et l'ardillon de chaque hameçon dépassaient. La hampe aussi. La courbe, elle, disparaissait sous la fine peau du front.

Dans un frisson, il détourna les yeux du miroir.

Il y a des jours de doute, et, plus fréquentes encore, des nuits de solitude, ou même les plus fervents croyants se demandent s'ils n'accéderont jamais à un royaume meilleur que cette Terre et connaîtront la miséricorde – ou si, au lieu de ça, ils ne sont pas que des animaux comme les autres, n'ayant rien d'autre à attendre que la poussière et l'obscurité.

Pour Billy, il s'agissait de cette sorte de nuit. Il en avait connu d'autres semblables et le doute, tel le ressac d'une mer, avait toujours fini par refluer. Alors il refluerait cette fois encore, même si aujourd'hui les eaux étaient plus glaciales, et n'étaient jamais montées aussi haut.

Le dingue paraissait être un joueur pour qui tuer était une sorte de divertissement. Mais les hameçons plantés dans le front n'étaient pas simplement une façon d'avancer des pions ; non, il ne s'agissait pas d'un jeu.

Pour le tueur, ces meurtres représentaient plus que l'acte même de tuer, mais ce « plus » ne s'apparentait pas à ce qu'offrait une partie d'échecs ou de poker. Assassiner avait un sens symbolique pour lui, et le tueur agissait sans le moindre penchant ludique. Il avait un dessein mystérieux à atteindre, un objectif...

« Jeu » n'était pas le bon mot... Tant que Billy n'aurait pas trouvé le bon terme, défini précisément de quoi il était question, il ne pourrait comprendre le tueur, et encore moins espérer le prendre de vitesse.

Avec un Kleenex, il essuya doucement les caillots de sang sur ses sourcils, ainsi que sur ses paupières et ses cils.

La vue des hameçons lui avait fait recouvrer ses esprits. La sensation de vertige s'était dissipée dans l'instant.

Ses blessures exigeaient des soins. Il alluma ses phares et quitta le parking de l'église.

Quelle que soit l'intention véritable du tueur, quel que soit le symbole caché derrière les hameçons, envoyer Billy se faire soigner faisait partie intégrante de son plan. Le médecin allait forcément lui poser des questions... et la situation de Billy allait encore s'en trouver compliquée.

S'il disait la vérité, Billy se retrouverait lié aux meurtres de Giselle Winslow et Lanny Olsen. Il deviendrait, *ipso facto*, le suspect numéro un.

N'ayant aucun des trois messages en sa possession, il ne pourrait prouver l'existence du tueur.

Les hameçons ne convaincraient pas les policiers quant à l'existence d'une tierce personne, car il pouvait s'agir d'une simple automutilation. Nombre de tueurs s'infligeaient des blessures pour passer pour des victimes et détourner les soupçons.

Billy savait avec quel œil sceptique certains policiers regarderaient sa blessure – impressionnante certes, bizarre, mais superficielle. C'était couru d'avance.

En outre, Billy pratiquait la pêche – en particulier la truite, la perche. C'était avec ce genre de gros hameçons qu'il pouvait pêcher au vif et sortir de belles pièces. Il en avait toute une collection dans sa musette.

Mieux valait ne pas aller chez le docteur. Il allait devoir être son propre médecin.

À 3 h 30, les routes de campagne étaient désertes. La nuit était douce, mais le 4 × 4 produisait son propre vent, qui s'engouffrait par la vitre brisée. Dans la lumière des phares, le paysage de vignobles et de collines boisées lui était familier et, pourtant, kilomètre après kilomètre, il avait l'impression de s'enfoncer dans une terre étrangère et hostile.

II

ÊTES-VOUS PRÊT POUR VOTRE DEUXIÈME BLESSURE ?

17.

En février, quand il s'était fait arracher une molaire aux racines particulièrement profondes, son chirurgien-dentiste avait prescrit à Billy du Vicodin, un antalgique. Il n'avait utilisé que deux cachets sur les dix que contenait la boîte.

La notice spécifiait qu'il fallait prendre ce traitement pendant les repas. Il n'avait pas dîné, et n'avait toujours pas faim.

Il avait besoin d'avaler cet antidouleur... Dans le réfrigérateur, il trouva un reste de lasagnes.

Les perforations dans son front étaient bouchées par des caillots, et le sang ne coulait plus, mais la douleur était toujours aussi vive et il était difficile à Billy d'avoir une pensée cohérente. Il choisit de ne pas attendre les quelques minutes nécessaires pour chauffer le plat au four à micro-ondes, et le posa froid sur la table.

Une étiquette rose sur le flacon déconseillait la consommation d'alcool pendant le traitement. Cause toujours ! Il n'avait pas l'intention de conduire sa voiture ni de piloter une machine-outil dans les heures à venir.

Il goba la pilule, fourra dans sa bouche une fourchette de lasagnes, et fit descendre le tout avec une rasade d'Elephant, une bière danoise fortement alcoolisée.

En mangeant, il songea à l'enseignante morte, à Lanny sur son fauteuil dans sa chambre... Et maintenant? Qu'allait faire le tueur?

Ce genre de pensées ne favorisait guère l'appétit ni la digestion. Les jeux étaient faits pour l'enseignante et Lanny, et Billy n'avait aucun moyen de prédire le prochain agissement du dingue.

Plutôt que de se ronger les sangs, il pensa à Barbara, plus particulièrement à la femme qu'elle avait été, et non à son état actuel à Whispering Pines. Inévitablement, une bouffée d'angoisse l'envahit : qu'adviendrait-il de Barbara s'il venait à mourir.

Il se remémora la petite enveloppe laissée par son médecin. Il la sortit de sa poche et la décacheta.

Le nom du docteur Jordan Ferrier était inscrit en relief au recto de la carte couleur crème. Son écriture était précise :

> *Cher Billy,*
> *Quand vous commencez à choisir des horaires de visite qui vous permettent d'éviter les miennes, c'est signe qu'a sonné l'heure de notre bilan biannuel pour parler de l'état de santé de Barbara. Merci de contacter mon secrétariat pour prendre rendez-vous.*

De la condensation ruisselait sur la bouteille d'Elephant. Il utilisa la carte du docteur Ferrier comme sous-verre, pour protéger la table.

— Pourquoi n'est-ce pas *vous* qui m'appelez *moi* pour prendre rendez-vous ?

Le plat était à moitié rempli de lasagnes. Bien qu'il manquât d'appétit, il le termina, enfournant la nourriture dans sa bouche, mâchant vigoureusement, comme si manger pouvait rassasier la colère autant que la faim.

Au bout d'un moment, la douleur à son front diminua significativement.

Il se rendit dans le garage, où il rangeait son matériel de pêche. Il prit une longue pince effilée, pourvue d'une partie coupante.

De retour dans sa maison, après avoir verrouillé la porte derrière lui, il alla examiner son visage dans le miroir de la salle de bains. Le masque de sang avait séché. Il ressemblait définitivement à un résident des Enfers.

Le dingue avait planté les trois hameçons avec soin, en essayant, apparemment, de causer le moins de dégâts possible.

Pour les policiers soupçonneux, cette délicatesse accréditerait la thèse de l'automutilation.

L'hameçon, d'un côté, était pourvu d'un ardillon, de l'autre d'un œillet pour permettre de passer la ligne. Impossible de tirer le crochet d'un côté ou de l'autre sans déchirer les chairs.

À l'aide de la pince, il coupa la hampe, sous l'œillet, puis, en prenant l'extrémité effilée entre le pouce et l'index, il sortit l'hameçon.

Une fois les trois hameçons retirés, il prit une douche bouillante.

Il désinfecta les plaies à l'alcool puis à l'eau oxygénée, appliqua une pommade antiseptique et couvrit les blessures avec de la gaze et du sparadrap.

À 4 h 27, à en croire le réveil sur sa table de nuit, Billy alla se coucher. Un lit double, avec deux oreillers. Sa tête sur l'un, son revolver sous l'autre.

Puisse le jugement sur nous ne point peser trop lourd…

Alors que ses paupières se fermaient, il vit Barbara en pensée, ses lèvres pâles articulant ses déclarations obscures.

Je veux savoir ce qu'elle dit… la mer. Ce qu'elle essaie de dire, encore et encore…

Il s'endormit avant que le réveil n'indique 4 h 30.

Dans ses rêves, il était dans le coma, incapable de bouger ou de parler, mais il restait conscient du monde autour de lui. Les médecins en blouse blanche, le visage masqué d'une cagoule, se penchaient au-dessus de lui, découpant sa chair au scalpel, ciselant des faisceaux sanglants de feuilles d'acanthe.

Une douleur sourde mais lancinante le réveilla le lendemain matin, mercredi, à 8 h 40.

Au début, il ne savait plus, parmi ses expériences cauchemardesques de la nuit, celles qui avaient été réelles. Puis il se souvint.

Il avait besoin d'un autre Vicodin. Mais il se contenta d'aller chercher dans la salle de bains deux aspirines.

Il se dirigea vers la cuisine, avec ses comprimés, dans l'intention de les avaler avec un verre de jus d'orange. Il avait oublié de mettre le plat à lasagne dans le lave-vaisselle. La canette vide d'Elephant trônait sur la carte du docteur Ferrier.

La lumière du matin inondait la pièce. Les stores étaient relevés. Ils étaient pourtant baissés, hier soir, quand il était allé se coucher.

Scotché sur la porte du réfrigérateur, un morceau de papier plié. Le quatrième message du tueur.

18.

Billy était certain d'avoir fermé le verrou de la porte côté jardin quand il était revenu du garage avec la pince coupante. À présent, il était ouvert.

Il s'avança sur le perron et scruta les bois. Quelques ormes en lisière, des pins derrière.

Le soleil du matin projetait les ombres dans le bosquet, sans parvenir à éclairer ses tréfonds ténébreux.

Alors qu'il sondait la masse sombre à la recherche d'un éventuel reflet trahissant une paire de jumelles, un mouvement attira son attention. Des formes mystérieuses se mouvant entre les arbres, fluides comme une nuée d'oiseaux, fragmentées et pâles quand un rayon de soleil les frappait...

Un frisson traversa Billy, le souffle de l'étrange. Puis les formes sortirent du sous-bois. Des cervidés. Un cerf, deux biches et un faon.

Peut-être quelque chose les avait-il effrayés ? Les animaux, toutefois, après quelques foulées sur la pelouse, s'arrêtèrent. Aussi sereins que du gibier au Paradis, ils se mirent à brouter l'herbe tendre.

Billy retourna dans la maison, laissant les cervidés à leur petit déjeuner. Il ferma le verrou, même si cela n'était en rien un gage de sécurité. Le tueur, à défaut d'avoir une clé, avait un passe-partout et, visiblement, savait s'en servir !

Sans toucher à la note, il ouvrit la porte du réfrigérateur, pour prendre une brique de jus d'orange.

Tout en avalant les comprimés d'aspirine avec une rasade qu'il but au goulot, il observa la note scotchée sur la porte. Il ne voulait pas y toucher.

Il glissa deux muffins dans le grille-pain. Une fois croustillants, il étala dessus du beurre de cacahuètes et s'installa à table pour les manger.

S'il ne lisait pas ce mot, s'il le brûlait dans l'évier et chassait au jet les cendres dans la bonde, Billy se retirait *ipso facto* de la partie.

Le problème principal de cette option était le même qui l'avait chagriné plus tôt : l'inaction était un choix en soi.

Deuxième problème : il était devenu lui-même une victime. Et on lui avait promis une suite.

Êtes-vous prêt pour votre première *blessure ?*

Le psychopathe n'avait pas souligné le mot « première », mais il était inutile d'être devin pour voir où était le mot-clé de cette phrase. Billy avait des défauts, mais il savait regarder la vérité en face.

S'il ne lisait pas la note, s'il décidait de l'ignorer, il saurait encore moins ce qui allait lui arriver. Et quand le couperet tomberait, il n'entendrait pas même la lame siffler dans l'air au-dessus de sa tête.

En outre, il ne s'agissait pas, pour le dingue, d'un simple divertissement, ainsi que Billy s'en était rendu compte la veille au soir. Privé de son compagnon de jeu, le tueur n'allait pas se contenter de récupérer son ballon et de rentrer gentiment chez lui. Il risquait au contraire de précipiter la fin de la partie de la façon qu'il avait prévue.

Billy aurait bien aimé sculpter quelques nouvelles feuilles d'acanthe.

Ou faire des mots-croisés. Il était plutôt bon.

Ou faire la lessive, s'occuper du jardin, laver les gouttières, repeindre la boîte aux lettres… toutes ces petites corvées qui lui occupaient l'esprit, qui l'aidaient à tenir bon jour après jour.

Il voulait reprendre son travail à la taverne, sentir les heures filer dans un tourbillon de tâches répétitives et de conversations ineptes.

Le seul mystère dont il avait besoin dans sa vie – son seul défi à relever –, il le trouvait lors de ses visites à Whispering Pines, dans les phrases énigmatiques que prononçait Barbara, et dans sa foi persistante en une issue heureuse pour elle. Il n'avait rien d'autre. Il ne voulait rien d'autre.

Mais tout avait changé... Un nouveau mystère s'imposait à lui. Un mystère qu'il n'avait pas souhaité et auquel il ne pouvait échapper.

Il termina ses muffins et porta son assiette et son couteau dans l'évier. Il les lava, les essuya, les rangea.

Dans la salle de bains, il retira les sparadraps de son front. Chaque hameçon avait transpercé sa peau en deux endroits. Les six trous étaient rouges et enflammés.

Il lava doucement les plaies, puis les désinfecta de nouveau et passa une nouvelle couche de pommade antiseptique. Puis il confectionna de nouveaux pansements.

Son front était frais au toucher. Si les ardillons avaient été sales, une infection se serait propagée malgré ses précautions, en particulier si les pointes avaient écorché l'os.

Il était vacciné contre le tétanos. Quatre ans auparavant, alors qu'il réaménageait le garage pour installer son établi, il s'était tailladé la main gauche avec une charnière rouillée. Il avait eu droit à un rappel du DT Polio. Il ne mourrait donc pas du tétanos.

Ni de quelque infection. C'était de fausses inquiétudes pour s'occuper l'esprit, pour ne pas penser aux vraies menaces qui pesaient sur lui.

De retour dans la cuisine, il décolla la note du réfrigérateur. Il la roula en boule et se dirigea vers la poubelle.

Mais au lieu de la jeter, il la déplia sur la table et la lut.

Ce matin, restez chez vous. Mon associé viendra vous voir à 11 heures. Attendez-le sur le perron.
Si vous quittez votre maison, je tuerai un enfant.
Si vous prévenez la police, je tuerai un enfant.
Vous semblez bien en colère. Ne vous ai-je pas tendu la main de l'amitié? Si, je vous l'ai offerte... sur un plateau.

Un associé? Le mot le déconcertait. Cela ne lui disait rien qui vaille.

Très rarement, les sociopathes œuvraient en duo. Les flics surnommaient ces paires des « frères de sang ». L'Étrangleur de Hillside à Los Angeles était, en fait, deux cousins. Le Sniper de Washington était un couple d'amis.

La famille Manson comptait plus de deux membres.

Un simple serveur pouvait peut-être espérer l'emporter contre un psychopathe. Mais pas contre deux...

Billy ne comptait pas aller trouver la police. Le dingue lui avait prouvé à deux reprises la véracité de ses dires. Si Billy désobéissait, un enfant serait sacrifié.

Cette fois, au moins, il avait un vrai choix; celui de sauver une vie et non de décider qui allait mourir.

La main de l'amitié?

L'ironie était évidente. Et, en même temps, Billy sentait que derrière ces mots se cachait une information importante, un renseignement sur le tueur qui, s'il parvenait à le décrypter, pourrait lui être très utile.

Il lut le message six fois, dix fois, douze fois... en vain. Rien ne lui apparut. Sinon sa propre impuissance.

Grâce à cette note, Billy avait une nouvelle preuve pour étayer ses dires. Même si ce mot n'en disait pas long et n'impressionnerait guère la police, Billy comptait bien le conserver en lieu sûr.

Il contempla, dans le salon, sa collection de livres. Ces dernières années, sa bibliothèque n'était plus une source de joie, mais simplement un nid à poussière.

Il prit *De notre temps* d'Hemingway. Il glissa le mot du tueur sous la page de garde et remit le livre à sa place sur l'étagère.

Il songea à Lanny Olsen, mort, assis dans un fauteuil avec un roman d'aventures sur les genoux.

Puis, il alla récupérer, dans la chambre, le Smith & Wesson, sous l'oreiller.

En refermant la main sur la crosse, il se souvint des réactions de l'arme quand on faisait feu. Le canon soubresautait, la crosse ruait dans la paume et la secousse remontait dans tout le bras, migrant à travers la moelle des os comme un banc de poissons fendant l'onde.

Billy gardait une boîte de munitions dans un tiroir de la commode. Il glissa trois cartouches de réserve dans les deux poches de son pantalon.

Cela devrait suffire. Quoi qu'il arrive, cela n'aurait rien d'une bataille rangée. Ce serait violent, brutal… mais bref.

Il retapa son lit défait par sa nuit agitée. Il n'avait pas de dessus-de-lit ; il redonna du volume aux oreillers, lissa les draps soigneusement et les tendit comme la peau d'un tambour.

Quand il reprit le revolver qu'il avait posé sur la table de nuit, il se souvint non seulement du recul de l'arme, mais aussi de ce que l'on ressentait lorsqu'on tuait quelqu'un.

19.

Jackie O'Hara répondit au téléphone par une phrase qu'il employait parfois quand il servait au bar : « La taverne, à votre service ! »

— Patron, c'est Billy.

— Salut Billy, tu sais de quoi ils ont parlé hier soir ?

— De base-ball ?

— J'aurais bien voulu voir ça ! Ici, c'est pas le café des sports !

Billy surveilla la pelouse par la fenêtre de la cuisine. Les cerfs étaient partis.

— Bien sûr, patron.

— Les types dans ce genre de bars se fichent de ce qu'ils boivent, d'abord.

— Ouais. Tout ce qu'ils veulent, c'est beugler et s'exciter.

— Tout juste ! Qu'ils aillent donc fumer un joint ou s'envoyer un café serré au Starbucks ! Nous, on ne sera jamais un café des sports, jamais !

Billy connaissait le couplet.

— Tandis que, pour nos clients, boire est une cérémonie.

— Plus que ça ! C'est un rite, une sorte de sacrement. Pas pour tous, bien sûr, mais pour la plupart. C'est une communion avec le divin.

— Alors, c'était quoi le sujet ? Le yéti ?

— J'aurais préféré ! Avant, les meilleures conversations de comptoir c'était le yéti, les soucoupes volantes, la disparition de l'Atlantide, la fin des dinosaures…

— ... ce qu'il y a sur la face cachée de la Lune, poursuivit Billy. Et le monstre du loch Ness, le suaire de Turin...

— ... les fantômes, le triangle des Bermudes, bref les bons classiques. Mais tout ça, c'est terminé.

— Je sais. C'est triste, compatit Billy.

— Ils ont parlé de ces chercheurs de Harvard, de Yale et de Princeton... ces scientifiques qui veulent, avec le clonage, les cellules souches et la génétique, créer une race supérieure.

— Des types plus intelligents, plus rapides et meilleurs que nous autres.

— Supérieurs en tout ! À ce point, ce ne sera même plus des humains ! Il y a un article dans *Time* ou *Newsweek*, je ne sais plus... ces gars sont tellement sûrs de leur coup qu'ils paradent dans les magazines !

— Ils parlent de « futur post-humain ».

— Et que va-t-il nous arriver, à nous, quand on sera dans le post-humain ? s'inquiéta Jackie. Créer une race supérieure. Ils n'ont jamais entendu parler d'Hitler ?

— Ils se croient plus intelligents.

— Jamais ils ne se sont regardés dans une glace ? Ces connards croisent des gènes humains avec des gènes d'animaux pour créer des nouvelles « créatures ». L'un d'entre eux parle de créer un cochon doté d'un cerveau humain.

— Pour quoi faire ?

— L'article ne dit pas pourquoi ils ont choisi un cochon, comme si c'était évident... ça pourrait être un chat, une vache ou un écureuil. Nom de Dieu, c'est déjà assez difficile comme ça de vivre avec un cerveau humain dans un corps d'humain ! Si, en plus, il faut avoir un corps de cochon, tu imagines l'enfer ?

— Peut-être ne vivrons-nous pas assez longtemps pour voir ça, répondit Billy.

— À moins que tu n'aies prévu de mourir demain, ça va nous tomber dessus, je te dis ! Tiens, je préférais encore causer du yéti ! Et du triangle des Bermudes et des fantômes ! Mais ça... ça, c'est pour de vrai, ce n'est plus de la rigolade !

— Je vous appelais, en fait, pour vous annoncer que je ne pourrai pas venir travailler aujourd'hui.

— Pourquoi? Tu es malade? s'enquit Jackie avec une inquiétude sincère.

— Disons un peu patraque.

— À t'entendre, on dirait pas que tu as pris un coup de froid.

— Ce n'est pas un coup de froid. C'est plutôt mon estomac qui me fait des siennes.

— Parfois ça commence comme ça. Prends du zinc. Ils font ce gel que tu te fourres dans le nez… ça marche vraiment bien. Ça te requinque en moins de deux!

— D'accord.

— C'est trop tard pour la vitamine C. Il faut en prendre tout le temps pour que ce soit efficace.

— J'achèterai du zinc, promis… Je n'appelle pas trop tôt j'espère… Vous avez fermé tard, hier soir?

— Non. Je suis rentré chez moi à 22 heures. Après tous ces trucs sur les cochons et les cerveaux humains, je n'avais qu'une envie : aller me coucher.

— C'est Steve qui a fermé la boutique?

— Oui. C'est un garçon de confiance. Ces trucs que je t'ai dit sur lui, je n'aurais pas dû… S'il aime déchiqueter des mannequins et des pastèques, ça le regarde. Tant qu'il fait son boulot.

Le mardi soir était souvent tranquille à la taverne. S'il n'y avait personne, Jackie fermait souvent avant les 2 heures du matin, horaire de fermeture légale. Un bar ouvert avec un ou deux clients dans la salle, voire aucun, est une tentation pour les braqueurs; il était inutile de faire courir des risques au personnel.

— Il y a eu du monde? demanda Billy.

— Steve dit que passé 23 heures, il avait l'impression d'être seul sur terre. Il est sorti sur le trottoir pour s'assurer que la taverne n'avait pas été téléportée sur la lune. Il a éteint avant minuit. Dieu merci, il n'y a qu'un mardi soir dans la semaine!

— Les gens aiment passer leur soirée en famille, c'est ça qui tuera les bars familiaux!

— T'es un comique, toi…

— Ça m'arrive rarement.

— Si après t'avoir mis ce gel dans le nez, ça ne va pas mieux, rappelle-moi, et je te dirai où te le mettre !

— Vous auriez fait un prêtre extra, Jackie. Sérieux !

— Soigne-toi bien ! Les clients t'aiment bien et te réclament quand tu n'es pas là.

— Vraiment ?

— Non. Mais ils ne se réjouissent pas ostensiblement de ton absence, c'est un signe…

En ces circonstances, seul Jackie O'Hara était capable de le faire sourire.

Billy raccrocha. Il consulta sa montre. 10 h 31.

L'« associé » serait là dans moins d'une demi-heure.

Steve Zillis ayant quitté la taverne un peu avant minuit, il avait eu tout le temps de se rendre chez Lanny, de le tuer et d'installer son cadavre dans la chambre.

Si Billy avait dû faire la liste des suspects possibles, il aurait placé Steve bon dernier. Mais de temps en temps, c'est un *outsider* qui gagnait la course.

20.

Sur le perron, il y avait deux rocking-chairs en teck, décorés de coussins verts. Billy avait rarement l'usage du second siège.

Ce matin, vêtu d'un T-shirt blanc et d'un pantalon de toile, il s'installa dans le fauteuil le plus éloigné des marches. Il ne se balança pas. Il resta assis, totalement immobile.

Une desserte en teck se trouvait à côté de lui. Sur la table, sur un sous-verre en liège, un verre de Coca.

Il n'avait pas bu une seule gorgée du soda. Il avait rempli le verre par ruse, pour détourner le regard de la boîte de crackers.

Car, dans la boîte, il y avait le revolver à canon court. Les seuls crackers existants, c'étaient les trois placés en pile à côté de la boîte.

Lumineuse, immaculée et brûlante, la journée était trop chaude pour le confort des vignes, mais parfait pour Billy.

Du perron ombragé, entre les cèdres, il distinguait une grande portion de la petite route qui gravissait la colline pour mener chez lui.

Il n'y avait pas beaucoup de voitures. Il reconnaissait certains véhicules, mais il ignorait à qui ils appartenaient.

Montant du bitume surchauffé, des mirages de chaleur hantaient l'air du matin.

À 10 h 53, une silhouette apparut au loin – venant à pied. Un détail qui surprit Billy. Ce ne devait pas être son homme.

Au début, la silhouette pouvait n'être qu'une illusion d'optique. Les volutes d'air la déformaient, la faisaient onduler comme un reflet dans l'eau. À un moment, la forme se dissipa totalement, puis réapparut.

Dans la lumière crue, l'homme semblait grand et mince, anormalement mince, comme s'il avait servi d'épouvantail, planté sur une potence dans un champ de maïs, défiant les oiseaux de s'approcher de ses boutons cousus en guise d'yeux.

Il quitta la route pour s'engager dans l'allée. Puis, il délaissa l'allée pour la pelouse. À 10 h 58, il était au pied du perron.

— Monsieur Wiles ? demanda-t-il.

— C'est moi.

— Je crois savoir que vous m'attendez.

Il avait la voix écorchée de celui qui avait fait mariner son larynx dans le whisky et la fumée de cigarettes.

— Qui êtes-vous ?

— Je m'appelle Ralph Cottle.

Billy n'espérait guère obtenir une réponse. Si l'homme avait voulu se cacher derrière un nom d'emprunt, « John Smith » aurait fait parfaitement l'affaire. « Ralph Cottle » paraissait authentique.

Cottle était aussi maigre qu'il le paraissait de loin, à travers l'écran déformant des volutes d'air, mais beaucoup moins grand. Son cou squelettique semblait sur le point de rompre sous le poids de la tête.

Il portait de vieilles tennis noires de crasse. Usé aux coudes et élimé aux poignets, son costume d'été marron bâillait aux épaules, comme s'il était posé sur un portemanteau. Sa chemise de nylon était trop large, maculée de taches, et il y manquait un bouton.

Des vêtements d'occasion dénichés dans des fripes bon marché… Et il les portait depuis longtemps.

— Monsieur Wiles, puis-je profiter de l'ombre ?

Au bas du perron, Cottle semblait sur le point de s'effondrer sous le poids de la lumière. Il paraissait bien frêle pour constituer un danger, mais on n'était jamais sûr de rien.

— Prenez un siège, répondit Billy.

— Merci. C'est très aimable à vous.

Billy se raidit quand Cottle gravit les marches, puis se détendit en voyant l'homme s'installer dans le rocking-chair.

Comme Billy, Cottle ne se balança pas, comme si le fait de rouler le siège sur ses patins lui demandait trop d'effort.

— Cela vous dérange si je fume ? demanda-t-il.

— Oui. Cela me dérange.

— Je comprends. C'est une sale habitude.

Cottle sortit d'une poche intérieure une flasque de Seagram et dévissa le bouchon. Ses mains noueuses tremblaient. Il ne lui demanda pas la permission de boire et avala une grande rasade.

Apparemment, l'homme pouvait se passer de nicotine pour garder les bonnes manières, mais pas de l'alcool. L'appel impérieux de la boisson était plus fort que tout.

Sans doute d'autres flasques étaient-elles enfouies dans ses poches, en compagnie de paquets de cigarettes et de boîtes d'allumettes, et peut-être de quelques joints. Cela expliquait pourquoi il portait un costume en pleine chaleur ; c'était moins un vêtement qu'un nécessaire de rangement pour ses addictions diverses.

La gnôle ne lui rendit pas ses couleurs. Sa peau était déjà cuite par le soleil et rendue écarlate par un réseau de capillaires enflammés.

— Vous venez de loin comme ça ? demanda Billy.

— Juste de la sortie de la nationale. J'ai fait du stop jusqu'ici. (Devant l'air sceptique de Billy, Cottle ajouta :) Je suis connu dans le coin. Les gens savent que je ne suis pas dangereux ; je ne suis pas présentable, mais pas sale pour autant.

En effet, ses cheveux blonds semblaient propres, même s'ils étaient en bataille. Cottle était rasé, sa peau tannée étant suffisamment coriace pour résister aux tremblements de ses mains.

Il était difficile de déterminer son âge. L'homme pouvait avoir quarante ans comme soixante. Mais pas trente ni soixante-dix.

— C'est vraiment un très mauvais homme, monsieur Wiles.

— Qui ça ?

— Celui qui m'envoie.

— Vous êtes son associé…

— Quand les poules auront des dents.

— C'est pourtant le terme qu'il a employé : « associé ».

— Les poules ont des dents ?

— Comment s'appelle-t-il ?

— Je n'en sais rien. Et je ne tiens pas à le savoir.

— À quoi ressemble-t-il ?

— Je n'ai jamais vu son visage. Et j'espère bien ne jamais le voir.

— Il porte une cagoule ?

— Oui. Et ses yeux sont aussi froids que ceux d'un serpent.

Sa voix se mit à trembler en même temps que ses mains qui approchaient le goulot de sa bouche.

— De quelle couleur sont ses yeux ?

— Comme des jaunes d'œufs, mais cela doit être à cause de ce feu intérieur.

En se remémorant sa rencontre sur le parking de l'église, Billy déclara :

— Dans mon cas, il faisait trop sombre pour que je puisse voir leur couleur… juste une lueur.

— Je ne suis pas un homme mauvais, monsieur Wiles. Je ne suis pas comme lui. Mon problème, c'est que je suis un être faible.

— Pourquoi êtes-vous venu ?

— D'abord pour l'argent. Il m'a payé cent quarante dollars, en billet de dix.

— Cent quarante ? Vous avez marchandé et fait monter le prix à partir des cent dollars qu'il voulait vous donner ?

— Pas du tout. C'est la somme exacte qu'il m'a proposée. Il a dit que c'était dix dollars payés pour chacune de vos années d'innocence perdue, monsieur Wiles.

Billy fixa Cottle en silence.

Autrefois Cottle avait dû avoir les yeux d'un bleu profond, mais l'alcool les avait délavés, car toute teinte en avait pratiquement disparu. C'était le bleu évanescent du ciel en haute altitude, là où il n'y a pas assez d'air pour garder les couleurs et où le vide de l'autre côté, tout proche, avale tout.

Au bout d'un moment, Cottle baissa les yeux et détourna la tête vers les arbres et la route au loin.

— Vous savez ce que cela signifie, demanda Billy. Mes quatorze années d'innocence perdue ?

— Non, monsieur Wiles. Et cela ne me regarde pas. Il voulait simplement que je vous le dise.

— Et mis à part l'argent… pourquoi faites-vous ça ?

— Pour ma vie. Il m'aurait tué si j'avais refusé de venir vous trouver.

— Il vous a menacé ?

— Il ne fait pas de menaces, monsieur Wiles.

— C'en est déjà une.

— Quand il parle, ce n'est jamais en l'air. Je venais vous voir ou j'étais mort. Et pas d'une mort douce, je peux vous l'assurer.

— Vous savez ce qu'il a fait ?

— Non. Et ne me le dites pas.

— Nous sommes deux à présent à savoir qu'il existe. Nous pouvons corroborer chacun la version de l'autre.

— Je ne veux pas m'engager sur ce terrain, monsieur Wiles.

— Vous ne comprenez pas qu'il vient de commettre une erreur ?

— J'aimerais croire que je puisse être son erreur, mais ce n'est pas le cas. Vous me surestimez et vous ne devriez pas.

— Il faut pourtant bien l'arrêter.

— Ne comptez pas sur moi pour ça. Je ne suis pas un héros. Ne me dites pas ce qu'il a fait. Ne faites pas ça.

— Pourquoi pas ?

— C'est votre monde. Pas le mien.

— C'est notre monde à tous.

— Non, monsieur Wiles. Il y a des milliards de mondes. Le mien n'est pas le vôtre, et ce n'est pas près de changer.

— Nous sommes ici sur le même perron.

— Non. Vous avez l'impression que c'est le même, mais ce n'est pas le cas. Ce sont deux perrons différents et vous le savez très bien. Je le vois dans vos yeux.

— Vous voyez quoi ?

— Vous et moi, on est pareils…

Billy réprima un frisson.

— Vous ne voyez rien du tout. Vous ne me regardez même pas.

Ralph Cottle releva les yeux vers Billy.

— Vous avez vu le visage de la femme dans le bocal? celui comme une méduse?

La conversation venait soudain de prendre une tournure étrange.

— Quelle femme?

Cottle avala une nouvelle rasade.

— Il dit qu'il la garde dans un bocal depuis trois ans.

— Un bocal? Vous feriez mieux d'arrêter la gnôle, Ralph. Vous perdez la boule.

Cottle ferma les yeux et grimaça, comme si ce qu'il décrivait se trouvait devant ses yeux.

— C'est un grand bocal de deux litres, peut-être plus, avec un gros couvercle. Il change le formol régulièrement pour qu'il reste clair.

Au-delà du perron, le ciel était d'une pureté cristalline. Haut dans l'azur, un faucon solitaire dessinait des cercles, forme noire et cinglante contre le ciel.

— Le visage a tendance à se replier, poursuivit Cottle. Au début, on a du mal à reconnaître un visage. Cela ressemble à une méduse, c'est à la fois tout plissé et mou. Alors il secoue doucement le bocal, et le visage se déplie, s'ouvre comme une corolle.

L'herbe de la pelouse était verte et tendre. Plus loin, laissée aux seuls soins de la nature, elle était haute et dorée. Les deux herbes avaient chacune leurs parfums, chacune leur attrait.

— D'abord, c'est l'oreille qu'on reconnaît. Les oreilles ont gardé leur forme grâce au cartilage. Dans le nez aussi il y a du cartilage, mais la forme n'est pas bien conservée. C'est trop mou.

Des cieux aveuglants, le faucon descendit lentement, décrivant une longue spirale.

— Les lèvres sont pleines, mais la bouche n'est qu'un trou. Les yeux aussi sont vides. Il n'y a pas de cheveux, parce qu'il a coupé la peau juste derrière les oreilles, en haut du front et sous le menton. On ne peut savoir si c'est le visage d'une femme ou d'un homme. Il dit qu'elle était belle, mais cette chose dans ce bocal, non, ça n'a rien de beau.

— C'est un masque, un postiche en latex, une illusion.

— Oh, non, c'est réel ; aussi réel qu'un cancer. Il dit que c'était le deuxième acte de l'une de ses performances préférées.

— Une « performance » ?

— Il a quatre photos du visage de cette femme. Sur la première, elle est en vie. Puis morte sur l'autre. Sur la troisième, le visage est à moitié dépecé. Sur la quatrième, la tête est là, les cheveux aussi, mais la peau et la chair du visage sont parties, il n'y a plus que les os du crâne, ses maxillaires grimaçants.

Rompant ses cercles gracieux, l'oiseau fondit en piqué vers les herbes hautes.

La flasque se rappela au bon souvenir de Ralph Cottle ; il but une nouvelle goulée pour se redonner courage.

Après un soupir chargé d'alcool, il reprit :

— Sur la première photo, quand elle était vivante, la femme était peut-être belle, comme il le prétend. Mais on ne le voit pas… elle était trop emplie de terreur… hideuse de terreur.

L'herbe haute, immobile quelques instants plus tôt dans la touffeur, s'agita à l'endroit où les plumes du rapace avaient disparu.

— Le visage sur cette première photo est plus terrifiant encore que celui dans le bocal. Bien plus.

Le faucon jaillit des herbes et s'éleva dans les airs. Dans ses serres, une petite chose s'agitait… peut-être un mulot… de terreur, ou par simple effet des secousses du vol ? À cette distance, il était impossible de le savoir.

La voix de Cottle crissait comme une lime râpant du vieux bois.

— Si je ne fais pas exactement ce qu'il me dit, il me découpera le visage pour l'ajouter à sa collection. Et il me l'arrachera du crâne à vif, en veillant à ce que je reste conscient jusqu'au bout.

Dans le ciel lumineux, le faucon était de nouveau une ombre nette et précise dans l'azur. Ses ailes fendaient l'air et les courants thermiques étaient autant de vagues virginales d'une rivière sur laquelle l'oiseau surfait, emportant avec lui sa proie dont la mort assurerait sa survie.

21.

Immobile dans son rocking-chair, Ralph Cottle expliqua qu'il habitait une cahute près de la rivière. Deux pièces, un auvent avec une vue sur la rive, la cabane avait été construite dans les années 30 et, depuis, tombait inexorablement en ruine.

Il y a longtemps, des gens s'en servaient comme pied-à-terre pour des parties de pêches. Il n'y avait pas d'électricité. Un cabanon à l'extérieur faisait office de toilettes. La seule eau courante était celle de la rivière.

— Je pense que pour eux, cette cabane était surtout le moyen d'échapper à leurs femmes, supposa Cottle. Un endroit tranquille où se soûler. Et c'est toujours là sa fonction première.

Une cheminée offrait chauffage et cuisson. Les maigres repas que faisait Cottle étaient réchauffés à même la boîte de conserve.

Autrefois, la cabane était une propriété privée. Aujourd'hui, elle appartenait au comté, saisie sans doute en remboursement d'impôts impayés. Comme nombre de propriétés de l'État, aucun entretien n'était réalisé. Nul bureaucrate ou garde-chasse n'était venu importuner Cottle depuis le jour où, onze ans plus tôt, il avait nettoyé l'endroit, posé son sac de couchage et décidé de squatter les lieux.

Il n'y avait aucun voisin, à portée de vue comme à portée de voix – une retraite isolée qui convenait à merveille à Cottle. Personne pour l'importuner.

Jusqu'à 3 h 45 hier matin, heure à laquelle un visiteur cagoulé était venu tirer Cottle des bras de Morphée... Alors ce petit refuge qui lui paraissait si tranquille s'était transformé en un lieu de cauchemar.

Cottle s'était endormi sans éteindre la lampe à pétrole qui lui permettait de lire des histoires de western et de boire jusqu'à ce que le sommeil l'emporte. Malgré cette lumière, il n'avait gardé en mémoire aucun détail physique du tueur. Il ne pouvait pas même estimer sa taille ou son poids.

Quant à sa voix, elle était parfaitement ordinaire, disait-il.

Cottle en savait davantage bien sûr, mais il avait trop peur d'en dire plus. L'angoisse illuminait à présent ses yeux délavés, comme lorsqu'il avait décrit la photographie de la femme terrifiée juste avant que le tueur lui découpe le visage.

À en juger par la longueur de ses doigts aujourd'hui squelettiques et l'épaisseur de ses poignets noueux, Cottle était autrefois de taille à se battre. Mais aujourd'hui, de son propre aveu, il était faible, pas seulement psychologiquement, mais physiquement.

Une nouvelle fois, Billy se pencha vers lui et tenta de le convaincre :

— Venez avec moi à la police. Aidez-moi à...

— Je ne m'aide déjà pas moi-même, monsieur Wiles.

— Vous devez l'avoir connu auparavant.

— Je ne veux pas m'en souvenir...

— Vous souvenir de quoi ?

— De tout. De rien. Je suis un être faible, je vous dis !

— On dirait que ça vous arrange bien.

En portant sa flasque à ses lèvres, Cottle esquissa un faible sourire, et juste avant d'avaler une goulée, il lança :

— Les faibles hériteront de la terre – ça ne vous dit rien ?

— Si vous ne le faites pas pour vous, faites-le pour moi.

Il se lécha les lèvres, qui étaient sévèrement crevassées par la sécheresse de l'air et l'effet déshydratant du whisky.

— Pour vous ? Pourquoi ?

— Le faible ne reste pas les bras ballants quand un autre homme est attaqué sous ses yeux. Les faibles ne sont pas des lâches. Ils ne sont pas de cette espèce.

— Ce n'est pas en m'insultant que vous parviendrez à me convaincre de vous aider. Moi, je ne vous insulte pas. Je n'insulte personne. Je suis au-delà de toute compassion, au-delà de tout. Je sais que je ne suis rien, et cela me convient très bien.

— Même si vous exécutez ses ordres à la lettre, vous ne serez pas en sécurité dans votre cabane.

Cottle revissa le bouchon de la flasque.

— En tout cas, je le serai bien davantage que vous.

— Détrompez-vous. Vous êtes une denrée périssable. La police, elle, vous protégera, je vous l'assure.

L'ivrogne lâcha un rire de crécelle.

— Pourquoi n'êtes-vous pas allé les trouver dès le début, si vous êtes tellement certain de leur capacité à protéger la veuve et l'orphelin ?

Billy resta silencieux.

Encouragé par le mutisme de Billy, Cottle renchérit d'un ton plus fanfaron que méprisant :

— Comme moi, vous n'êtes rien, mais vous ne le savez pas encore. Vous n'êtes rien, je ne suis rien, nous sommes tous rien ! Tant qu'il me laisse en paix, ce malade peut faire tout le mal qu'il veut à la terre entière, je n'en ai rien à faire, parce qu'il n'est rien, lui non plus.

Billy regarda Cottle rouvrir la flasque qu'il venait juste de fermer.

— Et si je vous chassais de chez moi à coups de pied au cul ? Parfois, il m'appelle, juste pour jouer avec mes nerfs… La prochaine fois qu'il me téléphonera, je pourrai lui dire que vous étiez totalement soûl et incohérent, que je n'ai pas compris un traître mot de ce que vous racontiez…

Le visage de Cottle, tanné par le soleil et couperosé par l'alcool, ne pouvait pâlir, mais sa petite bouche, retroussée d'arrogance après sa tirade, se fit soudain molle ; il bredouilla des excuses de circonstance :

— Monsieur Wiles, je vous en prie, ne prenez pas mal mes paroles. Je ne maîtrise pas plus ce qui sort de ma bouche que ce qui y rentre.

— Il voulait que vous me parliez de ce visage dans le bocal, n'est-ce pas?

— Oui.

— Pourquoi?

— Je n'en sais rien. Je ne suis pas dans ses confidences. Il me dit juste ce que je dois vous répéter, et c'est ce que je fais parce que je veux rester en vie.

— Pourquoi?

— Comment ça « pourquoi »?

— Regardez-moi, Ralph...

Cottle releva les yeux.

— Pourquoi voulez-vous rester en vie, Ralph?

Cottle ne s'était jamais posé la question. Quelque chose se tortilla en lui et s'immobilisa, comme un papillon rare attrapé dans le filet d'un collectionneur, cette partie de lui-même encore en colère, encore révoltée; l'espace d'un moment, il sembla prêt à l'examiner de plus près. Puis son regard se fit de nouveau vague et il referma ses deux mains sur la flasque de whisky.

— Pourquoi tenez-vous à ce point à vivre? insista Billy.

— Parce que c'est tout ce que j'ai. (En évitant le regard de Billy, Cottle leva la bouteille entre ses mains en coupe, comme un calice.) J'ai besoin d'une lichette, articula-t-il comme s'il demandait la permission.

— Faites.

Cottle but une petite lampée, puis une seconde, dans la foulée.

— Ce dingue vous a demandé de me parler de ce visage dans le bocal parce qu'il veut que j'aie cette image en tête.

— Si vous le dites...

— C'est de l'intimidation, pour me garder sur des charbons ardents, pour me déstabiliser.

— Et vous l'êtes?

Billy ignora la question et poursuivit :

— Que devez-vous me dire encore?

Avec solennité, Cottle revissa le bouchon et cette fois rangea la flasque dans sa poche.

— Vous allez avoir cinq minutes pour décider.

— Décider quoi ?

— Retirez votre montre et posez-la sur la rambarde du perron.

— Pour quoi faire ?

— Pour le compte à rebours… les cinq minutes…

— Je peux très bien les compter en gardant ma montre au poignet.

— La montre sur la rambarde est un signal pour lui, pour lui annoncer que le compte à rebours a commencé.

Au nord, les bois, oasis d'ombre et de fraîcheur sous le soleil. À l'est, la pelouse verte, puis les hautes herbes dorées, quelques chênes et plus loin encore, sur le versant, deux maisons. À l'ouest, la petite route, des arbres encore, des champs…

— Il nous observe en ce moment ?

— C'est ce qu'il m'a dit…

— Où est-il ?

— Je n'en sais rien. Je vous en prie, monsieur Wiles, détachez votre montre et posez-la sur la rambarde.

— Et si je refuse ?

— Ne faites pas ça.

— Si je refuse ? insista Billy.

La voix rauque de Cottle monta d'une octave :

— Il m'arrachera le visage et me gardera conscient tout du long ! Je vous l'ai dit !

Billy se leva, retira sa Timex et la posa sur la balustrade, en veillant à ce que Cottle puisse voir le cadran depuis le rocking-chair.

Le soleil approchait de son zénith, les rayons frappaient toute la vallée et dissolvaient les ombres, excepté dans le bois. Les arbres, en rangs verts et impénétrables, gardaient leurs secrets.

— Monsieur Wiles, il faut aussi que vous retourniez à votre place.

La lumière tombait drue du ciel ; un halo jaune nimbait les champs alentour ; Billy, plissant les yeux, scruta tous les endroits où un homme pouvait se tapir, dissimulé dans la clarté aveuglante.

— Vous ne pourrez pas le repérer ! lança Cottle. Et il ne va pas apprécier de vous voir essayer. Revenez vous asseoir.

Billy resta debout derrière la rambarde.

— Vous avez déjà gâché trente secondes, monsieur Wiles. Quarante maintenant.

Billy ne bougea pas.

— Vous ne savez pas ce qui vous attend, insista Cottle avec impatience. Vous aurez besoin de chaque instant qu'il vous offre pour réfléchir.

— Alors allez-y. Crachez le morceau !

— Il faut d'abord que vous soyez assis. Pour l'amour du ciel, monsieur Wiles. (La voix de Cottle tremblotait comme les mains d'une vieille femme.) Il veut que vous soyez dans le rocking-chair !

Billy s'exécuta.

— Je veux juste en finir, expliqua Cottle. Faire ce qu'il m'a demandé et me tirer d'ici.

— Maintenant, c'est vous qui gâchez mon temps précieux.

La première des cinq minutes s'était écoulée.

— D'accord, d'accord… Maintenant, c'est lui qui parle. C'est bien compris ? C'est lui. Pas moi…

— Allez-y et finissons-en !

Cottle s'humecta les lèvres. Il sortit la flasque de sa poche, sans chercher à y boire, juste pour la tenir serrée dans ses mains, tel un talisman pouvant dissiper les vapeurs de l'alcool embrumant son esprit et lui permettre de transmettre le message de façon suffisamment claire pour sauver son visage du bain de formol.

— « Je vais tuer quelqu'un parmi vos connaissances. Et vous allez choisir cette personne. Je vous offre ainsi la chance de débarrasser le monde de l'emmerdeur ou de l'emmerdeuse de votre choix. »

— Le fils de pute !

Billy avait serré les deux poings de rage, mais il n'avait personne à frapper…

— « Si vous refusez de sélectionner une victime, poursuivit Cottle, c'est moi qui choisirai quelqu'un parmi votre entourage. Vous avez cinq minutes pour vous décider. Faites votre choix, si vous en avez le cran. »

22.

Ralph Cottle était parcouru de tics nerveux tant il avait fait d'efforts pour se rappeler les mots exacts du tueur. Un essaim d'angoisses et de frayeurs le traversait, faisant naître des clignements d'yeux, des spasmes du visage, des tremblements de mains ; Billy avait l'impression de l'entendre vrombir.

Pendant que Cottle rapportait le défi du tueur, sachant qu'il jouait sa vie s'il commettait une erreur ou une omission, la flasque avait fait office de talisman mais, à présent, l'ivrogne avait grand besoin de son contenu.

Billy fixa la montre posée sur la rambarde.

— Je n'ai pas besoin de cinq minutes. Ni même des trois qui me restent.

Sans l'avoir voulu, en ne prévenant pas la police officiellement, il avait déjà contribué à la mort d'une personne : Lanny Olsen. Par son inaction, il avait épargné la vie d'une mère de deux enfants, mais il avait condamné à mort son ami.

Lanny était en partie, pour ne pas dire totalement, responsable de sa propre mort. Il avait pris les lettres de l'assassin et les avait détruites pour sauver son emploi et sa retraite, et il l'avait payé au prix de sa vie.

Mais Billy avait aussi sa part de responsabilité. Il en sentait le poids insidieux sur ses épaules, un poids qui ne se dissiperait jamais.

À présent, le tueur venait de passer à la vitesse supérieure ; ce qu'il lui demandait était nouveau et plus terrible encore. Cette fois, ni par l'inaction, ni par attentisme, mais par choix conscient, Billy devait condamner à mort quelqu'un de sa connaissance.

— Je refuse catégoriquement!

Cottle avala une ou deux rasades, puis passa le goulot humide sur ses lèvres, comme s'il embrassait goulûment la bouteille au lieu de boire son contenu. C'est par le nez qu'il inhalait les précieuses vapeurs.

— Si vous refusez, il choisira pour vous.

— Pourquoi choisirais-je? Dans les deux cas, je suis perdant, non?

— Je ne sais pas. Je ne veux pas le savoir. Ce ne sont pas mes affaires.

— C'est là où vous vous mettez le doigt dans l'œil!

— Non, cela ne me concerne pas! insista Cottle. Tout ce que je dois faire, c'est attendre que vous me donniez votre choix, de le lui répéter et j'en aurai définitivement terminé. Il ne vous reste plus que deux minutes.

— Je vais aller trouver les flics.

— Il est trop tard.

— Je suis dans la merde jusqu'au cou, concéda Billy, mais ce sera encore pire si j'attends.

Voyant Billy se lever de son siège, Cottle lança d'un ton sec :

— Asseyez-vous! Si vous quittez ce perron avant moi, vous allez recevoir une balle dans la tête.

L'ivrogne avait dans les poches des bouteilles, pas des armes. Quand bien même Cottle aurait-il eu un pistolet sur lui, Billy était à peu près certain de pouvoir le lui arracher des mains.

— Pas tirée par moi, précisa Cottle. Par lui. Il suit toute la scène au fusil à lunette.

La tache sombre des bois au nord, le halo de lumière sur le versant est, les rochers et les ondulations des prés sur le côté sud de la route…

Il sait lire sur les lèvres, précisa Cottle. C'est un tireur d'élite. À un kilomètre de distance, il peut vous descendre.

— C'est peut-être justement ce que je veux?

— Alors, il exaucera vos vœux. Mais il pense que vous n'êtes pas prêt. Pas encore. Plus tard, vous le supplierez de vous tuer. Mais pas maintenant. C'est trop tôt.

Malgré le poids de la culpabilité, Billy se sentit soudain léger comme une plume, redoutant d'être emporté par la première brise. Il se rassit aussitôt dans le rocking-chair.

— Il est trop tard pour avertir les flics, reprit Cottle, parce qu'il a placé des preuves chez la fille, sur son corps.

L'air était partout immobile, mais ici le vent se levait.

— Quelles preuves?

— Par exemple quelques cheveux à vous dans sa main et sous ses ongles.

Billy en resta bouche bée.

— Où a-t-il trouvé des cheveux à moi?

— Dans la bonde de votre douche.

Avant le début de ce cauchemar, quand Giselle Winslow était encore en vie, le dingue était entré chez Billy.

L'ombre de l'auvent ne parvenait plus à repousser la chaleur estivale. Billy avait l'impression de se trouver sur une flaque de bitume en plein soleil.

— Et à part mes cheveux, qu'a-t-il d'autre?

— Il ne me l'a pas dit. Mais rien qui ne mettra la police à vos trousses, sauf bien sûr si vous devenez suspect.

— Et c'est, bien sûr, à sa discrétion…

— Si les flics commencent à se poser des questions à votre sujet, ils peuvent vous demander de subir un test ADN. Et vous serez fichu.

Cottle regarda la montre.

Billy aussi.

— Il reste une minute. Une seule! annonça Cottle.

23.

Une minute! Billy Wiles regarda sa montre comme si c'était une bombe à retardement dont le compte à rebours expirait.

Il ne pensait pas aux secondes qui s'écoulaient, ni aux preuves que le tueur avait laissées chez Gisele Winslow, ni au fait d'être dans la mire d'un fusil à lunette.

Non, dans sa tête, il passait en revue tous les gens qu'il connaissait. Les visages se succédaient dans son esprit. Ceux qu'il aimait. Ceux qui lui étaient indifférents. Ceux qu'il n'aimait pas.

C'étaient là des rivages dangereux. Il pouvait s'y écraser et sombrer corps et âme. Et pourtant, il ne pouvait pas plus s'empêcher de procéder à cette revue de détails funeste qu'il n'aurait pu ignorer un couteau plaqué sur sa gorge.

Une lame d'une autre espèce, toutefois, celle de la culpabilité, trancha enfin les cordes qui menaçaient de l'entraîner par le fond. En s'apercevant qu'il avait réellement tenté d'évaluer les valeurs relatives de chaque personne, de déterminer laquelle méritait plus de vivre par rapport à l'autre, Billy en eut un frisson de dégoût.

— Non! lâcha-t-il quelques secondes avant que n'expire le décompte. Qu'il aille au diable!

— Alors il choisira pour vous.

— Qu'il aille au diable!

— Entendu. C'est votre choix. La décision vous appartient, monsieur Wiles. Ce ne sont pas mes affaires.

— Et maintenant?

— Vous restez assis, monsieur Wiles, là dans votre siège. Je suis censé me rendre près du téléphone dans votre cuisine et attendre son appel et lui rapporter votre décision.

— C'est moi qui vais aller dans la cuisine. Je lui donnerai moi-même ma réponse.

— Vous allez me rendre chèvre ! On va se faire tuer tous les deux !

— Je suis chez moi !

Quand Cottle porta la bouteille à sa bouche, ses mains tremblaient tant que le goulot cliqueta contre ses dents. Un filet de whisky coula sur son menton.

Sans prendre la peine de s'essuyer, Cottle articula :

— Il veut que vous restiez assis. Si vous tentez d'entrer chez vous, il vous fera sauter la tête avant même que vous n'atteigniez la porte.

— Ce serait idiot...

— Et puis l'autre balle sera pour moi, parce que je n'aurai pas réussi à vous faire obéir.

— Il ne tirera pas, insista Billy, commençant à entrevoir les motivations du dingue. Il n'est pas prêt à mettre fin à la partie, pas de cette manière.

— Qu'est-ce qui vous fait dire ça ? Vous ne savez rien. *Nada !*

— Il a un plan, un but, quelque chose qui dépasse notre entendement, le mien comme le vôtre, mais qui est parfaitement logique pour lui.

— Je ne suis qu'un ivrogne, une épave, d'accord... mais même moi je sais que vous vous mettez le doigt dans l'œil.

— Il veut que tout se passe comme lui l'a prévu, expliqua Billy davantage pour lui-même que pour Cottle. Il ne va pas tout arrêter à la moitié de son plan en nous tirant une balle dans la tête.

— Vous êtes un emmerdeur ! lâcha Cottle en scrutant avec inquiétude le paysage écrasé de soleil. Un putain d'entêté qui n'écoute rien. Rien de rien !

— Au contraire, je suis tout ouïe.

— Plus que tout, il veut que les choses se déroulent comme il l'a décidé. Il ne veut pas vous parler. Vous comprenez ça ? Il n'a peut-être pas envie que vous entendiez sa voix.

Si le fou faisait partie des connaissances de Billy, cela se tenait.

— Ou alors, il ne veut simplement plus vous entendre, comme moi, déblatérer vos conneries, poursuivit Cottle. Je n'en sais rien. Si vous voulez répondre au téléphone pour lui montrer que c'est vous qui menez le jeu, juste pour lui faire péter les plombs, allez-y et il vous fera sauter le crâne ; j'en ai rien à faire. Seulement, il va me tuer aussi et vous n'avez pas le droit de décider de ma mort à ma place. Pas le droit !

Billy avait confiance en son instinct. Le dingue ne les tuerait pas.

— Vos cinq minutes sont écoulées, s'inquiéta Cottle, en désignant la montre sur la rambarde. Six minutes. Une minute de plus. Il ne va pas aimer du tout…

En vérité, Billy n'était pas certain à cent pour cent que le tueur allait s'abstenir de tirer. Mais c'était probable… une intuition. Mais rien de certain.

— Votre temps est écoulé. Bientôt sept minutes. Sept minutes ! Nom de Dieu, je suis censé me rendre dans la cuisine…

Les yeux délavés de Cottle clignotaient de terreur. Il menait une existence misérable, mais il y tenait comme à la prunelle de ses yeux.

C'est tout ce que j'ai, avait dit Cottle.

— Allez ! lâcha Billy.

— Quoi ?

— Allez à l'intérieur. Allez attendre son coup de fil…

En se levant d'un bond de son siège, Cottle renversa sa flasque. Le whisky se répandit sur le plancher de l'auvent.

Cottle ne se baissa pas pour sauver son précieux élixir. Et dans sa hâte, pour entrer dans la maison, il la heurta du pied et la projeta à l'autre bout de l'auvent.

Sur le seuil, Cottle se retourna vers Billy.

— J'ignore si ça va être long.

— Tâchez de vous souvenir de ce qu'il va vous dire. Mot pour mot.

— Entendu, monsieur Wiles. Promis.

— De la moindre inflexion, aussi. Ses mots exacts et la façon dont il les aura prononcés. Et venez me raconter tout ça.

— D'accord. Tout. Mot pour mot, répondit Cottle avant de disparaître dans la maison.

Billy resta seul sur la terrasse, peut-être encore dans la mire d'un fusil à lunette.

24.

Trois papillons, telles des geishas ailées, traversèrent les rayons de soleil pour voleter dans l'ombre de l'auvent. Leurs kimonos de soie dessinèrent dans l'air des serpentins de couleurs, des arabesques chatoyantes puis, farouches comme des danseuses dissimulant leurs visages derrière leurs éventails, les insectes s'enfuirent dans le soleil.

Comme s'ils étaient venus lui offrir un spectacle…

Peut-être était-ce le mot-clé pour définir le tueur, celui qui permettrait de lever le mystère de ses agissements ? Et si le mystère était éclairé, son talon d'Achille serait révélé.

Aux dires de Ralph Cottle, l'ablation du visage de la femme était le deuxième acte de l'une de ses « performances ».

Billy faisait fausse route en supposant que pour le psychopathe tuer était une sorte de jeu. Le goût du risque entrait sans doute dans l'équation, mais l'amusement, même pervers, n'était pas la motivation première du tueur.

Il ne savait trop comment interpréter ce mot « performance ». Peut-être, pour son bourreau, le monde était-il un vaste spectacle, la réalité une chimère, où tout n'était qu'artifices.

Mais cela ne permettait pas d'expliquer le comportement du tueur, et encore moins de prédire quelle serait sa prochaine attaque.

« Bourreau » n'était pas le bon terme. On ne pouvait vaincre son bourreau. Il exécutait toujours la sentence. Ennemi, adversaire étaient des termes moins implacables. Billy n'avait pas encore perdu tout espoir…

Par la porte d'entrée ouverte, il entendrait le téléphone sonner. Pour l'instant, le tueur n'avait pas encore appelé.

En se balançant mollement dans le rocking-chair, non pour faire de lui une cible moins facile, mais pour dissimuler son angoisse (pas question de donner ce plaisir au dingue !), Billy observa un à un les grands chênes.

Ils étaient énormes, avec des frondaisons épaisses. Leurs troncs et leurs branches s'imprimaient en noir sur le soleil.

Dans ces ombres, un tireur embusqué pouvait se servir d'une fourche pour caler son fusil.

Les deux maisons voisines en contrebas (une de chaque côté de la route) se trouvaient à moins d'un kilomètre – autrement dit à portée de tir du tueur. Si les maisons étaient inhabitées, le fou avait pu s'y introduire dans l'une d'entre elles et s'installer confortablement à une fenêtre du premier étage.

Un spectacle…

Billy connaissait une seule personne pour qui le spectacle était un maître mot dans sa vie : Steve Zillis. Et la taverne était sa scène…

Toutefois, quelque chose clochait ; le dingue était un tueur en série, un psychopathe ayant un goût certain pour la mutilation… Pouvait-il avoir un sens de l'humour aussi primaire, une vision du théâtre aussi puérile, et trouver irrésistible de souffler des cacahuètes par le nez, de faire des nœuds à des queues de cerises avec sa langue et de sortir des blagues éculées sur les blondes ?

Régulièrement, Billy regardait sa montre posée sur la rambarde.

Trois minutes étaient un délai d'attente raisonnable, même quatre. Mais quand l'aiguille entama la cinquième minute, Billy était sur des charbons ardents.

Il s'apprêtait à se lever de son siège quand les mots de Cottle revinrent à sa mémoire : « Vous n'avez pas le droit de décider de ma mort. » Le poids du remords le fit se rasseoir dans son rocking-chair.

Billy avait retenu Cottle sur le perron au-delà des cinq minutes fatidiques… peut-être le malade lui rendait-il la monnaie de sa pièce, jouait avec ses nerfs, pour lui rappeler qui était le maître du jeu?

Cette pensée rasséréna Billy pendant un moment. Puis une autre explication, plus terrible, lui vint à l'esprit.

Voyant que Cottle n'était pas entré dans la maison après les cinq minutes réglementaires et que Billy avait retenu son messager deux ou trois minutes de plus sur le perron, le tueur en avait conclu que Billy refusait de choisir une victime – ce qui était le cas.

Fort de cette constatation, le tueur avait peut-être jugé qu'il n'y avait plus nulle raison d'appeler Ralph Cottle. Il avait ramassé son fusil et avait quitté les bois ou la maison qui lui servait de poste de tir.

S'il avait arrêté son choix sur une victime avant même de connaître la réponse de Billy (ce qui était probable), il était peut-être déjà en route pour exécuter son crime...

L'une des personnes les plus chères dans la vie de Billy, la plus importante, était bien sûr Barbara, qui gisait seule et vulnérable dans sa chambre de Whispering Pines.

Par pure intuition, sans avoir le moindre élément rationnel pour l'étayer, Billy était persuadé que cette pièce étrange qui se jouait n'en était qu'au premier acte. Son antagoniste dans l'histoire était loin d'avoir donné sa grande scène finale; par conséquent, Barbara n'était pas encore en danger.

Si le dingue connaissait le drame personnel de Billy – et il semblait savoir déjà beaucoup de choses sur lui –, il savait que tuer Barbara mettrait un terme au jeu, car Billy n'aurait plus les forces de combattre. Les obstacles étaient essentiels à toute dramaturgie. Les conflits. Sans Billy, il ne pouvait y avoir d'acte deux.

Billy devait protéger Barbara. Mais comment? Pour l'instant, il n'en savait rien, mais il avait encore le temps d'y réfléchir.

Si son analyse était fausse, si Barbara était la prochaine victime, alors la Terre serait son purgatoire, foudroyant et terrible, et Billy irait rejoindre les Enfers.

Sept minutes s'étaient écoulées depuis que Cottle était parti dans la cuisine, bientôt huit...

Billy se leva, les jambes flageolantes.

Il sortit le revolver de la boîte de crackers. Peu lui importait si l'ivrogne voyait l'arme.

— Cottle? appela-t-il sur le seuil de la maison.

Pas de réponse.

— Cottle, nom de Dieu!

Billy entra, traversa le salon et pénétra dans la cuisine.

Ralph Cottle n'y était pas. La porte côté jardin était ouverte et Billy se souvenait très bien l'avoir fermée à clé.

Il sortit sur l'auvent arrière. Aucune trace non plus de Cottle. Il était parti.

Le téléphone n'avait pas sonné et pourtant le messager était parti. Voyant que l'appel tardait à venir, Cottle avait commencé à s'inquiéter. Son maître jugeait peut-être que son envoyé avait failli à sa mission? Cottle avait alors paniqué et s'était enfui...

Billy retourna dans la maison, verrouilla la porte et contempla la cuisine déserte, à la recherche d'un indice, sans trop savoir ce qu'il cherchait au juste.

Tout semblait en ordre, chaque chose à sa place.

Le doute se mua toutefois en mauvais pressentiment, puis en angoisse tangible. Cottle devait avoir emporté un objet ou un autre, ou laissé un indice compromettant... en tout cas, il avait fait quelque chose... mais quoi?

La cuisine, le salon, le bureau... tout était normal; mais dans la salle de bains, il trouva Ralph Cottle. Mort.

25.

Les tubes fluorescents déposaient un voile laiteux sur les yeux ouverts et figés de Cottle.

L'ivrogne paraissait endormi, assis sur le siège des toilettes, adossé contre la cuve, la tête renversée en arrière, bouche béante. Ses chicots jaunes et pourris encadraient une langue rose pâle, fripée par l'effet déshydratant de l'alcool.

Billy resta un instant cloué sur place, ouvrant spasmodiquement la bouche comme une carpe, puis il recula dans le couloir pour observer le cadavre depuis le seuil.

Ce n'est pas l'odeur qui l'avait fait battre en retraite. Les sphincters de Cottle ne s'étaient pas relâchés au moment de la mort. Comme de son vivant, Cottle restait propre sur lui – dernière relique de fierté.

Mais le manque d'air... Billy ne parvenait pas à respirer dans la salle de bains, comme si tout l'oxygène avait été happé de la pièce et que Cottle était mort d'asphyxie.

Dans le couloir, Billy put enfin reprendre son souffle. Et recommencer à penser.

C'est alors qu'il remarqua le manche du couteau qui plaquait la veste froissée de Cottle contre sa poitrine, l'empêchant de bâiller. Un manche jaune citron.

La lame avait été plongée de bas en haut entre les côtes du côté gauche, enfoncée jusqu'à la garde. Le cœur avait été transpercé net et avait cessé de battre.

Billy connaissait la longueur de la lame car le couteau lui appartenait : quinze centimètres. Il était rangé dans sa musette dans le garage. C'était un couteau de pêche, effilé et pointu, destiné à éviscérer les truites et les perches.

Le tueur n'était pas dans les bois ou les prairies en contrebas, ni dans aucune des maisons voisines, à surveiller Billy dans la mire de son fusil ! C'était un mensonge destiné à Cottle.

Lorsque l'ivrogne était arrivé chez Billy, le dingue avait dû pénétrer dans la maison par la porte arrière. Et pendant que Billy et son visiteur parlaient sous l'auvent, leur adversaire se trouvait dans la maison, à quelques mètres d'eux.

Billy avait refusé de décider qui, de ses connaissances, serait la prochaine victime. Comme promis, le tueur avait **fait** son choix avec une rapidité effrayante.

Même si Cottle était quasiment un inconnu pour Billy, il faisait indéniablement partie de ses connaissances. Et maintenant Cottle était chez lui. Mort

En un peu plus d'une journée et demie – quarante et une heures, exactement – trois personnes avaient été assassinées. Et ce n'était encore que le premier acte ! Au mieux, c'était les prémices du second, car d'autres coups de théâtre étaient encore à venir, Billy en était persuadé.

À chaque nouvel événement, Billy avait fait ce qui lui paraissait le plus judicieux et le plus prudent, étant donné sa propre histoire personnelle.

Ses précautions et sa prudence, toutefois, faisaient le jeu du tueur. D'heure en heure, Billy était entraîné de plus en plus loin en terrain miné.

À Napa, chez Giselle Winslow, des preuves le désignant comme l'auteur du crime avaient été disséminées – des cheveux dans la douche, et sans doute bien d'autres indices…

De la même manière, des indices semblables avaient été déposés dans la maison de Lanny Olsen. À l'instar de la photo dans le livre que tenait le cadavre de Lanny, représentant Giselle Winslow et reliant les deux crimes…

Et à présent, dans sa propre salle de bains, il y avait un mort avec, planté dans le cœur, un couteau lui appartenant…

Malgré la chaleur de l'été, Billy avait la sensation de glisser sur une pente verglacée, vers un abîme qui lui était invisible derrière un rideau de brume ; il descendait de plus en plus vite, encore en équilibre sur ses deux pieds, mais plus pour très long-temps...

Sous le choc de cette funeste découverte, l'esprit de Billy, comme ses muscles, s'était tétanisé. Mais à présent les pensées se bousculaient, se télescopaient. Il vacillait d'indécision.

Surtout ne pas agir par précipitation. Il lui fallait du temps pour réfléchir, pour tenter d'analyser les conséquences de chaque option qui s'offrait à lui.

Il ne pouvait se permettre de commettre la moindre erreur. Sa liberté dépendait de son sang-froid et de sa sagacité. Sa sur-vie aussi.

Il revint dans la salle de bains. Aucune trace de sang. Peut-être Cottle avait-il été tué dans une autre pièce ?

Mais Billy n'avait vu nul signe de lutte dans la maison.

Fort de cette constatation, il reporta son attention sur le manche du couteau. Autour de la zone de pénétration, du sang sombre maculait le tissu de la veste, mais l'auréole était moins large que ce à quoi il s'attendait.

Le tueur avait tué Cottle d'un coup unique. Il savait où et comment introduire la fine lame entre les côtes. Le cœur avait stoppé net, après une ou deux pulsations, ce qui avait grande-ment réduit l'hémorragie.

Les mains de Cottle reposaient sur ses cuisses, une paume tournée vers le haut, l'autre refermée en coupe dessus, comme s'il s'apprêtait à applaudir la prestation de son assassin. À peine visibles, les mains tenaient quelque chose.

Billy attrapa un coin de l'objet et le tira pour le faire glisser cntre les paumes du mort. C'était une disquette informatique : couleur rouge, haute densité. La même marque que celle que Billy utilisait lorsqu'il se servait encore de son ordinateur.

Il observa le corps sur plusieurs angles. Il tourna lentement sur lui-même, à la recherche d'indices que le tueur aurait pu laisser dans la pièce, volontairement ou par inadvertance.

Tôt ou tard, il devrait fouiller les poches de Cottle. La dis-quette lui donnait un prétexte pour différer cette tâche guère ragoûtante.

Dans le bureau, après avoir posé le revolver et la disquette sur sa table de travail, il retira la housse qui protégeait son ordinateur, resté éteint depuis près de quatre ans.

Curieusement, Billy ne l'avait jamais débranché. Sans doute le signe de son espoir opiniâtre – pour ne pas dire déraisonnable – que Barbara Mandel, un jour, se réveillerait.

Il avait quitté l'université en deuxième année... ce n'était pas dans les amphithéâtres qu'on apprenait le métier d'écrivain. Il avait alors travaillé de ses mains dans divers secteurs, et écrit – beaucoup – pendant son temps libre.

À vingt et un ans, il avait trouvé sa première place de serveur. Le travail lui paraissait idéal pour un futur écrivain. En chaque pilier de bar, il y avait matière à roman.

Affûtant sa plume avec patience, il était parvenu à publier un nombre non négligeable de nouvelles dans diverses revues. À vingt-cinq ans, un éditeur avait voulu les rassembler dans un recueil.

Le livre s'était peu vendu, mais avait eu un succès critique ; Billy ne resterait donc pas serveur à vie...

Lorsque Barbara était entrée dans sa vie, elle fut non seulement une force mais une source d'inspiration. Le simple fait de la connaître, de l'aimer, donnait à sa prose un nouvel éclat.

Il écrivit son premier roman, et son éditeur le publia avec enthousiasme. Les corrections demandées étaient mineures – un mois de travail. Presque rien...

Et Barbara était tombée dans le coma.

Sa prose plus vraie et éclatante ne s'était pas endormie avec elle. Il pouvait encore écrire.

Mais le désir, lui, s'était évanoui, avec la force et aussi le goût des mots. Il ne voulait plus explorer les arcanes de la condition humaine au travers de la fiction, car la réalité le faisait suffisamment souffrir ainsi.

Pendant deux années, son éditeur s'était montré patient. Mais Billy ne parvenait pas à s'atteler à la tâche ; ce mois de travail sur son manuscrit lui paraissait insurmontable. Le calvaire d'une vie. Il rendit l'avance et annula le contrat.

Rallumer cet ordinateur (même si c'était uniquement pour savoir ce que le tueur avait glissé dans les mains de Ralph Cottle) constituait, aux yeux de Billy, une petite trahison envers Barbara – une idée saugrenue qui aurait fait sourire la jeune femme ; sans doute se serait-elle même bien moquée de lui...

Billy fut un peu surpris de voir l'appareil revenir aussi facilement à la vie. L'écran s'éclaira et le logo du système d'exploitation apparut, accompagné d'un staccato de harpe de synthèse.

L'ordinateur avait peut-être été utilisé récemment... La disquette était de la même marque que celles de sa réserve qu'il gardait dans l'un des tiroirs du bureau... C'était sans doute l'une des siennes ; et le tueur avait dû rédiger son dernier message précisément sur ce clavier.

À cette pensée, un frisson d'effroi le traversa, plus violent encore que lorsqu'il avait découvert le corps de Cottle dans la salle de bains.

Les menus du DOS s'affichèrent. Ayant l'habitude de travailler sous Word, Billy lança d'abord ce programme.

Bonne option – le tueur avait lui aussi choisi Word pour rédiger sa prose.

La disquette contenait trois documents. Avant que Billy ait eu le temps d'ouvrir le premier texte, le téléphone sonna.

Ce devait être lui.

26.

Billy décrocha :

— Allô ?

Ce n'était pas le dingue.

— Qui est à l'appareil ? demanda une voix de femme.

— Comment ça, « qui est à l'appareil » ? C'est vous qui m'appelez !

— Billy ? C'est bien toi ? c'est Rosalyn Chan.

Rosalyn était la fiancée de Lanny Olsen. Elle travaillait pour la police du comté de Napa. Elle passait de temps en temps à la taverne.

Billy n'avait pas encore décidé quoi faire du corps de Lanny. On devait l'avoir trouvé...

Au moment où Billy prit conscience de son silence, Rosalyn demanda, curieuse :

— Ça ne va pas ?

— Qui ça ? Moi ? Si, tout va bien. C'est la chaleur qui m'assomme.

— Tu as un problème ?

Il vit en pensée le cadavre de Cottle dans sa salle de bains et la culpabilité lui vrilla les neurones.

— Un problème ? Non. Pourquoi aurais-je un problème ?

— C'est toi qui viens d'appeler et de raccrocher sans rien dire ?

Son esprit s'embruma un moment, puis la lucidité lui revint. Il avait oublié l'emploi de Rosalyn à la police ; elle travaillait au central du 911, le numéro d'appel des urgences.

Le nom et l'adresse de celui qui appelait les secours s'affichaient sur son ordinateur au moment où elle décrochait pour prendre l'appel.

— Quand ça? À l'instant? bredouilla-t-il tentant de faire tourner ses méninges à plein régime.

— Il y a une minute et dix secondes exactement, répondit Rosalyn. Est-ce que tu as...

— Je me suis trompé en composant le 911. Je voulais appeler les renseignements.

— Tu veux dire le 411?

— Oui, le 411, mais j'ai fait le 911. Je m'en suis aperçu tout de suite, alors j'ai raccroché.

Le dingue était toujours dans la maison. Il avait appelé le 911. Pourquoi? Dans quel but? Il avait forcément une raison, mais aucune idée ne venait à Billy – pas dans l'affolement du moment...

— Pourquoi n'es-tu pas resté en ligne, insista Rosalyn, pour me dire que c'était un faux numéro?

— J'ai réalisé mon erreur et j'ai raccroché par réflexe. C'était idiot. Excuse-moi, Rosalyn. Je voulais juste appeler les renseignements.

— Alors, tout va bien?

— Tout va bien. C'est juste cette chaleur.

— Tu n'as pas l'air conditionné?

— Je l'ai, mais il est tombé en rideau.

— Je te plains.

— Tu peux!

Le revolver se trouvait sur le bureau. Billy le ramassa. Le dingue était encore dans les murs!

— Tiens, je passerai peut-être à la taverne ce soir vers cinq heures.

— Je n'y serai pas. Je suis un peu patraque, alors je me suis fait porter pâle.

— Tu disais que tu allais bien?

Il était si facile à coincer... il lui fallait écourter cette conversation, partir à la recherche de l'intrus, mais surtout ne pas éveiller les soupçons de Rosalyn...

— Je vais bien. Rien de grave. Juste l'estomac qui me fait des siennes. C'est peut-être un coup de froid. Je prends ce gel nasal…

— Quel gel ?

— Tu sais, ce truc au zinc. Tu t'en mets un paquet dans le nez et cela te retape en un clin d'œil.

— Ah oui… ça me dit quelque chose…

— Ça marche vraiment bien. Jackie O'Hara m'a conseillé d'en prendre. On devrait toujours en avoir sous la main.

— Donc, tout va bien pour toi. Tu n'as aucun problème chez toi ?

— Hormis la chaleur et les nausées… mais pour ça, tu ne peux rien pour moi. Le 911 ne soigne pas les estomacs patraques et ne répare pas les clim'. Je suis désolé de t'avoir dérangée, Rosalyn. Je me sens vraiment idiot.

— Ce n'est pas grave. La moitié des appels ne sont pas des urgences.

— Ah bon ?

— On m'appelle parce qu'un chat est coincé dans un arbre, parce que les voisins font une fête bruyante, des broutilles comme ça.

— Ça me déculpabilise un peu. Au moins, je ne suis pas le plus grand idiot du quartier.

— Prends soin de toi, Billy.

— Promis. Toi aussi, prends soin de toi.

— Au revoir.

Il raccrocha et bondit de sa chaise.

Alors que Billy était dans la salle de bains auprès du cadavre, le tueur était revenu dans la maison. Ou bien il était déjà là, caché dans un placard ou dans une pièce que Billy n'avait pas inspectée…

Ce type avait des couilles. Des couilles en béton. Il savait que Billy avait un .38, mais il était revenu dans la maison et avait appelé le 911 pendant que Billy allumait l'ordinateur.

Le dingue était peut-être encore ici. Pour faire quelque chose. Mais quoi ?

Billy se dirigea vers la porte du bureau qu'il avait laissée entrouverte. Il franchit le seuil, tenant le revolver à deux mains, balayant l'espace de droite à gauche.

Le dingue n'était pas dans le couloir. Mais il était quelque part. Forcément.

27.

Billy n'avait pas sa montre à son poignet, mais il savait que le temps filait comme de l'eau à travers une passoire.

Dans sa chambre, il ouvrit l'une de ses portes de placard. Pas de tueur.

L'espace sous le lit était trop étroit. Personne n'irait se cacher dans un endroit où il était impossible de s'extraire rapidement; cette cachette aurait été un piège. En outre, il n'y avait pas de dessus-de-lit dont les pans auraient pu dissimuler un intrus éventuel.

Inutile de regarder sous le lit. Billy se dirigea donc vers la porte. Mais il revint sur ses pas et s'agenouilla quand même près du sommier. Personne, évidemment !

Le dingue était parti. Il était fou, certes, mais pas au point de rester dans les parages après avoir appelé le 911.

De retour dans le couloir, Billy se rendit de nouveau dans la salle de bains. Cottle était toujours là, seul.

Le rideau de la douche était ouvert. S'il avait été fermé, Billy aurait regardé là en premier.

Un grand placard dans le couloir abritait la chaudière. Aucune cachette possible dans ce réduit.

Le salon. Un espace ouvert que Billy scruta d'un regard circulaire.

Dans la cuisine, il y avait un placard à balais. Trop étroit.

Il ouvrit d'un coup la porte de l'office. Des boîtes de conserve, des sachets de pâtes, des bouteilles, des bidons de produits ménagers. Aucune cachette non plus.

Il retourna dans le salon, glissa le revolver sous un coussin du canapé. Il ne formait aucun renflement révélateur, mais si l'on s'asseyait à cet endroit, on sentait la présence de l'arme.

Il avait laissé la porte d'entrée ouverte. Une invitation… Avant de retourner dans la salle de bains, il fit un crochet pour verrouiller la porte.

Avec sa tête renversée en arrière, bouche ouverte, ses mains jointes sur ses genoux, on eût dit que Cottle chantait un vieil air country et battait la mesure.

Le couteau racla contre l'os quand Billy le retira. Du sang maculait la lame.

Avec quelques Kleenex pris dans le distributeur à côté du lavabo, Billy nettoya le couteau. Il roula en boule les mouchoirs sales et les posa sur la cuve des toilettes.

Il replia la lame dans le logement du manche et posa le couteau sur le lavabo.

Lorsque Billy pencha le corps, la tête de Cottle retomba en avant et un soupir s'échappa de sa bouche, comme si l'ivrogne était mort en inspirant une ultime goulée d'air et que son dernier souffle avait été jusqu'alors coincé dans sa trachée.

Billy passa les bras sous les aisselles du mort, et souleva le corps de la cuvette en évitant de toucher la partie des habits maculés de sang.

À force de consommer exclusivement de l'alcool, Cottle ne pesait pas plus lourd qu'un adolescent. Mais il restait difficile à transporter, un poids mort dont les membres s'accrochaient partout.

Par chance, la raideur cadavérique n'avait pas encore commencé. Les chairs de Cottle restaient molles et flexibles.

Le traînant à reculons, Billy sortit le cadavre de la salle de bains. Les talons raclaient sur le carrelage en émettant des couinements de souris.

Le caoutchouc des baskets protesta également sur le parquet du couloir. Arrivé dans le bureau, Billy allongea le corps au sol.

Billy s'entendait haleter, moins d'épuisement que sous l'effet de l'angoisse.

Le temps filait, comme si désormais une vanne avait été ouverte.

Il poussa la chaise roulante et coinça le corps sous le bureau ; il dut lui replier les jambes pour le faire tenir dans le réduit.

Il remit la chaise roulante à sa place et poussa de toutes ses forces pour enfoncer le corps tout au fond de la cache.

Le bureau était profond et était pourvu, devant, d'un panneau pour cacher les jambes. On ne pouvait voir le cadavre, à moins de faire le tour du bureau et de regarder ostensiblement sous la chaise.

Et encore, suivant l'angle, la chaise faisait parfaitement écran et dissimulait cette relique funèbre.

Les ombres aideraient encore. Billy éteignit le plafonnier ne laissant que la lampe du bureau allumée.

De retour dans la salle de bains, Billy aperçut une trace de sang au sol. Elle n'y était pas avant qu'il ne déplace le corps.

Son cœur se mit à cogner comme un marteau contre ses côtes.

Une seule erreur, et il était perdu !

Sa perception du temps était distordue. Il savait que quelques minutes seulement s'étaient écoulées depuis qu'il fouillait la maison, mais il avait l'impression que plus d'un quart d'heure avait passé.

Pourquoi n'avait-il pas récupéré sa montre ? Pressé par le temps, il n'osait retourner sous l'auvent.

Avec du papier hygiénique, il essuya le sang au sol, mais il restait une trace dans un joint. Cela ressemblait plus à de la rouille qu'à de l'hémoglobine. Du moins c'est ce dont il se convainquit.

Il jeta dans les toilettes le papier et les Kleenex avec lesquels il avait nettoyé la lame. Il tira la chasse d'eau.

L'arme du crime était sur la tablette à côté du lavabo. Il la cacha au fond d'un tiroir, derrière les flacons de lotion d'après-rasage et d'ambre solaire.

Il referma le tiroir bien trop fort, bien trop nerveusement. Le bruit du battant claqua comme un coup de feu. Il lui fallait retrouver son sang-froid !

Apprenez-nous l'amour et le détachement. Apprenez-nous à rester en repos.

Il retrouverait la paix s'il ne perdait pas de vue son objectif premier. Et il ne s'agissait pas de s'abîmer dans un tourbillon de pensées et d'actions, ni même de sauver sa liberté, ni même sa vie. S'il devait vivre, c'était pour elle, pour que *elle* puisse vivre, impuissante mais à l'abri, vulnérable, endormie, égarée au pays des songes, mais victime d'aucune humiliation, d'aucun mal extérieur.

Billy manquait de ressource. Il était si faible ; l'existence le lui avait maintes fois démontré.

Devant la souffrance, il n'avait pas eu la force, la volonté de cultiver son don pour l'écriture. Il avait baissé les bras, fui un nombre incalculable de fois, car ces dons sont pugnaces et ne peuvent être oblitérés que si leurs appels sont opiniâtrement rejetés.

Dans sa douleur, il s'était heurté aux limites des mots, ce qui était normal. Mais il avait abdiqué devant ces mêmes limites, ce qui l'était moins.

Oui, il était une coquille vide. Il n'avait pas en lui la capacité de se soucier des autres, de laisser entrer dans son cœur autrui. La compassion était, en lui, une simple fonctionnalité organique, qu'il dédiait entièrement au soin d'une seule femme.

Billy interprétait cette carence comme de la faiblesse. Il était un être faible, peut-être pas comme Ralph Cottle, mais bel et bien dépourvu de force intérieure. Il avait eu le frisson quand l'ivrogne lui avait dit « Vous et moi, on est pareils », mais cette assertion ne l'avait pas surpris.

La belle endormie, errant sur l'océan des rêves, était le véritable centre de sa vie, sa raison d'être, et son seul espoir de rédemption aussi. Pour cette raison, il devait apprendre l'amour et le détachement, apprendre à rester en repos.

Ayant retrouvé un peu de sérénité, Billy scruta une nouvelle fois la salle de bains. Pas de trace révélatrice.

Le temps était un torrent, une grande roue.

En se hâtant, mais sans négligence, il suivit le chemin qu'il avait emprunté en traînant le corps jusqu'à son bureau, à la recherche de traînées de sang et autres indices compromettants. Mais tout était en ordre.

Craignant d'avoir omis un détail important, il entreprit une nouvelle inspection de la chambre, du salon et de la cuisine, tentant de se mettre dans la peau d'enquêteurs suspicieux.

L'auvent, maintenant... Il avait relégué ce travail en dernier parce qu'il lui paraissait plus urgent de dissimuler le corps.

Au cas où il n'aurait pas le temps de remettre en ordre le perron, il prit dans un placard de la cuisine la bouteille de bourbon avec lequel il avait rehaussé sa Guinness de la veille. Et but directement au goulot.

Au lieu d'avaler l'alcool, il fit passer le bourbon entre ses dents à la manière d'un désinfectant buccal. Plus longtemps il gardait l'alcool dans sa bouche, plus les molécules imprégnaient les gencives, la langue, l'intérieur des joues.

Il cracha le tout dans l'évier. Il avait oublié de se gargariser !

Il reprit une nouvelle goulée et s'arrosa cette fois le fond de la gorge.

Il rejetait cette seconde dose dans l'évier lorsque quelqu'un toqua à la porte – des coups puissants et volontaires.

Il s'était peut-être écoulé quatre minutes depuis qu'il avait parlé avec Rosalyn Chan. Cinq tout au plus. Le temps n'avait plus de sens. Son coup de fil semblait dater d'une heure – une heure qui aurait duré dix secondes...

Tandis que les coups résonnaient à la porte, Billy rinça la flaque de bourbon dans l'évier. Il laissa le robinet couler.

Dans le silence épais qui suivit les tambourinements, il reboucha la bouteille de bourbon et la rangea dans le placard.

Il retourna à l'évier, coupa l'eau. On recommençait à cogner à la porte.

Répondre au premier toc-toc aurait été suspect. Attendre une troisième série tout autant. C'était montrer qu'il hésitait à répondre.

Billy traversa le salon ; il eut la présence d'esprit d'examiner ses mains : pas de trace de sang sur ses paumes et ses doigts.

28.

Lorsque Billy ouvrit la porte d'entrée, il trouva un jeune policier planté, par sécurité, deux mètres en arrière du seuil, décalé sur le côté. La main droite de l'agent enveloppait la crosse de son arme dans son étui de ceinture – pas comme s'il s'apprêtait à dégainer, mais plutôt comme quelqu'un posant nonchalamment la main sur sa hanche.

Billy ne connaissait pas cet officier. Dommage.

Sur la plaque, Billy pouvait lire : SERGENT V. NAPOLITINO.

À quarante-six ans, Lanny Olsen avait le même grade et ce depuis son entrée, jeune homme, dans les forces de l'ordre.

Napolitino, tout juste sorti de l'École de police, avait déjà été promu sergent. Il était de mise soignée, l'œil vif, l'air intelligent avec, dans le regard, l'assurance de celui qui sait qu'il sera lieutenant à vingt-cinq ans, capitaine à trente, commandant à trente-cinq et chef de la police avant quarante.

Billy aurait préféré un bon gros flic débraillé, blasé et cynique. C'était sans doute un jour de déveine, un jour à ne pas s'approcher d'une salle de casino si on ne voulait pas y laisser sa chemise.

— Monsieur Wiles ?

— C'est moi.

— William Wiles ?

— Billy, oui.

Le sergent Napolitino observait le salon derrière l'épaule de Billy.

Le visage du policier restait impassible. Dans ses yeux, ni appréhension, ni inquiétude, pas même de la méfiance, juste un désir inquisiteur

— Monsieur Wiles, voulez-vous, s'il vous plaît, venir jusqu'à mon véhicule ?

La voiture de patrouille était garée dans l'allée.

— Vous voulez entrer ? demanda Billy.

— Ce n'est pas utile, monsieur Wiles. Venez simplement à ma voiture. Il y en aura pour une minute.

Cela ne paraissait pas un ordre, juste une requête. Mais évidemment c'était une illusion.

— Bien sûr, répondit Billy. Tout de suite.

Une seconde voiture de patrouille se gara trois mètres derrière le premier véhicule.

Alors que Billy tendait la main vers la poignée de la porte pour la refermer, le sergent lança :

— Vous pouvez la laisser ouverte, monsieur Wiles.

Ce n'était encore pas une proposition. Billy s'exécuta.

Napolitino ne bougeait pas, attendant visiblement que Billy ouvre la marche.

Billy enjamba la bouteille de Cottle et le whisky répandu sur les lattes.

Même si la flaque datait d'au moins un quart d'heure, peu de liquide s'était évaporé. Dans l'air immobile, l'auvent empestait l'alcool.

Billy descendit les marches du perron pour rejoindre la pelouse. Il ne fit pas semblant de tituber. Il n'était pas assez bon acteur pour jouer l'ébriété ; toute tentative sonnerait faux et soulèverait les soupçons.

Il comptait sur son haleine pour accréditer l'histoire qu'il avait concoctée.

Billy reconnut l'autre policier qui sortait de la seconde voiture. C'était Sam Sobieski. Il était sergent aussi et de cinq ans l'aîné de Napolitino.

Sobieski passait de temps en temps à la taverne, souvent en compagnie d'une fille. Il y venait davantage pour dîner que pour boire. Deux bières étaient sa limite.

Billy le connaissait peu. Ils n'étaient pas amis, mais il préférait avoir affaire à lui qu'à un autre inconnu.

Billy se retourna vers sa maison.

Napolitino s'attardait sur le perron. Enfin, il se décida à se diriger vers les marches, et se mit à descendre l'escalier, sans jamais tourner entièrement le dos à la porte ouverte ou aux fenêtres de la façade, tout en arborant une nonchalance feinte.

Le sergent passa alors devant Billy et l'entraîna derrière le véhicule, pour que la voiture fasse écran entre eux et la maison.

Le sergent Sobieski se joignit aux deux hommes.

— Salut, Billy.

— Bonjour sergent Sobieski. Comment allez-vous ?

Tout le monde appelait un barman par son prénom. Dans certains cas, cette familiarité se voulait réciproque. Mais pas cette fois.

— Hier, c'était le jour du chili et j'ai oublié de venir, annonça Sobieski.

— Le chili de Ben est le meilleur de la région, confirma Billy.

— Oui, c'est vraiment le dieu du chili.

La voiture brillait comme une pierre d'aimant sous le soleil, vaporisant l'air autour d'elle, brûlante comme un tison.

En sa qualité de « premier arrivé » Napolitino ouvrit les hostilités :

— Monsieur Wiles, vous allez bien ?

— Oui, bien sûr. Tout va bien. C'est à cause de mon cafouillage, je suppose ?

— Vous avez appelé le 911.

— Je voulais composer le 411. C'est ce que j'ai expliqué à Rosalyn.

— Vous ne lui avez dit que lorsqu'elle vous a rappelé.

— J'ai raccroché aussitôt quand je me suis aperçu que j'avais fait un faux numéro. Je ne pensais pas que ça avait décroché au standard.

— Monsieur Wiles, étiez-vous sous quelque contrainte que ce soit ?

— Sous la contrainte ? Non, bien sûr que non. Vous voulez dire, est-ce que j'avais un pistolet sur la tempe pendant que je téléphonais à Rosalyn ? C'est absurde ! Ne le prenez pas mal, je sais que ça peut arriver, mais ça ne risque pas avec moi…

Billy veillait à donner des réponses courtes. Les étirer en longueur pouvait être interprété comme un signe de nervosité.

— Vous avez appelé votre travail pour dire que vous étiez malade ? demanda Napolitino.

— Oui, répondit Billy en grimaçant (mais pas trop) et posant une main sur son ventre. J'étais barbouillé.

Billy espérait que les policiers sentiraient son haleine chargée. Il s'indisposait déjà lui-même. Si Napolitino percevait l'odeur du bourbon, il conclurait que Billy tentait maladroitement de cacher une soirée trop arrosée.

— Monsieur Wiles, qui habite avec vous ?

— Personne ? Il n'y a que moi. Je vis seul.

— Quelqu'un se trouve-t-il dans la maison en ce moment ?

— Non. Personne.

— Un ami, un membre de votre famille ?

— Non. Personne. Pas même un chien. Parfois, je songe à prendre un chien, mais je n'ai jamais franchi le pas.

Des scalpels auraient été moins acérés que le regard du jeune sergent.

— Monsieur Wiles, s'il y a quelqu'un de dangereux à l'intérieur, vous…

— Non. Pas de gros méchant. Juré craché par terre !

— Si quelqu'un qui vous est cher est retenu ici sous la contrainte, il vaudrait mieux nous le dire.

— Bien sûr. Je le sais. Ce serait le simple bon sens…

La chaleur intense renvoyée par les voitures donnait à Billy le tournis. Il avait l'impression d'être tout rouge et de cuire sur place… et pourtant les deux policiers semblaient parfaitement insensibles à l'ardeur du soleil.

— Sous la menace, l'intimidation, intervint Sobieski, les gens parfois manquent de discernement, Billy.

— Seigneur! Je suis vraiment le roi des crétins d'avoir raccroché comme ça après avoir appelé le 911, c'est ce que j'ai dit à Rosalyn.

— Que lui avez-vous dit exactement? s'enquit Napolitino.

Ils le savaient très bien. Billy se souvenait de ses propres paroles, mais il jugea utile de leur faire croire que ses souvenirs étaient embrumés par l'alcool.

— Quoi que j'aie pu lui sortir, cela a dû être assez stupide puisqu'elle s'est mise en tête que j'avais des problèmes. Quelqu'un qui me menace, moi parlant sous la contrainte... Vraiment, je suis confus.

Billy secoua la tête devant sa propre bêtise, lâcha un rire et dodelina de nouveau du chef.

Les deux sergents le regardaient sans rien dire.

— Il n'y a que moi ici. Personne n'est venu me voir depuis des jours. Je suis toujours seul ici. Il n'y a jamais personne, ici. Je me suffis à moi-même. C'est comme ça.

Stop! Faire court! Pas de digressions!

S'ils étaient au courant pour Barbara, ils connaissaient sa situation. Dans le cas contraire, Rosalyn aurait tôt fait d'éclairer leur lanterne.

Billy avait pris un risque en disant que personne n'était venu lui rendre visite depuis des jours. À tort ou à raison, Billy avait jugé utile de mettre l'accent sur sa vie recluse.

Si un voisin dans la vallée avait vu Ralph Cottle monter chez lui, ou les avait aperçus installés sous l'auvent et que les policiers décidaient de mener une petite enquête de voisinage, Billy était perdu...

— Que vous est-il arrivé au front? demanda Napolitino.

Jusqu'à cet instant, Billy avait oublié les cicatrices laissées par les hameçons, mais la douleur se réveilla.

29.

— C'est bien un pansement, non ? insista le sergent Napolitino

Malgré la frange, les cheveux de Billy ne pouvaient masquer entièrement le sparadrap.

— J'ai eu un petit incident de scie électrique, répliqua Billy surpris lui-même par son imagination véloce.

— Cela paraît assez sérieux, constata Sobieski.

— Non. Ce n'est rien du tout. J'ai un petit atelier de menuiserie dans le garage. C'est moi qui ai construit tous les placards de la maison. Hier soir, je bricolais un truc. Je coupais une planche de noyer. Il y avait un nœud dedans et la lame l'a fait sauter. Et j'ai reçu quelques éclats dans le front.

— Tu aurais pu y perdre un œil, lança Sobieski.

— Je portais des lunettes de protection. J'en porte toujours.

— Vous êtes allé voir un médecin, monsieur Wiles ? demanda Napolitino.

— Non. Inutile. C'étaient juste quelques échardes. Je les ai enlevées à la pince à épiler. La seule raison de ce pansement, c'est que je me suis un peu charcuté avec la pince.

— Attention au risque d'infection.

— J'ai bien nettoyé à l'alcool et à l'eau oxygénée. Et puis j'ai mis de la pommade antiseptique. C'est réglé. Ce genre de chose, ça arrive souvent.

Billy sentit qu'il avait bien répondu. Il avait l'air parfaitement détendu, en tout cas sûrement pas menacé de mort.

Le soleil était un feu ardent, une forge ; la chaleur qui montait de la voiture le cuisait plus fort encore qu'un four à micro-ondes, mais il s'en était bien sorti.

Aussi, lorsque les questions se firent plus inquisitrices, plus sournoises, Billy ne le remarqua pas tout de suite.

— Monsieur Wiles, reprit Napolitino, avez-vous eu les renseignements ?

— Comment ça ?

— Après avoir composé le 911 par erreur et raccroché, avez-vous composé le 411 comme vous comptiez le faire ?

— Non. Je suis resté une minute à penser à la gaffe que je venais de commettre.

— Une minute à réfléchir sur le fait que vous aviez composé le 911 par erreur ?

— Pas une minute entière. Mais c'était assez long. Je ne voulais pas me tromper de nouveau. Je me sentais un peu dans le potage. Mon estomac, comme je vous l'ai dit. C'est alors que Rosalyn m'a rappelé.

— Elle vous a appelé avant que vous ne tentiez d'avoir les renseignements.

— Exact.

— Après votre conversation avec l'opératrice du 911…

— Avec Rosalyn, oui…

— Après votre conversation avec elle, avez-vous appelé le 411 ?

La compagnie de téléphone facturait les appels au 411. S'il avait appelé, il y aurait une trace.

— Non, répondit Billy. Je me sentais tellement stupide. Il me fallait un verre.

Billy avait fait référence à la boisson parce que la conversation s'y prêtait. Les policiers ne se diraient pas qu'il leur jouait la comédie du type soûl. Il pensait avoir fait ça de façon adroite et naturelle.

— Quel numéro vouliez-vous connaître en appelant les renseignements ?

Ces questions n'avaient plus rien à voir avec son état de santé ni avec sa sécurité. Un accent de méfiance teintait les questions de Napolitino, discret mais immanquable.

Devait-il faire l'étonné? leur demander les raisons de cette suspicion? Il devait jouer le parfait innocent...

— Celui de Steve... Steve Zillis.

— Qui est-ce?

— Un collègue à la taverne.

— C'est lui qui vous remplace au travail?

— Non. Il prend son service après le mien. Pourquoi toutes ces questions?

— Pourquoi vouliez-vous l'appeler?

— Pour le prévenir que je m'étais porté pâle et que lorsqu'il arriverait à la taverne, il aurait du bazar à ranger parce que Jackie se sera retrouvé seul au bar.

— Jackie?

— Jackie O'Hara. C'est le patron. C'est lui qui me remplace. Et Jackie n'est pas le roi de l'organisation! Avec lui, la vaisselle s'entasse dans tous les coins. Le malheureux qui passe derrière lui en a pour un bon quart d'heure à tout ranger!

Chaque fois que Billy se perdait dans une longue explication, il sentait sa voix trembloter. Et ce n'était pas une impression. Les policiers entendaient forcément ce trémolo.

Peut-être tout le monde était-il nerveux quand les questions des flics s'éternisaient? Peut-être le malaise était-il inévitable et naturel.

En revanche, parler avec une débauche de gestes n'était pas naturel du tout, en particulier chez Billy. Pendant ses longues réponses, il se voyait, avec horreur, agiter les mains en tous sens.

Feignant la nonchalance, Billy préféra enfouir les mains dans les poches de son pantalon. Au fond de chaque poche, sous ses doigts, il sentit les cartouches pour son .38.

— Donc, vous vouliez prévenir Steve Zillis qu'il aurait un surcroît de travail, reprit Napolitino.

— Exact.

— Et vous ne connaissez pas le numéro de ce M. Zillis?

— Je ne l'appelle pas souvent.

Ils n'étaient plus dans une conversation innocente. Ce n'était pas encore un interrogatoire en règle, mais on s'en approchait à grands pas.

Billy n'en comprenait pas la raison – peut-être ses réponses et son comportement avaient-ils éveillé leurs soupçons.

— Le numéro de M. Zillis n'est pas dans l'annuaire?

— Il l'est peut-être. Mais parfois, c'est plus simple d'appeler directement le 411.

— Sauf lorsqu'on tape le 9 au lieu du 4.

Billy ne répondit pas, comme s'il se sentait idiot.

Si la situation se détériorait au point de leur donner l'envie de le fouiller, même superficiellement, les policiers trouveraient les balles dans ses poches...

Comment pourrait-il justifier leur présence? Qu'inventer cette fois? Pour l'heure, aucune idée ne lui venait.

Mais il y avait peu de chances qu'on en arrive à cette extrémité. Les policiers étaient là parce qu'ils le croyaient en danger. Il lui suffisait de les convaincre que ce n'était pas le cas et les deux sergents s'en iraient.

Quelque chose que Billy avait dit (ou n'avait pas dit) avait éveillé leurs soupçons... S'il parvenait à trouver les mots, les sésames, les policiers le laisseraient tranquille.

Une fois de plus, Billy se heurtait aux limites du langage.

Même si le changement d'attitude de Napolitino paraissait réel, il devait s'agir d'un effet de son imagination. Les efforts que Billy déployait pour dissimuler son angoisse devaient pervertir sa perception, le rendre paranoïaque.

Il se conseilla en pensée de rester calme, de faire preuve de patience.

— Monsieur Wiles, poursuivit Napolitino, êtes-vous absolument certain d'avoir composé vous-même le 911?

Bien que Billy eût parfaitement compris la question, sa signification lui échappait. Il ne parvenait à en discerner la raison sous-jacente; après tout ce qu'il venait de leur raconter, quelle était la réponse que les policiers attendaient?

— Est-il possible que quelqu'un d'autre ait passé l'appel de chez vous? insista Napolitino.

L'espace d'une seconde, Billy se demanda s'ils étaient au courant de l'existence du dingue, et puis il comprit. Tout s'éclaira...

La question du sergent Napolitino était formulée de façon à éviter qu'un avocat puisse, ultérieurement, annuler une éventuelle poursuite en justice pour vice de forme. Voilà ce que le policier lui demandait en réalité, sans le dire explicitement : *Monsieur Wiles, détenez-vous en ce moment chez vous quelqu'un contre sa volonté ? Cette personne n'a-t-elle pas tenté d'appeler le 911 ? La surprenant sur le fait, ne lui avez-vous pas arraché le téléphone des mains pour raccrocher en toute hâte, en espérant que la communication n'avait pas été établie ?*

Pour pouvoir poser cette question en ces termes, Napolitino devait d'abord informer Billy de ses droits civiques, à savoir qu'il pouvait garder le silence et décider de ne parler qu'en présence de son avocat.

Billy Wiles était devenu un suspect.

Il était au bord du précipice. Il avait même un pied dans le vide.

Jamais les neurones de Billy n'avaient fonctionné à ce régime, examinant, analysant chaque possibilité. La moindre seconde d'hésitation jouait en sa défaveur.

Par chance, il n'avait pas à feindre la stupeur. Sa bouche s'ouvrit toute grande, sous le coup d'une authentique surprise.

Connaissant ses piètres talents de comédien, Billy ne voulait pas tenter de simuler la colère ou l'indignation ; il préféra jouer la carte de l'étonnement, ce qui était la vérité vraie :

— Seigneur… vous ne pensez tout de même pas que… Si ? C'est ça que vous croyez ?… Seigneur !… Je n'ai rien d'un Hannibal Lecter ! Vous vous trompez de bonhomme !

Napolitino resta de marbre.

Sobieski aussi.

Leurs yeux étaient braqués sur lui, aussi fixes que les axes de gyroscopes en rotation.

— Bien sûr, je comprends que vous deviez envisager toutes les pistes, reprit Billy. C'est normal. Allez inspecter la maison si vous le désirez. Ne vous gênez pas.

— Monsieur Wiles, dois-je comprendre que vous nous invitez à fouiller votre maison à la recherche d'un intrus ou de quelque autre personne ?

Billy sentait, sous ses doigts, les cartouches dans ses poches ; en pensée, il vit le cadavre de Cottle coincé sous le bureau.

— Cherchez qui vous voulez, répondit-il, affable, comme s'il était soulagé de comprendre enfin ce que voulaient les policiers. Faites à votre guise.

— Monsieur Wiles, ce n'est pas moi qui demande à fouiller votre domicile. Vous faites bien la distinction ?

— Absolument. Allez-y. Cela ne me gêne pas.

Invités à entrer, toutes les preuves que les sergents découvriraient pourraient être retenues contre Billy lors d'un éventuel procès. Alors que s'ils pénétraient dans la maison sans y avoir été expressément invités, sans un mandat de perquisition ou une solide raison de penser que quelqu'un pouvait se trouver en danger dans les murs, un tribunal rejetterait *ipso facto* ces mêmes preuves…

La proposition de Billy serait donc interprétée comme le signe patent de son innocence.

Billy se détendit et sortit les mains de ses poches.

S'il se montrait détendu, ouvert et coopératif, les policiers en concluraient qu'il n'avait rien à cacher. Ils s'en iraient alors sans même fouiller l'endroit.

Napolitino jeta un coup d'œil interrogateur vers Sobieski, qui lui répondit d'un hochement de tête.

— Monsieur Wiles, pour vous rassurer et vous être agréable, je vais aller jeter un coup d'œil dans votre maison.

Le sergent Napolitino fit le tour de la voiture de patrouille et se dirigea vers la porte d'entrée, laissant Billy sous la garde de Sobieski.

30.

Le crime est si plein de maladroite méfiance, qu'il se divulgue lui-même par crainte d'être divulgué, avait dit quelqu'un, peut-être Shakespeare, ou O.J Simpson. Billy ne se souvenait plus qui avait écrit ces mots, mais il vit dans cet aphorisme une vérité universelle qu'il ressentait à présent jusqu'au tréfonds de son être.

Le sergent Napolitino grimpait les marches du perron, enjambait la flasque abandonnée et les restes de whisky qui ne s'étaient pas encore évaporés.

— Comme Joe Friday.

— Pardon ?

— Vince, il est comme Joe Friday de *Dragnet*. Il fait le dur. Il lance des regards assassins, avec un visage de pierre, mais en fait, c'est un tendre.

En appelant Napolitino par son prénom, Sobieski donnait une dimension intime à la conversation, comme s'il mettait Billy dans la confidence.

Chat échaudé craint l'eau froide. Billy sentit que cette tentative de rapprochement n'était pas plus bienveillante que celle d'une araignée invitant une mouche à se poser sur sa toile.

Le sergent « Vince » Napolitino disparut dans la maison.

— Il est encore trop rigide, trop scolaire, poursuivit Sobieski. Mais quand il aura un peu roulé sa bosse, il fera moins le méchant.

— Il ne fait que son boulot, ânonna Billy. C'est normal. Il n'y a pas de problème.

Sobieski restait dans l'allée parce qu'il suspectait Billy d'avoir commis quelque chose de répréhensible... Sinon, les deux policiers seraient partis ensemble fouiller la maison. Sobieski était là pour empêcher Billy de prendre la poudre d'escampette.

— Comment tu te sens, Billy?

— Ça va. Juste un peu honteux de causer tout ce dérangement.

— Je parlais de ton estomac.

— Ça peut aller. J'ai peut-être mangé quelque chose de pas frais.

— Ça ne peut pas être le chili de Ben Vernon. Il est si épicé qu'aucun germe n'y résiste!

Il ne fallait pas regarder la maison! Un type innocent n'ayant rien à cacher ne surveillerait pas comme ça la porte d'entrée en attendant qu'un flic ait terminé son tour d'inspection... Billy se força donc à détourner la tête et contempla la vallée, les molles ondulations des vignes, dorées sous le soleil, puis les montagnes bleues au-delà.

— Le crabe, ça peut faire ça.

— Quoi?

— Le crabe, les crevettes, le homard... quand ce n'est pas frais, ça peut être violent.

— J'ai mangé des lasagnes hier soir.

— Ça ne paraît pas trop risqué.

— Celles des autres peut-être..., répondit Billy en tentant d'imiter la nonchalance de Sobieski.

— Allez, Vince! lança Sobieski avec une trace d'impatience. Je sais que tu fais bien ton boulot, *compadre*. Tu n'as rien à me prouver! (Le policier se tourna vers Billy :) il y a un grenier?

— Oui.

Le sergent poussa un long soupir.

— Alors il va se faire un devoir d'y monter.

À l'ouest, une nuée de petits oiseaux voletaient, décrivant dans le ciel des loopings échevelés. Des pics flamboyants... D'ordinaire, ils se tenaient tranquilles par cette chaleur.

— C'est ça que tu cherches? demanda Sobieski en lui tendant un rouleau de bonbons à la menthe.

Pendant un instant, Billy resta interdit, puis il s'aperçut qu'il avait remis les mains dans ses poches et qu'il tripotait nerveusement les balles de .38.

Il sortit vite les mains de son pantalon.

— C'est un peu tard maintenant, dit-il, en prenant néanmoins la pastille de menthol.

— C'est quasiment une maladie professionnelle chez les barmen, j'imagine, reprit Sobieski. Avec tout l'alcool qui vous passe sous le nez tous les jours...

— En fait, je bois rarement, répondit Billy en suçant le bonbon. Je me suis réveillé cette nuit, à trois heures du matin. Impossible de me rendormir. Ça se bousculait dans ma tête, je m'inquiétais pour tout un tas de trucs... j'ai pensé qu'un verre ou deux m'assommeraient...

— On a tous des moments comme ça. J'appelle ça le « blues de minuit ». Et ce n'est pas l'alcool qui le fait passer. Pas même une tasse de chocolat chaud alors que normalement ça vient à bout de toutes les insomnies... Non, avec le blues de minuit, il n'y a rien à faire.

— Voyant que la gnôle ne faisait pas effet, j'ai continué à picoler. C'était une façon comme une autre de passer la nuit. Puis le matin est venu.

— Tu tiens sacrément bien l'alcool.

— Vous trouvez?

— Tu ne sembles pas ivre du tout.

— Je ne le suis pas. J'ai ralenti dans les dernières heures, je ne voulais pas me retrouver avec une méga gueule de bois.

— C'est ça l'astuce?

— Il y en a d'autres.

Le sergent Sobieski parlait nonchalamment. Une tranquillité de surface.

Les oiseaux redescendirent dans leur direction, virèrent d'un coup, reprirent de l'altitude, puis changèrent de nouveau de cap, trente ou quarante individus volant de concert comme une seule et même entité.

— Ces piafs, c'est un vrai problème.

Avec leur bec pointu, les pics jetaient leur dévolu sur les maisons, les écuries et les églises du comté, creusant et piquetant les corniches de bois, les moulures extérieures, les chevrons, les bordures de pignons, jusqu'à en faire de la dentelle.

— Ils n'ont jamais attaqué ma maison. Elle est en cèdre.

Nombre de gens trouvaient le travail de ciselage des oiseaux si esthétique qu'ils ne remplaçaient les parties endommagées que lorsqu'un coup de vent les faisait tomber.

— Ils n'aiment pas le cèdre ?

— Je n'en sais rien. En tout cas, ils n'aiment pas ma maison.

Après avoir transformé le bois en gruyère, les pics flamboyants cachaient des glands dans les trous, forés en hauteur, là où le soleil pourrait les chauffer. Après quelques jours d'étuve, les oiseaux revenaient inspecter les glands, pour repérer ceux qui émettaient du bruit. Ils déchiquetaient alors les glands bruyants et dévoraient la larve qui habitait à l'intérieur.

Adieu, douce sécurité des maisons !

Les pics comme les policiers faisaient leur boulot.

Patiemment, opiniâtrement, ils le faisaient jusqu'au bout.

— Ce n'est pas si grand ! lança Billy, s'autorisant à montrer un peu d'impatience, comme tout homme, n'ayant rien à se reprocher, le ferait en pareil cas.

Le sergent Napolitino réapparut enfin. Il ne revint pas par la porte d'entrée, mais par le flanc sud de la maison. Il venait d'inspecter le garage.

Il n'avait pas la main négligemment posée sur la crosse de son arme… Un bon signe ?

Comme effrayés par la présence du sergent, les pics s'enfuirent dans le ciel.

— Vous êtes sacrément bien équipé pour travailler le bois, dit-il à Billy. Vous pouvez faire tout ce que vous voulez dans cet atelier.

Au ton de sa phrase, le jeune sergent semblait laisser entendre que Billy s'était servi de son matériel pour découper en morceaux un corps humain.

Napolitino contempla à son tour la vallée.

— Vous avez une belle vue.

— Oui, c'est joli.

— C'est le paradis, oui !

— C'est vrai.

— Avec ce panorama, je me demande pourquoi vous gardez les stores fermés.

Billy s'était détendu trop vite. Il répondit par réflexe, bredouillant à moitié :

— Quand il fait chaud comme ça... je les ferme... le soleil, vous comprenez...

— Même sur les faces à l'ombre ?

— Quand ça cogne comme ça... et avec le whisky qui me donne mal au crâne... on a envie d'ombre.

— Il a ralenti petit à petit au fil de la matinée, pour dessoûler et s'éviter la gueule de bois, expliqua Sobieski.

— C'est ça l'astuce ? s'enquit Napolitino.

— Il y en a d'autres, répéta Billy.

— C'est gentil chez vous. Et frais.

— La fraîcheur, c'est important pour la gueule de bois.

— Rosalyn dit que votre clim' est en panne.

Billy avait oublié ce petit mensonge ; c'était un fil si ténu dans le grand patchwork de ses fabulations.

— Elle est tombée en rideau, il y a quelques heures, puis elle est repartie, puis s'est arrêtée de nouveau. C'est peut-être un problème de compresseur...

— Il paraît que ça va cogner encore plus dur demain, annonça Napolitino en regardant de nouveau la vallée. Vous feriez bien d'appeler un réparateur, s'ils ne sont pas déjà pris jusqu'à Noël !

— Je vais jeter un coup d'œil moi-même, répondit Billy. Je ne me débrouille pas trop mal pour réparer ces machins.

— Ne mettez pas vos doigts là-dedans avant d'avoir totalement dessoûlé.

— Oui. Je vais attendre un peu.

— En particulier pour la partie électrique.

— Je vais manger un morceau. Ça me fera du bien. Et à mon estomac aussi, peut-être.

Napolitino se tourna enfin vers Billy.

— Je suis désolé de vous avoir fait sortir par ce soleil, avec votre mal de crâne et tout ça.

Le sergent paraissait sincère, compatissant pour la première fois, mais ses yeux étaient aussi froids et impénétrables que deux canons de pistolet.

— Tout est de ma faute, reprit Billy. Vous ne faites que votre travail. J'ai été stupide de A jusqu'à Z. Il faut appeler un chat un chat. Je suis désolé de vous avoir fait perdre votre temps.

— Notre travail, c'est de servir et de protéger les citoyens, répondit Napolitino dans un petit sourire. C'est même écrit sur la portière de nos voitures.

— Il vaudrait mieux mettre « Flics à vendre. Étudie toute proposition », lança Sobieski, ce qui, contre toute attente, fit rire Billy, mais ne tira qu'un rictus agacé de la part de Napolitino.

— Allez Billy, ajouta Sobieski, il est temps d'arrêter de biberonner et d'aller manger un morceau.

Billy hocha la tête.

— Vous avez raison.

Pendant qu'il se dirigeait vers la maison, Billy sentait le regard des policiers rivé dans son dos. Il ne se retourna pas.

Son cœur, qui avait battu régulièrement jusqu'ici, se mettait à tambouriner dans sa poitrine.

Il n'en revenait pas d'avoir autant de chance. Il n'osait encore y croire.

Sur le perron, il ramassa la flasque. Il ne vit pas le bouchon ; il avait dû rouler sur la pelouse ou sous un rocking-chair.

Sur la desserte, à côté de son fauteuil, il rangea les trois crackers dans la boîte qui contenait plus tôt le revolver. Il récupéra le verre de Coca.

Il s'attendait à entendre les voitures démarrer. Mais il n'y avait aucun bruit.

Sans regarder derrière lui, il emporta la boîte, le verre et la flasque à l'intérieur. Il referma la porte et s'adossa, pris de vertige, contre le battant.

Dehors, l'air restait immobile. Les moteurs silencieux.

31.

Tant que Billy restait, dans l'entrée, adossé à la porte, les policiers ne partiraient pas... Billy, qui n'était pourtant pas superstitieux, en avait la certitude.

L'oreille aux aguets, il se rendit dans la cuisine. Il jeta à la poubelle la boîte de crackers.

Sondant toujours le silence, il vida le reste de la flasque de whisky dans l'évier, puis le verre de Coca. Il jeta la bouteille et mit le verre dans le lave-vaisselle.

N'entendant toujours pas de bruit de moteur, la curiosité de Billy devint intolérable.

La maison, avec ses stores fermés, devenait de plus en plus étouffante. Peut-être à cause de la présence du cadavre de Cottle, elle semblait se rétrécir, se réduire peu à peu aux dimensions d'un cercueil.

Il se rendit au salon, s'approcha d'une fenêtre pour tenter de soulever une latte d'un store, pour ne pas dire toutes d'un coup. Mais il craignait que les sergents le voient les épier – c'eût été leur crier que leur présence l'inquiétait.

Avec précaution, il écarta le coin d'une latte, caché par le châssis de la fenêtre. Malheureusement, il ne pouvait distinguer l'allée.

Billy se dirigea vers une autre fenêtre, fit une nouvelle tentative; il aperçut les deux hommes à côté de la voiture de Napolitino, à l'endroit où il les avait quittés. Ni l'un ni l'autre ne regardaient la maison.

Ils semblaient en pleine conversation. Peut-être discutaient-ils base-ball ?

Napolitino avait-il fouillé l'atelier à la recherche de la planche de noyer coupée à moitié, celle où un nœud, en sautant de son logement, était censé lui avoir entaillé le front ? Le sergent évidemment ne l'avait pas trouvée puisque cette histoire était inventée de toutes pièces.

Voyant Sobieski tourner la tête vers la maison, Billy relâcha aussitôt le store. Pourvu qu'il ait été suffisamment rapide !

Tant que les policiers restaient là, Billy était au supplice. Malgré tous les soucis qu'il avait à gérer, du tréfonds de son angoisse lui vint l'idée saugrenue que le corps de Cottle pouvait ne plus se trouver sous le bureau.

Pour déplacer le cadavre, le tueur aurait dû revenir dans la maison pendant que les deux policiers parlaient à Billy dans l'allée. Le dingue lui avait déjà montré toute sa témérité ; mais les risques, cette fois, auraient été trop grands, pour ne pas dire fatals.

Mais si, contre toute attente, le cadavre avait été déplacé, il lui fallait le retrouver au plus vite. Il ne pouvait prendre le risque de le découvrir au plus mauvais moment.

Billy récupéra son revolver caché sous le coussin du canapé.

En ouvrant le barillet pour vérifier qu'il était toujours bien chargé, il se convainquit que c'était là une vérification utile et rationnelle, et non un geste compulsif, signe d'un délire paranoïaque latent.

Il longea le couloir. À chaque pas, le malaise grandissait et lorsqu'il fut arrivé sur le pas de la porte du bureau, il tremblait de tous ses membres.

Il tira la chaise roulante.

Coincé entre les trois parois, recroquevillé dans les plis de sa veste avachie, Ralph Cottle ressemblait à un cerneau de noix niché dans sa coquille.

Il y a quelques minutes encore, jamais Billy n'aurait imaginé pouvoir être soulagé de trouver un cadavre sous son bureau.

Selon toute probabilité, divers indices avaient été placés sur le corps de Cottle, désignant Billy comme l'auteur du meurtre.

Même s'il inspectait le cadavre avec minutie, il raterait forcément une ou deux preuves.

Le corps devait disparaître ou être enterré quelque part où on ne le retrouverait jamais. Billy ne savait comment s'en débarrasser ; même si la situation se compliquait d'heure en heure et lui échappait chaque fois un peu plus, son esprit, dans des replis obscurs de son cortex, échafaudait des scénarios macabres dignes des pires films d'horreur.

Le corps était à sa place, là où il l'avait laissé, comme l'ordinateur avec son écran allumé, en attente d'instructions. Il avait inséré dans l'appareil la disquette qu'il avait trouvée dans les mains de Cottle, mais au moment où il s'apprêtait à lire son contenu, Rosalyn Chan avait appelé.

Il approcha la chaise roulante devant le bureau et s'installa derrière le clavier, en repliant ses jambes loin sous le siège pour ne pas toucher le mort.

La disquette contenait trois documents. Le premier s'appelait POURQUOI sans point d'interrogation.

Il l'ouvrit. Le document était court.

Parce que, moi aussi, je suis un pêcheur d'âmes.

Billy relut la phrase à trois reprises. Il ne savait comment l'interpréter, mais les blessures à son front, laissées par les hameçons, recommencèrent à le brûler.

La référence religieuse était évidente. Le Christ était appelé le « pêcheur d'âmes ».

L'explication qui lui venait, en premier lieu, c'était que le tueur était une sorte de fanatique religieux habité par des voix célestes qui lui commandaient de tuer… mais les premières explications sont souvent fausses. Pour échafauder un raisonnement général, une donnée parcellaire était insuffisante.

En outre, le dingue était un maître *ès* duperies ; il n'avait pas son pareil pour brouiller les cartes, induire en erreur, et concocter des énigmes habiles. Il préférait les méandres aux lignes droites, le contourné au direct.

POURQUOI.

Parce que, moi aussi, je suis un pêcheur d'âmes.

Le sens caché de cette assertion ne lui apparaîtrait pas, même s'il lisait ces mots cent fois d'affilée... pas dans le peu de temps limité dont il disposait.

Le deuxième document était étiqueté COMMENT. Il se révéla non moins énigmatique que le premier :

> *Cruauté, violence, mort.*
> *Mouvement, vélocité, choc.*
> *Chair, sang, os.*

Malgré l'absence de rimes et de structure poétique, ces trois phrases semblaient former un ensemble de trois vers. Comme dans la plupart des poèmes, le sens ne se dévoilait pas à la première lecture.

Billy avait la sensation étrange que ces trois vers étaient trois réponses et que s'il prenait connaissance des questions correspondantes, il saurait l'identité du tueur.

Que cette impression fût fondée ou une simple illusion, il n'avait pas le temps de s'y attarder. Il lui fallait se débarrasser du corps de Lanny et, à présent, de celui de Cottle. S'il regardait sa montre, Billy était persuadé qu'il verrait, dans le cadran, les aiguilles des heures et des minutes tourner aussi vite que deux trotteuses.

Le troisième document s'appelait QUAND. Et au moment où Billy l'ouvrit, le mort sous le bureau lui saisit le pied.

S'il n'avait eu le souffle coupé, Billy aurait hurlé de terreur. Mais le temps d'expirer le cri qui était resté coincé dans sa gorge, il comprit que l'explication était moins surnaturelle qu'il ne l'avait d'abord cru.

Le mort ne lui avait pas « saisi » le pied... Dans son agitation, Billy avait seulement plaqué son pied contre le cadavre. Il replia de nouveau sa jambe.

Sur l'écran, le document QUAND délivrait un message beaucoup plus explicite que ses homologues POURQUOI et COMMENT.

> *Mon dernier meurtre : jeudi minuit.*
> *Et votre suicide, aussitôt après.*

32.

Mon dernier meurtre : jeudi minuit.
Et votre suicide, aussitôt après.

Billy Wiles consulta sa montre. Midi passé, mercredi.

Si le dingue disait vrai, le dernier acte de son spectacle, ou quel que soit le nom qu'il lui donnait, se jouerait dans trente-six heures. L'Enfer était sans limites, mais l'enfer sur Terre était, par définition, un espace circonscrit.

La référence au « dernier » meurtre ne signifiait pas nécessairement qu'il n'en restait qu'un seul à accomplir. Durant les trente-six heures précédentes, le tueur avait sévi trois fois, et dans les trente-six restantes, l'hécatombe pouvait continuer.

Cruauté, violence, mort. Mouvement, vélocité, choc. Chair, sang, os.

Sur les neuf mots du deuxième document, l'un d'entre eux paraissait revêtir une importance particulière : *vélocité*.

Le *mouvement* avait commencé avec la première note glissée sur le pare-brise de son Explorer. Le *choc* viendrait avec la dernière victime, celle dont la perte déciderait Billy à mettre fin à ses jours.

En attendant, à une vitesse de plus en plus rapide, Billy devait surmonter de nouvelles épreuves, pour rester dans la course. Le mot *vélocité* semblait augurer de nouvelles accélérations vertigineuses dans les montagnes russes où le tueur l'avait entraîné.

Il croyait autant à cette promesse d'une célérité grandissante qu'à la prédiction de son suicide prochain.

Le suicide était un péché, mais Billy connaissait sa fragilité, ses multiples faiblesses. Pour l'heure, l'autodestruction était inenvisageable, mais les cœurs comme les esprits pouvaient être brisés.

Il était facile d'imaginer ce qui pouvait initier la fêlure fatale ; c'était même enfantin.

La mort seule de Barbara Mandel ne suffirait à le convaincre de mettre fin à ses jours. Depuis près de quatre ans, il s'était préparé à la voir trépasser. Il s'était habitué à l'idée de devoir continuer à vivre sans l'espoir de la voir sortir du coma.

Mais la façon dont elle mourrait… voilà ce qui pouvait saper toutes les fondations de sa forteresse mentale. Du tréfonds de son coma, peut-être serait-elle à peine consciente des sévices que lui ferait endurer le tueur… mais l'idée qu'on puisse la faire souffrir, lui faire supporter des ignominies, plongerait Billy dans une telle horreur que son esprit ne pourrait y résister.

Un type qui bastonnait à mort de charmantes institutrices, qui arrachait le visage des femmes…

En outre, si le tueur s'était arrangé pour que Billy paraisse être l'auteur des crimes non seulement de Giselle Winslow, de Lanny, de Ralph Cottle, mais également de Barbara, alors il n'aurait pas la force de faire face aux médias, d'être jeté dans l'arène d'un procès à sensation, même si le tribunal, en définitive, pouvait le déclarer innocent.

Le dingue tuait pour le plaisir, mais avec des intentions obscures. Quel que soit le but recherché, la machination devait convaincre la police que Billy avait commis cette série macabre de meurtres – dont l'apothéose serait l'assassinat de Barbara dans son lit à la clinique de Whispering Pines –, et que ce dernier cherchait à faire croire à l'existence d'un tueur en série illusoire pour induire en erreur les autorités.

Si le psychopathe était intelligent – et nul doute qu'il l'était – la police goberait cette supercherie aussi facilement qu'une cuillère de glace à la vanille. Après tout, à leurs yeux, Billy avait un bon mobile pour se débarrasser de Barbara…

Les soins de la jeune femme étaient payés par les intérêts provenant des sept millions de dollars de dédommagement versés par l'entreprise responsable du coma de Barbara. Billy était le premier des trois légataires qui gérait ces fonds.

Si Barbara mourait, Billy serait le seul héritier de cette fortune.

Il ne voulait pas de cet argent et si le magot devait un jour lui revenir, il n'en garderait pas un dollar. Dans l'hypothèse de la mort de Barbara, il avait décidé qu'il distribuerait tout l'argent à de bonnes œuvres.

Personne, évidemment, n'y croirait.

En particulier lorsque le dingue aurait piégé Billy – si telle était son intention.

L'appel au 911 semblait accréditer cette hypothèse. Cela avait attiré l'attention de la police sur Billy. Et elle s'en souviendrait plus tard, si les choses tournaient mal pour lui.

Il colla les trois documents ensemble et les imprima sur une feuille de papier :

Parce que, moi aussi, je suis un pêcheur d'âmes.
Cruauté, violence, mort.
Mouvement, vélocité, choc.
Chair, sang, os.
Mon dernier meurtre : jeudi minuit.
Et votre suicide, aussitôt après.

À l'aide d'une paire de ciseaux, Billy découpa le bloc de texte, avec l'intention de le glisser dans son portefeuille, pour pouvoir le relire plus tard, à son gré.

C'est alors qu'il remarqua que le papier était identique à celui où avaient été imprimés les quatre premiers messages du tueur. Si la disquette dans les mains de Cottle avait été gravée sur son ordinateur, peut-être les quatre notes précédentes avaient-elles été rédigées sur cette même machine ?

Il ferma le fichier et appela le répertoire pour rechercher les autres documents enregistrés sous Word.

La liste n'était pas longue. Il ne s'était servi du logiciel que pour écrire ses textes de fiction.

Il reconnut les titres de fichiers correspondant à son unique roman et à ses quelques nouvelles inachevées. Seul un nom de document lui parut inconnu : MORT.

Quand il ouvrit le fichier, il découvrit les textes des quatre premiers messages du dingue.

Il hésita, tâchant de se souvenir de la procédure à suivre. Puis il tapa quelques instructions pour faire apparaître la date de création du document : le vendredi précédent, à 10 h 09.

Billy était parti au travail un quart d'heure plus tôt ce jour-là. Il devait passer à la poste pour envoyer quelques factures.

Les deux autres messages laissés sur son pare-brise, comme celui scotché sur son Neiman, ainsi que celui trouvé sur la porte de son réfrigérateur ce matin même avaient été composés sur son ordinateur plus de trois jours avant de lui être envoyés – trois jours avant que le cauchemar ne commence le lundi soir.

Si Lanny n'avait pas détruit les deux premières lettres pour sauver sa place et si Billy les avait montrées à la police, tôt ou tard, les autorités auraient examiné son ordinateur. Ils en auraient forcément conclu que c'était Billy l'auteur de ces notes.

Le dingue avait bien préparé son coup. Il n'avait rien laissé au hasard. Il tenait à ce que tout se déroule suivant le scénario prévu.

Billy effaça le document MORT, qui pouvait encore être utilisé comme preuve à charge contre lui – comment savoir ce que l'avenir lui réservait ?

Certes, faire disparaître le fichier du répertoire, ce n'était pas l'effacer du disque dur. Il faudrait qu'il se renseigne auprès d'un spécialiste en informatique…

Il éteignit l'ordinateur. Les voitures de patrouille n'étaient toujours pas parties.

33.

En soulevant le store de la fenêtre du bureau, Billy s'aperçut que l'allée était déserte. Il avait été tellement absorbé par la lecture de la disquette qu'il n'avait pas entendu les voitures s'en aller. Les policiers avaient enfin regagné leurs pénates.

Par chance, la disquette ne lui proposait aucun défi, aucun autre choix cornélien entre deux victimes, avec un temps donné pour faire savoir sa décision.

Sans doute, une épreuve semblable l'attendait, mais pour l'heure, il pouvait s'occuper de ses affaires urgentes. Et elles étaient nombreuses.

Il se rendit dans le garage récupérer une corde et une bâche en polyane dont il s'était servi pour couvrir les meubles quand il avait repeint la maison au printemps. Il la déplia sur le sol, devant le bureau.

Il extirpa le corps de Cottle de sa cachette, l'étendit par terre et l'emmaillota dans le carré de plastique.

L'idée de fouiller les poches de l'ivrogne le répugnait, mais il n'avait pas le choix.

Il n'espérait pas trouver de preuves l'incriminant ; si le tueur en avait placé sur le cadavre, elles étaient certainement invisibles aux yeux d'un néophyte.

En outre, il comptait se débarrasser du corps quelque part où l'on ne le retrouverait jamais. Pour cette raison, il ne se souciait nullement des empreintes qu'il pouvait laisser sur la bâche.

La veste était pourvue de deux poches intérieures. Dans la première, Cottle rangeait sa flasque de whisky. Dans la seconde,

Billy trouva une autre flasque – du rhum cette fois – qu'il remit en place.

Dans les deux poches extérieures : des cigarettes, un briquet jetable, et un rouleau de bonbon au caramel. Dans les poches frontales du pantalon, Billy trouva soixante-sept *cents*, un jeu de cartes et un sifflet de plastique en forme de canari.

Le portefeuille de Cottle contenait six billets d'un dollar, un billet de cinq et quatorze coupures de dix – sans doute l'argent versé par le tueur.

Dix dollars pour chaque année d'innocence perdue.

Économe par nature, Billy répugnait à faire disparaître cet argent avec le corps. Il songea à le laisser dans le tronc de l'église où il s'était garé (et fait attaquer) la veille au soir.

Mais la timidité l'emporta. Billy laissa l'argent dans le portefeuille. Comme les pharaons défunts qui abordaient l'Autre Rive avec du sel, du blé, du vin, de l'or et des serviteurs euthanasiés, Ralph Cottle traverserait le Styx avec de l'argent de poche.

Deux autres objets dans le portefeuille retinrent l'attention de Billy ; le premier : la photo jaunie et écornée de Cottle jeune homme. Il paraissait séduisant, viril et volontaire, à l'opposé de l'épave qu'il était devenu. À son bras, une charmante jeune femme. Tous deux souriaient. Ils paraissaient heureux.

Le second objet était une carte de membre datant de 1983 de la Société des Agnostiques, cercle auquel Ralph Thurman Cottle appartenait depuis 1978.

Billy garda la photo, la carte de membre, et remisa le reste dans le portefeuille.

Il enveloppa le cadavre dans la bâche et referma les deux extrémités avec du ruban adhésif.

Il espérait que, mmailloté ainsi par les multiples spires de plastique opaque, le corps passerait pour un rouleau de moquette. Mais le « colis » ressemblait indubitablement à un cadavre roulé dans une bâche.

À l'aide de la corde, il confectionna une poignée à l'une des extrémités de la bâche pour pouvoir tirer l'ensemble.

Billy comptait enlever le corps à la tombée de la nuit. Le compartiment arrière de l'Explorer était entouré de vitre. Les 4 × 4 étaient des véhicules utiles, mais pour transporter un cadavre en plein jour, rien ne valait le bon vieux coffre d'une berline.

Maintenant que sa maison lui paraissait aussi ouverte au public qu'une gare routière, Billy préféra sortir le corps du bureau pour le cacher derrière le canapé du salon. On ne pouvait le voir de la porte d'entrée, ni de la cuisine.

Puis il se lava les mains avec application, avec une débauche d'eau et de savon.

Il se prépara ensuite un sandwich au jambon. Comment pouvait-il avoir faim après avoir effectué ce travail peu ragoûtant ? Mais Billy était bel et bien affamé.

Jamais, il n'aurait cru que son instinct de survie soit resté aussi puissant après ces années de réclusion. Quels autres traits de sa personnalité, bons ou mauvais, allait-il découvrir (ou redécouvrir) chez lui dans les trente-six prochaines heures ?

Quelqu'un se souvient du chemin jusqu'à votre porte. On peut fuir sa vie, mais pas sa mort.

34.

Au moment où Billy terminait son sandwich, le téléphone sonna.

Il ne voulait pas répondre. Ses amis l'appelaient rarement, et Lanny était mort. Il savait de qui il s'agissait. Trop c'était trop.

À la douzième sonnerie, Billy recula sa chaise de la table.

Le malade n'avait jamais rien dit au téléphone. Il ne voulait pas révéler sa voix. Il se contenterait d'écouter encore Billy dans un mutisme narquois.

À la seizième sonnerie, Billy se leva de table.

Ces appels ne cherchaient qu'à l'intimider. Décrocher était stupide.

Billy se planta devant le téléphone, les yeux rivés sur l'appareil. À la vingt-sixième sonnerie, il prit le combiné.

Sur l'écran s'affichait NUMÉRO INCONNU.

Billy ne dit pas « allô ». Il se contenta d'écouter.

Après quelques secondes de silence à l'autre bout du fil, il y eut un clic mécanique, suivi d'un chuintement, lardé de *pop !* et de *scratch !* – le son d'une bande magnétique vierge.

Lorsque les mots arrivèrent, ils étaient prononcés par des voix successives, certaines masculines, certaines féminines. Chaque individu ne disait pas plus de trois mots consécutifs, souvent il en articulait qu'un seul.

À en juger par les sautes de volume et autres indices, le dingue avait construit son message en collant bout à bout des extraits d'enregistrements, peut-être provenant de livres audio.

— *Je veux... tuer une... jolie rousse. Si vous... dites...* *buter la pute... je vais... la tuer... très vite. Sinon... elle va... souffrir... sous la... torture. Longtemps. Vous... avez... une minute... pour dire... buter la pute. Le choix... vous... appartient.*

Puis le chuintement, émaillé de *pop !* et de *scratch !*, revint. Fin de l'enregistrement.

Le défi était parfaitement construit. Cette fois, Billy ne pouvait plus faire le mort.

Jusqu'à présent, Billy avait été complice uniquement par son inaction, qui avait décidé du choix des victimes et, dans le cas de Cottle, par son refus de prendre une décision.

Entre sacrifier une charmante institutrice ou une vieille dame charitable, le choix était cornélien, à moins de verser résolument dans le jeunisme. Agir, prendre une décision, engendrait ni plus ni moins de douleur ou de tragédie que l'inaction.

Quand les victimes potentielles étaient un célibataire « dont personne ne pleurera la mort » ou une jeune mère de deux enfants, la plus grande douleur semblait du côté du décès de la jeune maman. Dans ce cas, ne pas aller voir la police sauvait la mère, l'inaction était récompensée, la faiblesse favorisée.

De nouveau, on lui demandait de choisir entre deux maux, et de devenir, de fait, le complice du psychopathe. Mais cette fois, l'inaction n'était plus une option viable. En ne disant rien, il condamnait la femme rousse à la torture, à une mort longue et horrible. En répondant, il offrait à la malheureuse une mort plus douce.

Mais il ne pouvait pas la sauver.

Dans l'un et l'autre cas, c'était la mort.

Mais une mort plus propre que l'autre.

La bande magnétique fit entendre deux mots : « *... trente secondes...* »

Billy eut l'impression de ne plus pouvoir respirer, mais ses poumons fonctionnaient normalement. Il était certain de ne pouvoir déglutir tant sa gorge était serrée, mais il y parvint sans s'étrangler.

« *... quinze secondes...* »

Il avait la bouche sèche. Sa langue était du carton. Il se crut incapable d'articuler un mot, mais il put en sortir trois : « Buter la pute. »

Le malade raccrocha. Billy aussi.

Des collaborateurs.

Le jambon, le pain et la mayonnaise remuèrent dans son estomac.

S'il s'était douté que le dingue pouvait communiquer par téléphone, il se serait préparé à enregistrer l'appel. Mais c'était trop tard.

De toute façon, cet enregistrement d'enregistrement n'aurait pas été très probant pour les flics, à moins que l'on retrouve le cadavre d'une femme rousse. Auquel cas, on pouvait être sûr que le dingue aurait laissé sur le corps des preuves incriminant Billy.

L'air conditionné fonctionnait parfaitement, mais la cuisine paraissait une étuve, l'air épais encombrait sa gorge, pesait dans ses poumons.

Buter la pute.

Sans même s'en être rendu compte, Billy était sorti de la maison. Il se retrouva en train de descendre les marches du perron derrière la maison. Où espérait-il aller ?

Pris de court, il s'assit sur les marches.

Il regarda le ciel, les arbres, le jardin.

Puis il contempla ses mains. Il ne les reconnut pas.

35.

Billy quitta la ville par un chemin contourné. Personne ne le suivait.

Ne transportant pas dans la voiture de *burrito* géant fourré à la chair humaine, Billy se risqua à dépasser la vitesse autorisée pendant la majeure partie du trajet jusqu'à la pointe sud du comté. Un vent chaud s'engouffrait par la vitre cassée côté conducteur. À 13 h 52, il abordait la ville de Napa.

Napa est une cité pittoresque, qui a su garder son authenticité ; aucun politicien ni multinationale n'avaient encore tenté de la transformer en parc d'attractions à la Disneyland, comme c'était le cas de nombreuses bourgades de Californie.

Harry Avarkian, l'avocat de Billy, avait son cabinet en centre-ville, à proximité du palais de justice, dans une rue bordée d'oliviers centenaires. Il accueillit Billy par une embrassade vigoureuse digne d'un grizzly.

Avarkian avait une cinquantaine d'années ; grand, robuste, sympathique, avec son visage joufflu et son grand sourire, il ressemblait à un vendeur de lotion miracle pour la repousse des cheveux. Il avait sur le crâne une crinière de jais si épaisse qu'il lui fallait sans doute la tailler tous les jours, une moustache de morse et une moquette de poils noirs sur les mains qu'il avait grandes comme des battoirs – un ours fin prêt à hiberner !

Il travaillait derrière un vieux bureau d'usine si bien que lorsque Billy s'assit en face de lui, on eût dit moins un avocat avec son client que deux entrepreneurs discutant affaires.

Après les questions d'usage sur la santé et les considérations sur la touffeur de l'air, Harry demanda :

— Alors qu'avais-tu à me dire de si important que tu ne puisses me raconter au téléphone ?

— J'aurais pu te le dire au téléphone, mentit Billy (bien que la suite fût quasiment la vérité vraie) : mais comme je devais passer en ville pour régler une ou deux affaires, j'ai pensé faire un saut au cabinet pour te raconter ce qui me tracasse.

— Alors vas-y. Pose tes questions et on verra s'il me reste quelques notions juridiques pour éclairer ta lanterne.

— Il s'agit du fonds de Barbara.

Harry Avarkian et Gi Minh « George » Nguyen, le comptable de Billy, étaient les deux autres légataires qui géraient l'argent de Barbara.

— Il y a deux jours, j'ai reçu le deuxième quart du bilan financier, annonça Harry. Quatorze pour cent de bénéfice. Ce qui est un taux excellent sur ce secteur. Malgré les dépenses pour Barbara, le fonds grandit régulièrement.

— Nous avons bien placé l'argent, reconnut Billy. Mais j'ai passé une nuit blanche à me demander si quelqu'un pouvait faire main basse…

— Tu veux dire sur l'argent de Barbara ? Autant craindre qu'un astéroïde nous tombe sur la tête !

— Je m'inquiète. C'est plus fort que moi.

— Billy, c'est moi qui ai rédigé les documents concernant la sécurité du fonds, et tout est plus verrouillé que le cul d'une puce. En outre, avec toi comme gardien du temple, personne ne risque de détourner un *cent*.

— Mais si je venais à disparaître ?

— Tu n'as que trente-quatre ans. Comparé à moi, tu es un adolescent prépubère !

— Mozart est mort bien avant trente-quatre ans.

— Nous ne sommes pas au XVIIIᵉ siècle, et tu n'es pas pianiste à ce que je sache, alors la comparaison ne tient pas. (L'avocat fronça les sourcils.) Tu es malade ?

— Je l'ai été, reconnut Billy.

— C'est quoi ces sparadraps sur ton front ?

Billy ressortit son histoire d'écharde de bois.

— Rien de grave.

— Tu es bien pâle...

— Je ne suis pas beaucoup parti pêcher. C'est bon Harry, je n'ai ni un cancer, ni une saloperie de ce genre, mais je peux toujours me faire écrabouiller par un camion.

— Tu en as eu quelques-uns aux basques dernièrement? je parle des camions... Il y en a qui t'ont rasé les miches? C'est bizarre, tu n'es pas pessimiste d'ordinaire.

— Il y a Dardre...

Dardre était la sœur de Barbara. Elles étaient jumelles, mais pas issues du même œuf. Elles étaient très différentes, pour ne pas dire radicalement opposées.

— On n'entendra plus parler d'elle. Le tribunal n'a pas simplement débranché la prise, répondit Harry. Ils ont coupé le fil et retiré les batteries.

— Je sais, mais...

— Elle était un diablotin monté sur accus, d'accord, mais tout ça c'est de l'histoire ancienne, au même titre que ce que j'ai mangé la semaine dernière.

Cicily, la mère de Barbara et de Dardre, était une toxicomane. Elle n'avait jamais pu identifier leur père, et sur leur certificat de naissance, les jumelles avaient hérité du nom de leur mère.

Cicily avait été internée dans un asile quand les fillettes avaient deux ans. Barbara et Dardre avaient alors été placées dans une famille d'accueil. Cicily était morte onze mois plus tard.

Jusqu'à l'âge de cinq ans, les deux sœurs avaient migré ensemble de famille d'accueil en famille d'accueil. Puis elles avaient été séparées.

Barbara n'avait plus jamais revu Dardre. En fait, Barbara avait tenté de revoir sa sœur à l'âge de vingt et un ans. Elle avait retrouvé sa trace et tenté de renouer les liens, mais Dardre l'avait repoussée.

Bien qu'étant moins autodestructrice que Cicily, Dardre avait hérité de sa mère son goût pour les substances illicites et la vie dissolue. Elle trouvait l'existence rangée de sa sœur d'un ennui rare.

Huit ans plus tard, après tout le battage médiatique fait autour de l'affaire de Barbara et autour des millions de dédommagements versés par les assurances, Dardre s'était soudain découvert un attachement ardent et passionné pour sa sœur jumelle. En tant que seul membre de sa famille, elle avait tenté un procès pour être déclarée l'unique légataire universel de Barbara.

Par chance, sous l'insistance de Harry, Billy et Barbara avait signé, juste après leurs fiançailles, dans ce même bureau, un contrat faisant d'eux mutuellement le légataire universel de l'autre.

Le juge n'avait eu que mépris pour les manœuvres mercantiles de Dardre et avait rejeté sa demande.

Dardre avait tenté de faire appel dans deux autres tribunaux. En vain. Ils n'avaient plus eu de nouvelles de Dardre depuis deux ans.

Mais aujourd'hui, Billy s'interrogeait…

— Et si je meurs ?

— Tu nous as choisis pour gérer le fonds à ta place. Si tu es renversé par un camion, l'un de nous reprendra le flambeau.

— Je le sais. Mais…

— … si toi, moi, ainsi que George Nguyen sommes renversés aussi par des camions ? Si nous passons tous les trois l'arme à gauche, des candidats à la succession ont déjà été désignés, des candidats acceptables par un tribunal. En attendant qu'ils puissent prendre leur fonction, les affaires courantes seront gérées par un cabinet d'investissement au-dessus de tout soupçon.

— Tu as tout prévu, Harry.

Sa grosse moustache s'est soulevée sous son sourire.

— De tous mes hauts faits, le plus grand c'est de n'avoir jamais été pris de court.

— Mais s'il doit m'arriver quelque chose…

— Tu vas me rendre dingue !

— … y a-t-il quelqu'un d'autre, hormis Dardre, dont nous devrions nous méfier ?

— Quelqu'un d'autre ?

— Quelqu'un.

— Non. Personne.

— Tu en es certain ?

— Certain.

— Personne ne peut faire main basse sur l'argent de Barbara ?

Harry se pencha au-dessus de son bureau.

— Que se passe-t-il, Billy ?

Billy haussa les épaules.

— Je ne sais pas. Depuis quelque temps je suis… angoissé.

Harry le regarda en silence.

— Il serait peut-être temps, pour toi, d'avoir à nouveau une vie.

— J'ai une vie ! répliqua Billy d'un ton bien trop vif, sachant que Harry était un ami et un type bien.

— Tu peux veiller sur Barbara, être fidèle à sa mémoire, et avoir une vie à toi.

— Elle n'est pas qu'un souvenir. Elle est vivante ! Harry, tu es la dernière personne à qui je voudrais mettre mon poing sur la figure, alors arrête …

Harry poussa un soupir.

— Tu as raison. Ce sont tes affaires… et ton cœur.

— Allons, Harry, je ne t'aurais jamais frappé, tu le sais.

— Ai-je eu l'air inquiet ?

Billy lâcha un petit rire.

— Non, tu avais ton petit air habituel. Ta bonne tête de Fozzie du *Muppet Show*.

Les ombres mordorées projetées par les oliviers dansaient sur les vitres et les murs du bureau.

Après un nouveau silence, Harry Avarkian déclara :

— Il arrive que des gens sortent du coma après un botulisme, avec quasiment toutes leurs capacités intactes…

— Mais c'est rare, concéda Billy.

— « Rare » ne veut pas dire « jamais ».

— J'essaie d'être réaliste, mais je ne suis pas sûr de vouloir l'être.

— Avant, j'aimais la soupe vichyssoise, et maintenant, quand j'en vois au supermarché, j'ai l'estomac qui se retourne.

Alors que Billy était de service à la taverne un samedi, Barbara avait ouvert une boîte de soupe pour dîner. Une vichyssoise. Elle avait préparé des tartines de fromage grillées pour l'accompagner.

Voyant qu'elle ne répondait pas au téléphone le dimanche matin, Billy s'était rendu chez elle et était entré avec la clé qu'elle lui avait donnée. Il l'avait découverte inerte et inconsciente dans la salle de bains.

À l'hôpital, on lui avait administré d'urgence des antitoxines, ce qui lui avait permis d'échapper à la mort. Et maintenant elle dormait. Dormait. Dormait.

Jusqu'à son réveil – si elle se réveillait – les dégâts sur son cerveau ne pouvaient être évalués avec précision.

Le fabricant de la soupe, une société de bonne réputation, avait retiré immédiatement de la vente tous ses lots de vichyssoise. Sur plus de trois mille boîtes de soupe, seules six étaient contaminées par les toxines botuliques.

Aucune de ces six boîtes ne présentait de gonflement suspect du couvercle ; d'une certaine manière, le drame de Barbara avait sauvé la vie de six autres personnes.

Billy n'avait jamais trouvé de réconfort dans cette arithmétique.

— C'est une femme charmante, dit Harry.

— Elle est pâle et toute maigre, mais je la trouve toujours aussi belle. Et quelque part, quelque part au fond d'elle, il y a de la vie. Elle dit des choses. Je t'ai raconté. Là-bas, elle est en vie. Elle pense.

Billy contempla les ombres des oliviers qui ondulaient sur le bureau. Il ne releva pas la tête. Il ne voulait pas voir la pitié dans les yeux de son avocat.

Au bout d'un moment, Harry se mit à parler du temps qu'il faisait et puis Billy lança :

— Tu as entendu parler de ça ? À Princeton ou Harvard, ces scientifiques qui essaient de créer un cochon avec un cerveau humain ?

— Ils vont se mettre à faire ces conneries aux quatre coins de la planète ! Ils n'arrêteront donc jamais ? Plus ils en apprennent, plus ils sont ignorants.

— C'est réellement une horreur.

— Ils ne voient pas l'horreur. Tout ce qu'ils voient, c'est la gloire, l'argent.

— Quelle gloire ?

— Quelle gloire y avait-il à Auschwitz ? Et pourtant, ils étaient nombreux à y croire.

Après un long silence mutuel, Billy releva les yeux vers Harry.

— Avec moi, on s'amuse, pas vrai ?

— Un vrai boute-en-train. Je n'ai pas autant ri depuis des années.

36.

Dans une boutique de Napa, Billy acheta une caméra miniature et un enregistreur sur vidéodisque. La caméra pouvait prendre des images en continu de façon traditionnelle ou des photogrammes à intervalles de quelques secondes.

Dans cet autre mode, reliée à un disque de capacité suffisante, la caméra pouvait enregistrer une semaine entière d'images comme dans les systèmes de vidéosurveillance habituels des magasins.

Puisque Billy ne pouvait laisser aucun objet de valeur dans l'Explorer à cause de la vitre brisée, il convint avec le vendeur qu'il viendrait chercher le matériel un peu plus tard.

Il se mit ensuite en quête d'un distributeur de journaux et en trouva un devant une pharmacie.

Le quotidien avait fait sa une sur Giselle Winslow. L'enseignante avait été assassinée dans la nuit du lundi au mardi, mais son corps n'avait été découvert que le mardi après-midi – il y avait donc un peu moins de vingt-quatre heures.

La photo n'était pas celle glissée dans le livre sur les genoux de Lanny Olsen, mais la jeune femme était tout aussi charmante.

Le journal sous le bras, Billy se dirigea vers la bibliothèque du comté. Il avait un ordinateur chez lui, mais plus d'accès Internet ; la bibliothèque offrait ce service.

Il était le seul client dans la salle informatique. Tous les visiteurs se trouvaient aux tables de lecture ou déambulaient entre les rayonnages. À l'évidence, les bibliothèques à l'ancienne avaient encore de beaux jours devant elles.

Lorsqu'il écrivait, Billy faisait ses recherches sur le Web. Plus tard, il était venu y surfer pour se distraire, oublier la réalité. Finalement, depuis ces deux dernières années, il ne s'était plus jamais promené sur la Toile.

Les choses avaient bien changé. L'accès était plus rapide aujourd'hui, les recherches plus faciles.

Billy entra ses mots-clés. N'obtenant aucune réponse, il modifia les termes de sa requête, une fois, deux fois...

Les lois concernant l'alcool et la protection des mineurs différaient suivant les États. Dans nombre de juridictions, Steve Zillis était trop jeune pour travailler dans un bar. Il n'avait pas vingt et un ans. Billy retira le mot « serveur » de sa liste.

Steve travaillait à la taverne depuis seulement cinq mois. Lui et Billy ne s'étaient jamais raconté leur passé en détail.

Billy se souvenait que Steve était allé à l'université. Mais il ne se rappelait plus où. Il entra le mot « étudiant » dans la fenêtre de recherche.

Peut-être le mot « meurtre » était-il trop limitatif. Il le remplaça par « délit ».

Il obtint une réponse. Un article du *Denver Post*.

L'affaire datait de cinq ans et huit mois. Même si Billy savait qu'il ne devait pas « surinterpréter » ce qui était écrit *stricto sensu*, il fut frappé par ce qu'il découvrit.

Un jour de novembre, à l'université du Colorado à Denver, une étudiante nommée Judith Sarah Kesselman, âgée de dix-huit ans, avait disparu. Au début, du moins, il n'y avait nulle trace d'actes délictueux.

Dans l'article (apparemment le premier concernant la disparition de l'étudiante) un autre étudiant de l'université, Steven Zillis, dix-neuf ans, rapportait que Judith était « une fille géniale, pleine de vie et attentive aux autres, et qu'elle était l'amie de tout le monde ». Le jeune Zillis affirmait : « Judith n'est pas du genre à disparaître deux jours comme ça sans prévenir personne. »

Une autre recherche concernant Judith Kesselman lui rapporta une belle suite d'articles. Billy se prépara à lire que la jeune fille avait été retrouvée sans peau sur le visage.

Il parcourut cette prose, lisant d'abord chaque mot, puis en diagonale, à mesure que les informations se répétaient.

Amis, membres de la famille, professeurs étaient souvent cités. Pas une fois, Steven Zillis n'était mentionné à nouveau.

À en juger par le nombre d'articles, Judith Kesselman n'avait jamais été retrouvée. Elle s'était volatilisée comme si elle avait quitté cet univers pour un autre.

La fréquence des articles diminua durant les vacances de Noël et s'écroula de façon drastique après le nouvel an.

Les médias préféraient les cadavres aux disparus, le sang au mystère. Il y a toujours quelque part du nouveau et du sensationnel…

Le dernier article était sorti le jour du cinquième anniversaire de la disparition de la jeune fille. Sa ville natale était Laguna Beach, en Californie. L'article était paru dans l'*Orange County Register*.

Un journaliste, ému par le drame que vivaient les Kesselman, avait raconté leur espoir indéfectible face à cette affaire jamais élucidée : leur fille était encore en vie, quelque part, n'importe où sur la planète. Et un jour, elle rentrerait à la maison.

Judith faisait des études de musique. Elle jouait du piano, de la guitare, elle aimait le gospel, les chiens et les longues promenades sur la plage.

La presse avait fait paraître deux photos de la jeune fille. Sur les deux clichés, elle paraissait gentille, pétillante et espiègle.

Billy ne connaissait pas Judith Kesselman, mais regarder ce visage si frais, plein de promesses, lui fut insupportable. Il détourna les yeux devant ces clichés.

Il imprima une sélection d'articles pour les étudier plus tard chez lui et les glissa dans le journal acheté au distributeur.

Au moment de quitter la bibliothèque, alors qu'il passait devant les tables de lecture, une voix masculine le héla :

— Billy Wiles ! Tiens donc ! Ça fait une éternité !

Assis sur une chaise, le shérif John Palmer le regardait avec un grand sourire.

37.

Malgré son uniforme, le shérif, sans couvre-chef, ressemblait davantage à un politicien qu'à un représentant de la loi. Pour obtenir son poste, il avait dû se faire élire... il devait donc être à la fois un flic et un homme de communication.

Une raie impeccable de jeune premier, une peau de pêche rasée de près, les dents aussi blanches que dans une publicité pour dentifrice, un profil d'empereur antique digne d'être frappé sur une pièce de monnaie, Palmer paraissait dix ans plus jeune que son âge ; il était toujours prêt à passer devant les caméras.

Palmer, pourtant assis à une table de lecture, n'avait ni magazine, ni journal, ni livre devant lui. Il paraissait déjà tout savoir.

Le policier ne se leva pas de sa chaise. Billy demeura debout.

— Quoi de neuf à Vineyard Hills ? demanda Palmer.

— Toujours des vignes et des collines[1].

— Tu travailles toujours au bar ?

— On a encore besoin de moi. C'est le troisième plus ancien métier du monde.

— C'est quoi le deuxième, après les prostituées ?

— La politique.

Le shérif parut amusé.

— Tu écris ces temps-ci ?

— Un peu, mentit Billy.

---

1. *Vineyard* : vigne ; *hill* : colline. *(N.d.T.)*

L'une de ses nouvelles publiées avait pour personnage principal le sosie de John Palmer.

— Tu fais des recherches pour un nouveau roman ?

De sa chaise, Palmer avait une vue directe sur l'ordinateur sur lequel avait travaillé Billy, mais il n'avait pu distinguer les informations sur l'écran.

Peut-être Palmer avait-il le moyen de savoir ce que cherchait Billy au poste de travail. Un terminal public devait conserver les mots-clés entrés par les utilisateurs.

Non. C'était peu probable. Et puis il y avait les lois sur les libertés individuelles.

— Oui, répondit Billy. J'ai un peu fouiné.

— L'un de mes adjoints t'a vu te garer devant chez Harry Avarkian.

Billy ne répondit rien.

— Trois minutes après que tu as quitté Avarkian, il n'y avait plus d'argent dans ton parcmètre.

C'était possible.

— J'ai mis deux pièces pour te sauver la mise.

— Merci.

— La vitre côté conducteur est cassée.

— Un petit incident.

— Cela ne constitue pas une infraction, mais tu devrais faire réparer ça…

— J'ai pris rendez-vous pour vendredi.

— Cela ne te dérange pas au moins ?

— Quoi au juste ?

— Que l'on parle comme ça, de façon informelle, tous les deux, répondit Palmer en surveillant du regard la salle de lecture. (Aucune oreille indiscrète en vue.) Juste toi et moi ?

— Non, cela ne me dérange pas.

Billy aurait eu toutes les raisons du monde de passer son chemin. Mais il resta, bien décidé à ne pas se montrer intimidé.

Vingt ans plus tôt, Billy, alors âgé de quatorze ans, avait eu affaire à Palmer – n'importe quel policier menant ses interrogatoires de cette façon aurait vu sa carrière brisée net.

Mais Palmer, simple lieutenant alors, avait été promu capitaine, et plus tard chef de la police. Finalement, il avait brigué le poste de shérif et avait été élu. À deux reprises.

Harry Avarkian avait une théorie pour expliquer l'ascension de Palmer, une théorie qu'il tenait, prétendait-il, de la bouche même des adjoints du shérif : « La merde flotte toujours. »

— Comment va Miss Mandel ces temps-ci ? demanda le shérif.

— Pareil.

Palmer était-il au courant de son appel au 911 ? Napolitino et Sobieski n'avaient aucune raison de faire un rapport sur l'incident, d'autant plus qu'il s'agissait d'une fausse alerte.

En outre, les deux sergents travaillaient au poste de St. Helena. Le shérif sillonnait toute sa juridiction, mais son QG était ici, à Napa.

— Quelle triste histoire, lâcha Palmer.

Billy demeura silencieux.

— Au moins, elle est assurée d'avoir les meilleurs soins jusqu'à la fin de ses jours, grâce à tout cet argent.

— Ça va aller. Elle va s'en sortir.

— Tu le crois vraiment ?

— Oui.

— Tout cet argent… j'espère que tu as raison.

— J'ai raison.

— Ce ne serait que justice qu'elle puisse profiter du pactole.

Billy resta de marbre ; pas question de lui laisser entrevoir qu'il avait saisi la pique de Palmer.

Bâillant, s'étirant, détendu et badin, Palmer, le chat, jouait avec sa souris.

— Enfin, les gens seront contents d'apprendre que tu n'es pas fini, que tu recommences à écrire un peu.

— Quels gens ?

— Les gens qui aiment tes histoires…

— Vous en connaissez ?

Palmer haussa les épaules :

— Je ne fréquente pas ce genre de sphères. Mais je suis sûr d'une chose...

Le shérif attendait que Billy demande : « Quelle chose ? », mais Billy n'en fit rien.

Devant le silence du jeune homme, Palmer enchaîna :

— ... que ta mère et ton père seraient très fiers de toi.

Billy s'éloigna et quitta la bibliothèque.

Après la fraîcheur de l'air conditionné, la touffeur de l'été l'enveloppa d'un coup. Il suffoquait à chaque inspiration, s'étranglait quand il expirait. Mais était-ce la chaleur, ou bien le passé ?

38.

Il remontait au nord par la Route 29, jouant à cache-cache avec le soleil, à mesure que la vallée, célèbre pour ses vignes, se rétrécissait, d'abord imperceptiblement, puis de façon ostensible. Billy s'inquiétait... comment protéger Barbara ?

Avec l'argent, il pouvait louer les services de vigiles vingt-quatre heures sur vingt-quatre, jusqu'à ce que Billy mette la main sur ce dingue, ou que celui-ci en ait terminé avec lui. Le problème n'était pas financier. Mais géographique. La ville était petite. Les pages de l'annuaire ne regorgeaient pas de publicités pour des sociétés de surveillance et de gardiennage.

Il était risqué d'expliquer aux vigiles pourquoi Billy avait besoin de leurs services. Dire la vérité, c'était avouer que Billy avait un lien avec les trois meurtres dont le tueur cherchait à lui faire porter le chapeau.

S'il en disait trop peu, les gardes ne sauraient pas de quoi se méfier. Et leurs vies seraient en danger.

En outre, la plupart des vigiles étaient d'anciens policiers, ou des flics en activité voulant arrondir leur fin de mois. Ils avaient tous travaillé, de près ou de loin, avec John Palmer.

Il ne fallait pas que le shérif apprenne que Billy embauchait des vigiles pour assurer la protection de Barbara. Cela éveillerait sa curiosité ; il commencerait à poser des questions.

Après avoir passé quelques années dans le collimateur de Palmer, voilà que cela recommençait. Il ne fallait surtout pas attirer l'attention.

Billy ne pouvait demander à ses amis de veiller sur Barbara ; ce serait trop dangereux pour eux.

De toute façon, il n'avait pas d'amis suffisamment intimes auxquels demander un pareil service. Les gens, dans sa vie, étaient de simples connaissances.

Et c'était de son fait...

Il ne peut y avoir de vie hors de la communauté.

Billy le savait. Mais, volontairement, il n'avait rien semé et, par conséquent, n'avait rien récolté.

Le vent s'engouffrant par la vitre brisée lui soufflait l'étendue du chaos dans lequel il se trouvait.

Il était seul. Seul pour protéger Barbara au moment où un grand danger pesait sur elle. En était-il vraiment capable ?

Elle méritait un autre champion. Avec son passé, personne ayant besoin d'un garde du corps ne songerait à faire appel à lui, pas même en dernier recours.

Mon dernier meurtre : jeudi minuit.

Si Billy comprenait bien le message du tueur – et il en était quasiment certain –, le meurtre de Barbara serait le point d'orgue du spectacle sur lequel le rideau tomberait.

Et votre suicide, aussitôt après.

Demain soir, bien avant minuit, Billy monterait la garde au chevet de Barbara.

Ce soir, il ne pouvait être à son côté. Les affaires courantes – et pressantes – l'occuperaient sans doute jusqu'à l'aube.

S'il se trompait, si la mort de Barbara n'était que le coup de théâtre du second acte, cette vallée gorgée de soleil deviendrait pour lui aussi ténébreuse que les confins glacés du cosmos.

Il roulait de plus en plus vite, poussé par le désir de se repentir, baigné par le staccato des rayons frappant sa joue gauche ; tout en fixant le mont St. Helena qui se dressait droit devant, sentinelle insaisissable qui semblait reculer devant son avancée, Billy appela Whispering Pines. Touche « 1 », appel automatique.

Barbara avait une chambre individuelle, pourvue d'une salle de bains privative ; les heures de visite ne s'appliquaient donc pas à son cas. En prévenant l'administration de la clinique, un membre de la famille pouvait même passer la nuit entière dans la chambre.

Il voulait faire un saut là-bas et informer la direction qu'il resterait la nuit de jeudi à vendredi au chevet de Barbara. Il avait inventé une histoire qui permettrait d'éviter d'éveiller les soupçons.

La standardiste de la clinique lui apprit que Mme Norlee, la directrice, était en rendez-vous jusqu'à 17 h 30, mais qu'elle pourrait ensuite le recevoir. Il prit rendez-vous.

Peu avant 16 heures, il arriva chez lui ; allait-il découvrir dans la rue des voitures de patrouille, une ambulance, une ribambelle de policiers, et sur son perron le sergent Napolitino, contemplant l'un des deux rocking-chairs où reposerait le cadavre de Ralph Cottle, délivré de son cocon de polyane ? Mais non. Tout était tranquille.

Billy se gara derrière la maison et non dans le garage.

Il entra, fouilla chaque pièce. Aucune trace de passage pendant son absence.

Le cadavre était toujours emmailloté dans sa bâche, derrière le canapé.

39.

Au-dessus du four à micro-ondes, derrière les portes d'un placard, un logement contenait du papier sulfurisé, des plats à pizza et autres plaques de cuisson rangées verticalement. Billy sortit les plats ainsi que leurs supports pour les emporter à l'office.

Au fond de cet espace vide, il y avait deux prises de courant; l'une d'elles était en fonction. Le fil disparaissait par un trou ménagé dans la paroi arrière du placard.

C'était l'alimentation du four à micro-ondes. Billy la débrancha.

Juché sur un escabeau, il fit un trou à la perceuse dans le socle du placard et perfora la paroi supérieure du four. L'appareil était perdu, mais il s'en fichait.

Il se servit du foret comme d'une lime électrique pour agrandir le trou. Le bruit de métal était douloureux pour les oreilles.

Une odeur de métal chaud s'éleva de l'orifice mais il acheva le travail avant que la chaleur ne lui pose un problème.

Il nettoya les débris tombés dans le four et y installa la caméra.

Après avoir branché le cordon de sortie du signal vidéo à la caméra, il passa le câble dans le trou qu'il venait de percer. Il fit de même avec le câble d'alimentation.

Dans le placard qui contenait précédemment les plats, Billy plaça l'enregistreur et raccorda le câble vidéo conformément au mode d'emploi.

Il brancha l'alimentation secteur de la caméra et celle de l'enregistreur sur les prises électriques désormais libres.

Il plaça sur la platine un disque d'une capacité d'enregistrement de sept jours. Il régla les appareils en suivant les instructions du fabricant et les alluma.

Une fois la porte du four refermée, la vitre se trouvait plaquée sur le pare-soleil en caoutchouc de la caméra. L'objectif était pointé vers la porte d'entrée côté jardin.

On ne distinguait la caméra dans le four que si on avait le nez collé à la porte vitrée. Le dingue ne découvrirait le mouchard que s'il voulait se faire du pop-corn.

La vitre étant pourvue d'un film protecteur entre deux couches de verre, Billy ignorait si la caméra pouvait enregistrer des images nettes. Il lui fallait faire un essai.

Les stores vénitiens étaient tirés à toutes les fenêtres de la cuisine. Il les releva et alluma le plafonnier.

Il se plaça devant la porte du jardin puis traversa la cuisine d'un pas tranquille.

L'enregistreur était équipé d'un petit écran de contrôle. Billy grimpa sur l'escabeau et visionna la séquence prise image par image. Il vit une silhouette sombre devant la porte. Mais quand celle-ci traversa la pièce, la luminosité s'améliora et il se reconnut.

Il n'aimait pas son image. Le teint cendreux, l'air inquiet, farouche, plein de détermination, mais de fébrilité aussi.

À sa décharge, il faut dire que l'image était en noir et blanc et quelque peu granuleuse. Sa démarche saccadée était due à la prise de vues séquentielle.

Malgré tout, son apparence l'inquiétait; il était une forme, une ombre, mais il n'avait pas plus de substance qu'un spectre. Il paraissait un intrus dans sa propre maison.

Il remit le disque à zéro, ferma les portes du placard et rangea l'escabeau.

Dans la salle de bains, il changea les pansements de son front. Les entailles des hameçons étaient violacées, mais pas plus enflées qu'au matin.

Il enfila un T-shirt noir, un jean noir et des Rockports, noires également. Le soleil se couchait dans moins de quatre heures; quand viendrait le crépuscule, Billy aurait besoin d'être une ombre dans la nuit hostile.

40.

Gretchen Norlee aimait les tenues sombres et austères ; elle ne portait jamais de bijoux, coiffait ses cheveux en arrière, contemplait le monde derrière des lunettes à monture d'acier et décorait son bureau d'une collection de peluches. Un nounours, un crapaud, un canard, un Knuffle Bunny, et un chaton bleu étaient présentés sur des étagères, au milieu d'un assortiment de toutous qui accueillaient le visiteur en montrant leur langue de velours rose fuchsia.

Gretchen gérait les cent deux lits de Whispering Pines d'une main de fer et avec un cœur plein de compassion. Son dévouement contrastait avec la dureté de sa voix.

Comme tout être cherchant à trouver un équilibre sommaire dans un monde particulièrement instable, Gretchen était pleine de contradictions. Mais chez la directrice de la clinique, celles-ci sautaient aux yeux et avaient un charme particulier.

Délaissant son bureau, pour montrer à Billy qu'elle considérait cette entrevue hors du cadre strictement professionnel, Gretchen s'installa dans le fauteuil Renaissance en face de lui.

— Barbara occupant une chambre privative, elle peut avoir de la compagnie en dehors des heures de visite sans risquer d'importuner les autres patients. Je ne vois pas d'inconvénient à votre requête, même si d'ordinaire les familles passent la nuit avec le malade uniquement à son retour du bloc.

Gretchen avait trop de tact pour montrer sa curiosité, mais Billy jugea préférable de lui donner une explication, même si elle était parfaitement mensongère.

— À une réunion de mon groupe évangélique, nous avons discuté du pouvoir de la prière...

— Vous faites partie d'un groupe évangélique? demanda-t-elle, intriguée, comme si elle avait du mal à croire que Billy puisse être aussi pieux.

— Une récente étude médicale montre que lorsque des amis ou des membres de la famille prient avec ferveur pour le rétablissement d'un proche, le patient recouvre souvent la santé, et ce plus vite que les autres.

Cette étude controversée avait suscité bien des discussions de comptoir quand elle était parue dans les journaux. C'est le souvenir de ces conversations arrosées au zinc, et non quelque débat sérieux au sein d'un cercle religieux, qui lui avait soufflé l'idée de ce mensonge.

— Je crois avoir lu ça quelque part, répondit Gretchen Norlee.

— Évidemment, je prie tous les jours pour Barbara.

— Bien entendu.

— Mais je me demande si la prière n'est pas plus puissante si elle exige un certain sacrifice.

— Un sacrifice?

Billy sourit.

— Je ne parle pas d'égorger un mouton.

— Ah. Voilà qui rassurera le service d'entretien!

— Mais la prière avant le coucher, toute sincère qu'elle soit, n'est pas très coercitive.

— Je comprends.

— Une prière est sans doute plus efficace si elle a un coût personnel – ne serait-ce que la privation de sommeil durant une nuit.

— Je n'y avais jamais songé.

— De temps en temps, donc, j'aimerais venir passer une nuit blanche en prière dans la chambre de Barbara. Si cela ne lui est d'aucun secours, cela me fera du bien à moi.

En s'écoutant parler, Billy avait l'impression d'être un télé-évangéliste prônant les vertus de l'abstinence contre la fornication sauvage à l'arrière des voitures.

À l'évidence, Gretchen Norlee portait sur lui un jugement moins sévère. Ses yeux, derrière ses lunettes, s'embuèrent de compassion.

Ses nouvelles aptitudes de fabulateur inquiétaient Billy. Quand un menteur devient trop habile dans la duperie, il finit par perdre sa capacité à discerner la vérité, et peut lui-même être facilement abusé.

Mais peut-être était-ce le prix à payer pour tromper une brave femme comme Gretchen Norlee.

Tout se payait en ce bas monde.

41.

Alors que Billy longeait le couloir principal pour rejoindre la chambre de Barbara dans l'aile ouest de la clinique, le Dr Jordan Ferrier, son médecin traitant, sortit d'une chambre. Les deux hommes manquèrent de se télescoper.

— Billy !

— Bonjour, docteur Ferrier.

— Billy, Billy...

— Je sens le sermon approcher...

— Vous m'évitez.

— Je fais de mon mieux, reconnut Billy.

Le Dr Ferrier paraissait plus jeune que son âge. À quarante-deux ans, il avait les cheveux blonds, des yeux verts malicieux et était un VRP zélé de la Grande Faucheuse.

— Cela fait déjà plusieurs semaines que nous devrions avoir eu notre réunion semestrielle.

— Cette réunion est votre idée. Pour ma part, une tous les dix ans me suffirait amplement.

— Allons voir Barbara...

— Non. Je ne veux pas parler devant elle.

— Comme vous voudrez.

Le Dr Ferrier prit Billy par le bras et le conduisit vers le foyer où le personnel soignant prenait ses pauses.

Ils étaient seuls dans la pièce. Les distributeurs de sodas et de confiseries ronronnaient en sourdine, prêts à offrir leurs trésors hypercaloriques, hyperlipidiques ou hypercaféinés à un corps médical qui connaissait parfaitement les dangers de ce genre d'alimentation mais qui avait le bon sens de s'accorder quelques plaisirs.

Ferrier tira à lui une chaise de plastique blanc coincé sous une table orange en Formica. Voyant que Billy ne l'imitait pas, le médecin soupira, remisa la chaise et resta debout.

— Il y a trois semaines, j'ai pratiqué un bilan complet sur Barbara.

— Moi, j'en fais un tous les jours.

— Je ne suis pas votre ennemi, Billy.

— Sauf à cette époque de l'année…

Ferrier était un médecin dévoué, intelligent, talentueux et bien intentionné. Malheureusement, la faculté de médecine qui l'avait formé lui avait inoculé le virus de l'« éthique utile ».

— Son état ne s'améliorera pas, insista Ferrier.

— Il n'empire pas non plus.

— Jamais elle ne retrouvera ses capacités cognitives et…

— Elle parle parfois, l'interrompit Billy. Vous le savez comme moi.

— Mais ses paroles ont-elles un sens? Est-elle cohérente?

— De temps en temps.

— Donnez-moi un exemple.

— Comme ça, je ne peux pas. Il faut que je consulte mon carnet.

Ferrier avait un regard plein de sympathie et il savait en user.

— Barbara était une jeune femme merveilleuse, Billy. À part vous, je suis la personne qui a le plus de considération pour sa personne. Mais aujourd'hui, sa vie n'a plus de sens.

— Pour moi, elle en a.

— Ce n'est pas vous qui souffrez. C'est elle.

— Je n'ai pas l'impression qu'elle souffre.

— Nous ne pouvons en être certain.

— Précisément.

Dans son autre vie, Barbara aimait bien le Dr Ferrier. C'est pour cette raison que Billy n'avait pas changé de médecin.

À un certain niveau de conscience, elle devait percevoir ce qui se passait autour d'elle. Auquel cas, être soignée par le Dr Ferrier et non par un inconnu devait la rassurer.

L'ironie grinçante de ce paradoxe aiguisait en Billy un sentiment d'injustice tranchant comme une lame de rasoir.

Si elle avait su que Ferrier était infecté par les nouveaux virus de la bioéthique, qu'il pensait avoir la sagesse et le droit de décider si la vie d'un individu valait ou non la peine d'être vécue, qu'il s'agisse de la vie d'un bébé trisomique, d'un enfant handicapé ou d'une femme dans le coma, sans doute aurait-elle voulu changer de médecin. Mais voilà, elle n'en savait rien...

— Barbara était une personne si joyeuse, si pétillante, poursuivit le médecin. Elle ne peut vouloir végéter ainsi, dans son trou noir, jour après jour, année après année.

— Elle n'est pas perdue au fond d'un abîme. Elle flotte sous la surface. Juste en dessous. Elle est là, avec nous.

— Je comprends votre chagrin, Billy. Je vous assure que je comprends. Mais vous n'avez pas les connaissances médicales pour appréhender totalement sa condition. Elle n'est pas avec nous. Elle ne le sera jamais.

— Je me souviens de ce qu'elle a dit l'autre jour : « Je veux savoir ce qu'elle dit... la mer, ce qu'elle essaie de dire, encore et encore. »

Ferrier regarda Billy avec un mélange de tendresse et d'agacement.

— C'est ça votre meilleur exemple de propos cohérents ?

— *D'abord, ne pas nuire*, n'est-ce pas l'un de vos premiers préceptes ? répliqua Billy.

— On nuit aux autres patients lorsqu'on consacre notre temps et nos moyens limités à des cas désespérés.

— Son cas n'est pas sans espoir. Elle rit parfois. Elle rit, ici et maintenant, et elle a plein d'argent pour payer vos soins.

— De l'argent qui pourrait être bien mieux employé.

— Je ne veux pas de cet argent.

— Je le sais. Vous n'en dépenseriez pas un dollar pour vous-même. Mais vous pourriez utiliser cet argent pour soulager des cas qui ont plus de chance de s'en sortir que Barbara, des gens qui en ont vraiment besoin.

Billy supportait Ferrier aussi parce qu'il avait été si convaincant dans ses rapports médicaux que le fabricant de la vichyssoise avait choisi de payer sans broncher plutôt que d'affronter les tribunaux.

— Je ne pense qu'à Barbara, croyez-le, poursuivit Ferrier. Si j'étais à sa place, je ne voudrais pas rester cloué comme ça sur un lit, pendant des années.

— Et moi, je respecterais sa volonté... Mais ni vous ni moi ne savons ce que Barbara veut.

— Il n'est pas question d'agir... juste de la laisser partir, lui rappela le médecin. Presque rien. Juste retirer la sonde.

Dans son coma profond, Barbara n'avait pas de réflexe de déglutition et ne pouvait avaler normalement. La nourriture terminerait dans ses poumons.

— Retirer la sonde et laisser la nature faire le reste.

— La faire mourir de faim.

— Rien que la nature.

Billy laissait Barbara aux soins de Ferrier parce qu'il était un médecin honnête quant à sa foi en l'« éthique utile ». Un autre praticien aurait pensé la même chose, mais se serait bien gardé de le dire et se serait attribué le beau rôle – celui de l'ange ou de l'apôtre de la compassion universelle.

Deux fois par an, Ferrier tentait donc de faire pression sur Billy, mais jamais il ne « débrancherait » Barbara sans son accord.

— Non, répondit Billy. Non. On ne va pas faire ça. On va continuer comme avant.

— Quatre ans, c'est très long.

— La mort est plus longue encore.

42.

18 heures. Les rayons obliques du soleil entraient par la fenêtre, baignant la pièce de chaleur, d'or et de vie.

Sous ses paupières diaphanes, les yeux de Barbara Mandel s'agitaient à la poursuite de quelque rêve.

— J'ai vu Harry aujourd'hui, dit Billy, perché sur son tabouret de bar. Il en rit encore quand il se souvient que tu le comparais à l'ours Fonzie. Il dit que sa plus grande fierté, c'est de n'avoir pas été radié du barreau.

Il ne lui raconta pas le reste de sa journée. Inutile de lui saper le moral.

Les deux points faibles de la pièce étaient la porte et la fenêtre. La salle de bains adjacente avait des murs aveugles.

La fenêtre était équipée d'un store et d'un verrou. Mais la porte ne pouvait être fermée à clé.

Comme tout lit d'hôpital, celui de Barbara était muni de roues. Jeudi soir, à l'approche de minuit, Billy pourrait emmener Barbara ailleurs, dans une autre chambre, pour tromper le tueur.

La jeune femme n'était pas reliée à une batterie de moniteurs ni à un respirateur artificiel. Le sérum et la pompe étaient accrochés à une potence fixée au montant du lit.

Du bureau des infirmières, au milieu du couloir principal, personne ne pouvait voir ce qui se passait dans l'angle de l'aile ouest. Avec un peu de chance, il pourrait transporter Barbara sur son lit à roulettes au dernier moment, sans être vu, et revenir dans la chambre attendre le tueur de pied ferme.

À supposer que les choses en arrivent à cette extrémité... ce « transport » était une possibilité salutaire, à défaut d'être joyeuse.

Billy abandonna Barbara et explora l'aile de la clinique, repérant les chambres occupées, inspectant une pièce de rangement, une salle d'eau, afin d'évaluer les possibilités de cachette qui s'offraient à lui.

Quand Billy revint dans la chambre, Barbara parlait :

— ... trempé par la pluie... couvert de boue... estropié par les pierres...

Ses mots évoquaient un cauchemar, mais le ton de sa voix était calme. Elle parlait doucement, comme si elle était émerveillée.

— ... écorché par les cailloux... déchiré par les épines... égratigné par les ronces...

Billy avait oublié son carnet et son crayon. Même s'il avait pensé à les prendre avec lui, il n'aurait jamais eu le temps de tout noter.

— Ton nom, et vivement ! lança la jeune femme.

Billy posa la main sur l'épaule de Barbara pour la rassurer.

— Ton nom... ton nom ! murmura-t-elle avec urgence.

Billy s'attendait à la voir ouvrir les yeux pour le fixer, mais elle n'en fit rien.

Lorsque Barbara se tut, Billy s'accroupit pour repérer le cordon d'alimentation des moteurs permettant de régler la position du lit. S'il avait besoin de déplacer le lit la nuit prochaine, il lui faudrait débrancher cette prise.

Par terre, juste sous le sommier, il aperçut une photo prise par un appareil numérique. Il ramassa le cliché et l'approcha de la fenêtre pour l'examiner.

— S'approcher de toi, murmura Barbara.

Il tourna la photo sur les trois côtés avant de s'apercevoir que l'image représentait une mante religieuse, apparemment morte, toute pâle sur des planches de bois pâles.

— ... s'approcher de toi... et t'ouvrir le ventre...

Soudain la voix de Barbara se tortilla dans ses oreilles comme un insecte à l'agonie. Un grand frisson le traversa de part en part.

Durant les heures de visite normales, familles et amis déambulaient à leur gré dans la clinique, sans avoir à signer quelques registres.

— ... les mains que les morts étendaient...

Barbara nécessitant moins d'attention que les malades ordinaires, qui clamaient leurs litanies de jérémiades et de doléances, les infirmières passaient rarement dans sa chambre.

— ... grandes pierres... longues lignes rouges...

Un visiteur discret pourrait rester dans la chambre, à côté du lit de Barbara, une demi-heure, à l'insu de tout le monde, sans que quiconque le voie entrer ou sortir de la pièce.

Billy rechignait à abandonner Barbara et à la laisser parler dans une chambre vide, même si cela devait lui arriver bien souvent. Mais la soirée de Billy, déjà très chargée, s'était trouvée encore compliquée...

— ... ses chaînes pendantes... un terrible moment...

Billy glissa la photo dans sa poche.

Il se baissa pour embrasser Barbara sur le front. Sa peau était fraîche, comme toujours.

Il se dirigea vers la fenêtre et descendit le store.

Hésitant à partir, il s'immobilisa sur le pas de la porte, contemplant la jeune femme.

Elle articula des mots qui éveillèrent des échos mystérieux en lui, sans qu'il puisse expliquer pourquoi.

— Mme Joe... Mme Joe.

Billy ne connaissait ni de Mme Joe, de Mme Joseph, Johanson, Jonas, ou de quelque autre patronyme aux consonances semblables. Et pourtant ce nom lui était familier.

L'insecte fantôme remua de nouveau dans son oreille. Sa colonne se mit à fourmiller.

En prononçant une prière aussi fervente que celles auxquelles il avait fait allusion à Gretchen Norlee, Billy abandonna Barbara à son sort; c'était la dernière nuit où elle serait encore en sécurité.

Il restait moins de trois heures de jour dans ce ciel trop sec pour emporter le moindre nuage; le soleil était une boule ardente, brillant d'un feu thermonucléaire, l'air immobile, comme avant un grand cataclysme.

43.

Le jardin devant la maison était impeccable : à la place du gazon avec sa corvée de tonte, un tapis soyeux de gypsophiles et, sous les branches gracieuses des faux poivriers, une symphonie de tiarelles.

Pour ombrager l'allée, une pergola couverte de vigne vierge dont les fleurs en forme de trompette semblaient lancer un concert silencieux au soleil.

Le tunnel de verdure, comme une invite au crépuscule, conduisait au patio décoré de valérianes rouges en pot.

La maison était d'inspiration hispanique, modeste mais gracieuse et bien entretenue.

Un oiseau noir avait été peint sur la porte rouge, les ailes déployées, comme figé en plein envol.

Billy eut à peine le temps de toquer que la porte s'ouvrit, comme si on attendait sa visite avec impatience.

— Salut, Billy ! lança Ivy Elgin sans surprise.

On eût cru qu'elle l'avait vu arriver par le hublot de la porte – sauf que le battant était aveugle.

Pieds nus, elle portait un short vert pour être à l'aise et un grand T-shirt rouge dépourvu du moindre slogan publicitaire. Même en manteau et capuche, elle resterait attirante, telle une lumière pour les papillons de nuit.

— Je me demandais si tu serais chez toi.

— Je ne travaille pas le mercredi.

Elle recula d'un **pas**. Billy hésita à entrer.

— Je sais. Mais tu as une vie…

— Je décortique des pistaches dans la cuisine.

Elle tourna les talons et s'enfonça dans la maison, pour l'inciter à la suivre, comme s'il était venu des milliers de fois. Or, cette visite était une première.

D'épais rideaux occultaient la lumière du soleil, et une lampe pourvue d'un abat-jour à glands en soie bleue dispensait une lumière tamisée dans le salon.

Billy remarqua le plancher de pin sombre, les fauteuils en velours bleu roi, le tapis d'inspiration persane. La menuiserie semblait dater des années 30.

Les lattes grinçaient sous ses pas mais pas sous ceux d'Ivy. Elle traversa la pièce, légère comme un courant d'air, effleurant les planches, à la manière d'une fée traversant un lac sans troubler la surface de l'eau.

Au fond de la maison, la cuisine était aussi grande que le salon et pourvue d'un coin repas.

Murs lambrissés, placards vitrés, carrelage blanc au sol agrémenté de cabochons noirs, avec un je-ne-sais-quoi qui rappelait le charme particulier des maisons des bayous de Louisiane.

Deux fenêtres, donnant sur le jardin, étaient ouvertes pour aérer la pièce. Sur l'appui de l'une d'elles, un grand oiseau noir.

Le volatile était aussi immobile que l'œuvre d'un taxidermiste. Puis l'animal tourna la tête.

Même si Ivy ne proposa rien, Billy se sentit invité à s'asseoir ; au moment où il prenait place à table, la jeune femme déposa un verre empli de glaçons devant lui. Elle prit un pichet et lui servit du thé glacé.

Sur la toile cirée à damiers rouges et blancs, il y avait un autre verre de thé, une assiette de cerises, un ramequin débordant de pistaches et un bol à moitié empli de baies décortiquées.

— C'est joli chez toi.

— C'est la maison de ma grand-mère. (Elle prit trois cerises dans l'assiette.) C'est elle qui m'a élevée.

Ivy parlait doucement, comme à son habitude. Même dans le brouhaha de la taverne, elle n'élevait jamais la voix, et pourtant elle se faisait toujours parfaitement entendre.

Billy, qui pourtant n'était pas du genre indiscret, demanda d'une voix aussi douce que celle de la jeune femme :

— Qu'est-il arrivé à ta mère ?

— Elle est morte à ma naissance, répondit Ivy en déposant les cerises sur l'appuie-fenêtre à côté de l'oiseau. Et mon père s'est fait la malle.

Le thé était aromatisé avec du nectar de pêche et une larme de menthe.

Alors qu'Ivy revenait s'asseoir pour reprendre son décorticage de pistaches, l'oiseau fixa Billy, sans s'intéresser aux cerises.

— Il est apprivoisé ?

— Disons qu'on s'est trouvés tous les deux. Il s'aventure rarement au-delà de la fenêtre et, quand cela lui arrive, il respecte mes règles de propreté.

— Comment s'appelle-t-il ?

— Il ne m'a pas encore dit son nom. Mais ça ne saurait tarder.

Jamais Billy ne s'était senti à la fois aussi à l'aise avec quelqu'un ni aussi désorienté – c'est sans doute la raison pour laquelle il s'entendit poser cette question improbable :

— Lequel est venu en premier, le vrai oiseau ou celui sur la porte ?

— Ils sont arrivés ensemble, déclara-t-elle, lui donnant une réponse pas moins étrange que sa question.

— Qu'est-ce que c'est ? Une corneille ?

— Il est plus noble que ça. C'est un corbeau, un grand corbeau, et il veut nous faire croire qu'il n'est rien d'autre que ça.

Billy ne sut que dire et ne répondit rien. Il se sentait bien dans le silence, et elle aussi, apparemment.

Il ne ressentait plus ce sentiment d'urgence qu'il avait éprouvé en quittant Whispering Pines. Le temps semblait suspendu ici... ou ne plus avoir d'importance.

Finalement, l'oiseau s'intéressa aux cerises et, à coups de bec adroits, il arracha la chair des noyaux.

Les longs doigts d'Ivy paraissaient se mouvoir au ralenti, et pourtant les pistaches décortiquées s'accumulaient rapidement dans le bol.

— Tout est si calme dans cette maison.

— Parce que les murs n'ont pas eu à entendre des années de bavardages inutiles.

— Ah bon?

— Ma grand-mère était sourde et muette. On communiquait par signes ou par écrit.

Derrière le perron, le jardin était une symphonie de fleurs rouges, bleues, pourpres. Peut-être une feuille frémissait-elle, peut-être un criquet stridulait-il sur une tige, peut-être une abeille butinait-elle un pistil… mais aucun son ne parvenait jusqu'aux fenêtres ouvertes.

— Tu préférerais peut-être un peu de musique? s'enquit Ivy. Mais moi je n'aime pas ça.

— Tu n'aimes pas la musique?

— J'en ai plus que mon soûl à la taverne.

— Moi, j'aime bien la musique cajun. Le Western swing aussi. Les Texas Top Hands. Bob Wills & His Texas Playboys.

— De toute façon, il y a déjà de la musique; quand on cesse de s'agiter, on l'entend.

Billy n'entendait rien – sans doute n'était-il pas assez calme.

Il sortit de sa poche la photo de la mante religieuse et la posa sur la table.

— J'ai trouvé ça sous le lit de Barbara à la clinique.

— Tu peux la garder si tu veux.

Billy ne savait qu'en conclure.

— Tu es allée rendre visite à Barbara?

— Ça m'arrive, parfois.

— Je l'ignorais.

— Elle était gentille avec moi.

— Quand tu as commencé à travailler à la taverne, cela faisait déjà un an qu'elle était dans le coma…

— Je la connaissais d'avant.

— Ah bon?

— Elle a été très gentille avec moi lorsque ma grand-mère est morte à l'hôpital.

Barbara était infirmière – une bonne infirmière.

— Tu lui rends souvent visite ?

— Une fois par mois.

— Pourquoi ne me l'as-tu jamais dit ?

— On aurait alors été obligés de parler d'elle, non ?

— Comment ça ?

— De son état, de ce qu'elle endure… je doute que cela t'aide à trouver la paix.

— La paix ? Non. Bien sûr que non.

— Et te rappeler comment elle était avant, avant son coma… cela te fait-il du bien ?

Billy réfléchit à la question un moment.

— Parfois, oui.

Ivy releva la tête et fixa Billy de ses prunelles couleur miel.

— Alors ne parle pas du présent. Souviens-toi seulement du passé.

Le corbeau mangea les deux premières cerises et marqua une pause pour étirer ses ailes. Elles se déployèrent dans un silence d'airain, et se refermèrent tout aussi furtivement.

Quand Billy reporta son attention sur Ivy, elle était de nouveau occupée à décortiquer ses pistaches.

— Pourquoi as-tu pris avec toi cette photo pour venir voir Barbara ?

— J'ai toujours avec moi mes photos récentes – celles d'animaux morts.

— Pourquoi ?

— Je suis haruspice, lui rappela-t-elle. Je lis dans les cadavres. Ils renferment des présages.

Billy but une gorgée de son thé glacé.

Le grand corbeau l'observait, bec ouvert, comme s'il s'apprêtait à croasser. Mais aucun son ne sortit de sa gorge.

— Et que prédisent tes cadavres pour Barbara ? demanda Billy.

Avec son masque de sérénité, il était impossible de savoir si le jeune oracle préparait un mensonge ou si, plus simplement, ses pensées s'égaraient.

— Rien, répondit Ivy.

— Rien du tout?

Elle avait donné sa réponse. Elle n'avait rien à ajouter.

Sur la table, la mante religieuse morte de la photo resta aussi impénétrable.

— D'où t'est venue cette idée de lire l'avenir dans les cadavres? de ta grand-mère?

— Non. Elle n'était pas d'accord. Grand-mère était une catholique de la vieille école. Pour elle, croire en des forces occultes était un péché. Cela représentait un danger pour l'âme.

— Et tu ne partages pas ce point de vue...

— Oui et non, disons, répondit Ivy d'une voix plus faible encore que de coutume.

Lorsque le corbeau termina la dernière cerise, les noyaux dénudés gisaient bien rangés côte à côte sur l'appuie-fenêtre, comme pour respecter les règles de propreté de la maîtresse des lieux.

— Je n'ai jamais entendu la voix de ma mère, déclara Ivy.

Encore une fois Billy fut désorienté, puis il se souvint que la mère d'Ivy était morte en couches.

— Depuis que je suis toute petite, je sais que ma mère a quelque chose de très important à me dire.

Pour la première fois, Billy remarqua l'horloge accrochée au mur. Elle n'avait pas d'aiguilles – aucune, ni celle des secondes, ni celle des minutes, ni celle des heures.

— Cette maison a toujours été aussi silencieuse. Si calme. On apprend à entendre ici.

Billy tendit l'oreille.

— Les morts ont des choses à nous dire, poursuivit Ivy.

Avec ses yeux d'obsidienne, l'oiseau regarda sa maîtresse.

— Le mur est plus fin ici qu'ailleurs – le mur entre les deux mondes. Un esprit peut se faire entendre de l'autre côté s'il le veut de toutes ses forces.

Ivy repoussa la coquille vide d'une pistache et lâcha la baie nue dans le bol; presque aucun bruit ne se fit entendre. Les gestes d'Ivy semblaient se fondre dans le silence, tisser une symphonie de sons plus ténus et discrets encore que les tintements des glaçons fondant dans les verres de thé.

— Parfois, la nuit, ou dans des moments de calme comme celui-ci, ou le soir encore, quand l'horizon avale le soleil et le réduit au silence, je sais que maman m'appelle. J'entends sa voix, je reconnais son timbre… mais je ne comprends pas ses mots. Pas encore.

Billy songea à Barbara parlant du fond des abysses de son sommeil artificiel, à ses mots dépourvus de sens pour ceux de la surface, et pourtant vibrant pour lui d'un message mystérieux.

Aux yeux de Billy, Ivy Elgin était aussi inquiétante qu'attirante. Même si son innocence semblait parfois toucher à l'immaculé, Billy savait que dans le cœur d'Ivy, comme dans celui de tout homme ou femme, devait se trouver un lieu de ténèbres que la lumière n'atteignait jamais, un lieu où la paix, le calme jamais ne régnaient.

Néanmoins, même si les convictions de Billy sur la vie et le trépas différaient de celles de la jeune femme, même si quelque motivation impure pouvait animer l'apprentie haruspice (quoiqu'il en doutât fortement), Billy croyait en la sincérité d'Ivy ; elle pensait vraiment que sa mère tentait de lui parler, et qu'elle tenterait encore, et encore, jusqu'à y parvenir peut-être.

Plus important, Ivy impressionnait réellement Billy, non pour des raisons cartésiennes, mais pour d'autres, plus inconscientes et moins dogmatiques. Jamais, il ne pourrait la décrire comme une « douce excentrique ». Dans cette maison, le mur entre les deux mondes était peut-être bien plus mince que partout ailleurs, décapé, lavé par des années de silence.

Les prédictions d'Ivy, en tant qu'haruspice, étaient rarement correctes. C'était la preuve, selon elle, de son incompétence dans la lecture des oracles, mais certainement pas de leur inexistence.

Billy comprenait à présent l'obstination de la jeune femme. Si on ne pouvait lire l'avenir dans la position et l'état des cadavres, alors on ne pouvait pas plus espérer que les morts aient quoi que ce soit à nous dire ; une petite fille n'entendrait donc jamais la voix de sa mère perdue, tout aussi silencieuse, attentive et assidue fût-elle.

Alors Ivy étudiait les opossums écrasés sur le bord des routes, les mantes religieuses desséchées, les oiseaux tombés du ciel.

Elle marchait sans bruit dans sa maison, décortiquait ses pistaches, parlait doucement au corbeau, ou ne lui parlait pas du tout, et le calme, parfois, se transmutait en silence parfait.

Et c'était ce même silence qui enveloppait Billy à présent, mais il devait le rompre...

— Parfois les tueurs psychopathes gardent des reliques de cadavres pour se souvenir de leurs victimes, déclara-t-il en scrutant la jeune femme, quêtant davantage sa réaction que son analyse.

Il la regardait plus intensément encore que l'œil rond du corbeau.

Sans manifester plus d'intérêt que si Billy avait fait un commentaire sur la chaleur de l'été, Ivy but une gorgée de son thé, puis retourna à son décorticage silencieux.

Sans doute, rien ne pouvait surprendre Ivy... comme si elle savait ce que les gens allaient dire avant qu'ils aient prononcé les mots.

— J'ai entendu parler d'un cas, poursuivit Billy, où le tueur en série découpait le visage de ses victimes et les conservait dans des bocaux de formol.

Ivy récupéra les coquilles vides et les mit à la poubelle. Elle ne les jeta pas, mais les déposa dans le réceptacle pour éviter qu'elles émettent le moindre bruit.

En la regardant agir, Billy ne pouvait savoir si elle avait déjà entendu parler ou non de ce tueur « découpeur » de visages.

— Si tu découvrais un cadavre sans peau sur le visage, pourrais-tu y lire? Je ne te parle pas de lire l'avenir, mais d'apprendre quelque chose sur lui, sur le tueur?

— Du théâtre, répondit-elle sans hésitation.

— Je ne te suis pas très bien.

— Ce gars aime le théâtre.

— Pourquoi?

— Le coup du visage découpé.

— Je ne vois pas le rapport.

Elle prit une cerise dans l'assiette.

— Le théâtre est une illusion... les acteurs ne jouent pas leur propre rôle.

— Oui, d'accord..., articula Billy, attendant la suite.

— Pour tout rôle, l'acteur revêt une fausse identité.

Elle enfourna la cerise dans sa bouche. Une seconde plus tard, elle cracha le noyau dans sa paume et avala le fruit.

Voulait-elle dire que le noyau était la réalité ultime du fruit?

À son tour, Ivy riva ses yeux dans les siens.

— Il ne veut pas du visage parce que c'en est un. Il le veut parce que c'est un masque.

Ses yeux étaient des paravents magnifiques et insondables; il était difficile de savoir ce qu'elle pensait, mais, sans nul doute, elle était bien moins impressionnée que Billy. Peut-être, lorsqu'on passe sa vie à écouter la voix des morts, plus rien du genre humain ne vous surprend vraiment...

— Tu penses que parfois, lorsqu'il est seul et d'humeur, reprit Billy, il le sort du bocal et se le plaque sur le visage?

— C'est possible. Mais peut-être veut-il l'avoir parce que cela lui rappelle un grand moment de sa vie, comme un artiste voulant conserver la trace d'une œuvre éphémère, d'une performance.

Une performance.

Ce mot l'avait marqué quand Ralph Cottle l'avait prononcé. Ivy l'avait répété sciemment, ou en toute innocence. Comment savoir?

Elle soutenait son regard, impassible.

— Tu penses que chaque visage est un masque, Billy?

— Et toi?

— Ma grand-mère sourde et muette, douce et gentille comme une sainte, avait, elle aussi, ses secrets. C'étaient des secrets bien innocents, voire charmants. Son masque était presque aussi transparent que du verre – mais elle portait néanmoins un masque.

Billy ne comprenait pas ce qu'Ivy essayait de lui dire, ce qu'il devait déduire de ses paroles. Il était évidemment inutile de lui poser la question, il n'aurait pas de réponse plus explicite...

Ivy ne cherchait pas volontairement à l'embrouiller. Elle parlait souvent ainsi, par allusion, par détours, non par intention, mais parce que c'était sa nature. Tout ce qu'elle disait paraissait clair et limpide comme le son d'une cloche... et en même temps d'une ambiguïté abyssale.

Souvent, ses silences avaient davantage de sens que ses mots – héritage d'une enfance passée auprès d'une grand-mère aimante, sourde et muette.

La jeune femme, en toute logique, ne cherchait en rien à brouiller les pistes, ni à lui dissimuler quoi que ce soit. Mais pourquoi alors avait-elle laissé entendre que tous les visages, dont le sien, étaient des masques ?

Si Ivy rendait visite à Barbara uniquement parce qu'elle avait été gentille avec elle, si elle emmenait des photographies d'animaux morts à la clinique uniquement parce qu'elle les avait toujours sur elle, alors la photo de la mante religieuse n'avait pas de rapport avec le piège dans lequel Billy se trouvait plongé... Et Ivy ne savait rien du dingue...

Auquel cas, Billy ferait mieux de s'en aller, d'aller régler toutes les affaires pressantes qui le tourmentaient. Et pourtant, il restait assis...

Les yeux d'Ivy revinrent vers les pistaches et ses mains reprirent leur ouvrage silencieux.

— Ma grand-mère était sourde à la naissance, reprit la jeune femme. Elle n'a jamais entendu un mot de sa vie et ne savait pas articuler un son.

À voir la dextérité de ses doigts, l'existence d'Ivy devait être ponctuée de travaux manuels – s'occuper du jardin, garder cette maison dans son état virginal, cuisiner... La jeune femme fuyait l'oisiveté comme la peste.

— Elle n'a jamais entendu rire personne, et pourtant elle savait rire, pour ça oui ! Elle avait un rire magnifique, très communicatif. Je ne l'ai jamais vu pleurer jusqu'à mes huit ans.

L'hyperactivité d'Ivy, son incapacité à rester à ne rien faire, était comparable à la sienne et Billy en fut touché. Qu'il puisse ou non lui faire entièrement confiance, Billy aimait bien Ivy.

— Quand j'étais petite, je ne comprenais pas vraiment. Ma maman était morte à ma naissance... je ne voyais pas ce que ça signifiait, exactement. Alors j'ai commencé à me dire que c'était moi qui l'avais tuée, que j'étais responsable de sa mort.

À la fenêtre, le corbeau étira de nouveau ses ailes, aussi silencieusement que la première fois.

— Et puis, à huit ans, j'ai compris que je n'y étais pour rien. C'est quand je l'ai expliqué par signes à ma grand-mère, que je l'ai vue pleurer pour la première fois. Ça m'a fait tout bizarre. Je pensais que si elle devait pleurer, c'était forcément en silence, avec rien que des larmes et des sanglots étouffés. Mais ses pleurs étaient aussi naturels que ses rires. Au regard de ces deux manifestations sonores, rien ne la différenciait des femmes entendantes ; en ce sens, elle faisait partie de leur communauté.

Billy croyait jusqu'à présent que c'était sa beauté, son sex-appeal, qui faisait tourner la tête des hommes. Mais le charme qui les envoûtait venait de plus loin encore.

Alors les mots vinrent tout seuls... Billy comprit qu'il allait le dire au moment même de le formuler :

— À quatorze ans, j'ai tiré sur ma mère et mon père.

— Je sais, répondit Ivy sans lever les yeux de ses pistaches.

— Je les ai tués.

— Je sais. Tu n'as jamais pensé qu'ils pouvaient vouloir te parler à travers le mur ?

— Non. Jamais. Et j'espère qu'ils ne le feront jamais.

Elle continua à ouvrir ses pistaches tout en vrillant ses yeux dans les siens.

— Il faut que tu t'en ailles.

À son ton, elle lui disait qu'il pouvait rester, mais qu'elle savait qu'il devait partir.

— Oui, articula-t-il en se levant de sa chaise.

— Tu as des ennuis, Billy, n'est-ce pas ?

— Non.

— Tu mens.

— Oui.

— Et tu ne peux pas m'en dire plus.

Il ne répondit pas.

— Tu es venu chercher quelque chose... tu l'as trouvé?

— Je ne sais pas trop.

— Parfois, on tend si fort l'oreille pour entendre les sons les plus faibles, qu'on n'entend pas les grands bruits juste à côté de soi.

Il resta pensif un moment.

— Tu me raccompagnes?

— Tu connais le chemin à présent.

— Tu devrais fermer derrière moi.

— Tu n'as qu'à bien tirer la porte.

— Cela ne suffira pas. Avant que la nuit tombe, tourne les verrous. Et ferme les fenêtres.

— Je ne suis pas craintive. Je ne l'ai jamais été.

— Moi, j'ai peur de tout.

— Je sais. Cela fait vingt ans que ça dure.

En quittant la maison, les lattes du plancher grincèrent un peu moins sous ses pieds. Il referma avec soin la porte, vérifia que la serrure était bien enclenchée, puis il suivit l'allée ombragée jusqu'à la rue, abandonnant Ivy Elgin à son thé, ses pistaches et son corbeau sentinelle, dans le silence de sa cuisine, sous sa pendule sans aiguilles.

44.

Steve Zillis louait une maison de plain-pied, parfaitement quelconque, dans une rue où personne ne semblait se soucier d'entretenir ses pénates.

La seule maison soignée se trouvait juste à droite de celle de Steve Zillis. C'était chez Celia Reynolds, l'amie de Jackie O'Hara.

C'était elle qui prétendait avoir vu Zillis déchiqueter des chaises, des pastèques et des mannequins dans son jardin.

Le garage attenant se trouvait appuyé sur le flanc gauche de la maison, hors de vue de Celia Reynolds. Après avoir surveillé ses arrières pour s'assurer que personne ne le suivait, Billy se gara résolument dans l'allée de Zillis.

Un mur d'eucalyptus long de vingt mètres protégeait Zillis de son voisin de gauche.

Lorsque Billy sortit de l'Explorer, son déguisement se réduisait à une casquette de base-ball bleue, bien enfoncée sur les yeux.

Sa boîte à outils lui donnait une sorte de légitimité. Un homme avec des outils sous le bras, marchant d'un pas décidé, était forcément un réparateur et n'éveillait aucun soupçon.

Beaucoup de gens connaissaient le visage de Billy, puisqu'il était serveur, mais il ne comptait pas rester longtemps à découvert.

Il longea les eucalyptus au parfum capiteux. Comme il l'espérait, il trouva une porte sur le côté du garage.

Étant donné le laisser-aller en usage dans le quartier et les loyers bas, une simple serrure protégeait l'accès au garage – pas même un verrou de sécurité.

À l'aide de son permis de conduire plastifié, Billy repoussa le pêne et ouvrit la porte. Il déposa sa caisse à outils à l'intérieur et alluma la lumière.

Sur le chemin entre la clinique et la maison d'Ivy, il était passé devant la taverne. La voiture de Steve était garée sur le parking.

Zillis vivait seul. La voie était libre.

Billy ouvrit la grande porte du garage, rentra le 4 × 4 à l'abri des regards, et la referma derrière lui. Il agissait avec nonchalance, comme s'il se fichait d'être aperçu.

Le mercredi soir, c'était le coup de feu à la taverne. Steve ne rentrerait pas chez lui avant 2 heures du matin.

Cependant, Billy ne pouvait se permettre de fouiller les lieux pendant sept heures. Ailleurs, dans d'autres maisons, il avait deux cadavres à faire disparaître…

Festonné de toiles d'araignées, couvert de poussière, le garage était quasiment vide. Il trouva des arachnides en pagaille mais point de double de clés pour la porte d'entrée latérale.

Il voulait éviter de laisser des signes d'effraction ; mais faire sauter un verrou est moins aisé qu'au cinéma – de même que séduire une femme ou tuer un homme. Tout est plus compliqué dans la vie.

Ayant installé de nouveaux verrous dans sa propre maison, Billy n'avait pas seulement appris à faire du travail soigné, mais avait découvert à quel point il était souvent bâclé par les serruriers. Il espérait qu'un tâcheron s'était chargé d'installer ceux de Steve – et c'était le cas.

À l'origine sans doute, la porte avait été montée à l'envers… au lieu de la démonter pour la remettre dans le bon sens, le serrurier s'était contenté de poser la serrure sur la face intérieure du battant, c'est-à-dire du côté qui donnait dans le garage.

Si bien que le canon était fixé au battant par deux vis normales et non par deux têtes de boulons lisses comme ce doit être la règle du côté extérieur. Il y avait même une petite gorge creusée sur le canon pour en faciliter l'extraction.

En moins de temps qu'il n'en avait consacré à chercher une deuxième clé, Billy avait ouvert la porte. Avant d'entrer dans la maison, il remonta la serrure et nettoya les quelques débris par terre ainsi que ses empreintes digitales sur l'huisserie.

Il rangea ses affaires. Pour s'assurer une retraite rapide, il remit la caisse à outils à sa place dans le coffre de l'Explorer et récupéra le revolver qui se trouvait à l'intérieur.

Il avait également pris soin d'apporter une boîte de gants en latex. Il en enfila une paire.

Il restait une heure avant la nuit ; Billy entreprit de visiter la maison en allumant toutes les lumières sur son passage.

Les étagères dans l'office n'étaient guère garnies. Les provisions de Steve constituaient le parfait cliché de l'alimentation du célibataire : boîtes de conserve en pagaille, chips, tortillas et crackers.

Les assiettes sales et les casseroles s'entassaient dans l'évier, tandis que les placards à vaisselle étaient quasiment vides.

Dans un tiroir, Billy découvrit une collection de clés – des doubles ? Il en essaya quelques-unes et trouva celle qui fonctionnait sur la porte, côté garage. Il décrocha la clé du trousseau avant de replacer ce dernier dans le tiroir.

Steve Zillis n'aimait pas le mobilier ! Dans le coin repas, une seule chaise, pas même assortie à la table en Formica.

Le salon abritait un canapé défoncé, un fauteuil en cuir élimé, une télévision, un lecteur de DVD sur une desserte roulante, et rien de plus. Des magazines étaient empilés par terre, à côté d'une paire dépareillée de chaussettes sales.

Hormis l'absence de posters au mur, on se serait cru dans une chambre d'étudiant. Être un adolescent attardé était pathétique, mais pas répréhensible.

Si, d'aventure, une femme passait le seuil de la porte, elle tournerait les talons et se sauverait en courant. En tout cas, elle refuserait d'y passer la nuit. Savoir faire un nœud à une queue de cerise avec sa langue ne suffisait à s'offrir toutes les grâces de la gent féminine.

La chambre d'amis ne contenait aucun meuble, mais quatre mannequins. Des mannequins de femmes, nus, sans perruque, le crâne chauve. Trois avaient subi des modifications.

L'un gisait sur le dos, par terre, au centre de la pièce. Dans chacune de ses mains, un couteau de boucher. Les deux lames étaient enfoncées dans la gorge, comme si la femme de plastique s'était poignardée à deux reprises.

Les jambes étaient écartées et repliées. Un trou avait été percé entre les cuisses. L'extrémité d'une lance, provenant d'une grille en fer forgé, était plantée dans le vagin improvisé.

Au lieu de pieds, le mannequin était affublé d'une autre paire de mains avec lesquelles il agrippait la hampe de métal.

Une troisième paire de mains jaillissait des seins, les doigts écartés et avides, comme si le mannequin en réclamait encore.

45.

Nombre de maisons renfermaient des secrets sordides.

Mais ces mannequins, altérés avec un tel soin, une telle minutie, étaient d'une autre sorte. C'était moins l'expression d'un désir frustré, que le signe d'une flamme dévorante, d'un besoin avide qui ne pouvait jamais être entièrement assouvi.

Un autre mannequin était assis dos contre le mur, les jambes écartées. Les yeux avaient été arrachés, remplacés par des dents.

Il s'agissait, apparemment, de dents d'animaux, peut-être de reptiles – des crocs, des incisives pointues.

Chaque dent avait été collée avec soin sur le pourtour de l'orbite vide. L'ordonnancement de chaque assemblage semblait avoir été conçu pour être le plus effrayant possible.

La bouche avait été ouverte à coup de ciseaux et creusée. De grands crocs tordus hérissaient les mâchoires du mannequin.

Comme les pétales pointus d'une plante carnivore, les oreilles étaient décorées d'une couronne de dents.

Des dents saillaient des tétons et du nombril. Mais c'est le vagin, percé encore artificiellement, qui offrait le plus riche assortiment dentaire.

Ces œuvres macabres symbolisaient peut-être la peur d'être dévoré par les femmes, ou la peur d'être dévoré par ses propres pulsions... Que ce fût l'une ou l'autre, l'horreur, aux yeux de Billy, était la même.

Sortir d'ici au plus vite, c'était tout ce qu'il voulait. Il en avait assez vu. Et pourtant, il ne pouvait s'empêcher de poursuivre son exploration.

Le troisième mannequin était également assis dos au mur. Ses mains reposaient sur ses cuisses, tenant un bol. Le bol était en fait le sommet de sa calotte crânienne qui avait été découpée à la scie.

Le bol de fortune débordait de photographies d'organes génitaux masculins. Billy ne toucha pas aux clichés, mais il supposait que tous représentaient l'organe d'un même individu.

Un bouquet de photos similaires débordait du crâne ouvert. D'autres fleurissaient dans sa bouche.

À l'évidence, Steve Zillis passait beaucoup de temps à photographier son sexe sous toutes les coutures et dans tous ses états.

Les gants de latex ne lui servaient plus seulement à ne pas laisser d'empreintes. Sans eux, il n'aurait jamais pu toucher les poignées des portes, les interrupteurs, ou quoi que ce fût dans cette maison, tant il était dégoûté.

Le quatrième mannequin n'était pas encore mutilé. Zillis brûlait sûrement de le faire.

Durant son service à la taverne, à servir des bières, à raconter ses blagues, à faire ses tours d'adresse, voilà à quoi il pensait en secret, derrière son grand sourire de façade.

Le mobilier de la chambre de Steve se révéla aussi spartiate que dans les autres pièces de la maison. Un lit, une table de nuit, une lampe de chevet, un réveil. Pas de tableaux aux murs, pas de bibelots, pas de souvenirs.

Le lit était défait. Un oreiller gisait par terre.

Un coin de la pièce faisait office, à l'évidence, de bac à linge sale. Des chemises, des pantalons, des sous-vêtements s'y empilaient à mesure que Steve les lançait dans cette zone.

En fouillant plus minutieusement la chambre, Billy fit une nouvelle découverte troublante. Sous le lit, une dizaine de DVD pornos ; sur les jaquettes, des femmes nues menottées, enchaînées, certaines bâillonnées, les yeux bandés, terrorisées par des hommes aux pulsions sadiques.

Ce n'étaient pas des vidéos personnelles. L'emballage était industriel. Des produits achetés dans des boutiques spécialisées, qu'elles soient réelles ou virtuelles.

Billy les remit à leur place. En savait-il suffisamment pour alerter la police ?

Non. Les mannequins mutilés et les films sadomasos ne prouvaient pas que Steve Zillis avait fait du mal à des êtres humains, seulement qu'il avait des fantasmes pervers.

L'heure tournait. Un cadavre attendait son transport dans sa bâche de plastique derrière le canapé de Billy.

Si on suspectait Billy d'avoir assassiné Giselle Winslow à Napa ou si l'on retrouvait la dépouille de Lanny Olsen, on se mettrait, dans le meilleur des cas, à le surveiller de près. Il n'aurait alors plus aucune liberté d'action.

Mais si on trouvait le cadavre de Cottle, Billy serait arrêté sur-le-champ.

Personne ne croirait aux menaces contre Barbara. La police ne le prendrait pas au sérieux. Quand on était suspecté d'un meurtre, tout ce que la police voulait entendre, c'étaient des aveux.

Billy savait comment ça se passait. Il le savait précisément.

Durant vingt-quatre ou quarante-huit heures – voire une semaine, un mois, un an –, le temps qu'il faudrait pour établir son innocence (si tant est qu'on l'établisse), Barbara serait à la merci du tueur, sans protection.

Billy avait été entraîné trop loin. Personne ne pouvait le tirer d'affaire. Il ne pouvait compter que sur lui-même.

S'il trouvait le visage dans le bocal de formol ou quelques reliques macabres, il pourrait dénoncer Zillis aux autorités. Mais sans ces preuves, il était impuissant.

Comme la plupart des maisons californiennes, la bâtisse ne possédait pas de cave, mais était pourvue d'un grenier. Une trappe au plafond y menait, manœuvrable par une corde.

Lorsqu'il ouvrit la trappe, une échelle en accordéon se déploya.

Il entendit du bruit derrière lui. En pensée, il vit le mannequin, avec des dents à la place des yeux, fondre sur lui.

Il se retourna dans un sursaut en agrippant son revolver
glissé dans sa ceinture. Personne. Sans doute était-ce la maison
qui faisait craquer sa charpente pour se soulager des tensions
accumulées par la gravité.

Au sommet de l'échelle, il trouva un interrupteur fixé au
châssis de la trappe. Deux ampoules nues, tamisées par la poussière, révélèrent un espace vide où régnait une odeur de bois
pourri.

À l'évidence, le dingue avait le bon sens de conserver ses
reliques ailleurs.

Zillis louait cette maison, mais ne « vivait » pas vraiment là.
Avec son mobilier spartiate, et son manque cruel de décoration
intérieure, l'endroit avait des airs de simple pied-à-terre. Steve
Zillis ne s'était pas installé ici. Il ne faisait qu'y passer.

Zillis travaillait à la taverne depuis cinq mois. Où avait-il
vécu depuis sa sortie de l'université du Colorado, cinq ans et
demi plus tôt, depuis la disparition de Judith Kesselman ?

Sur le Web, son nom était associé à une simple affaire de
disparition – on ne parlait d'aucun meurtre. En tapant son
propre nom sur Google, Billy apparaîtrait beaucoup moins
inoffensif.

Mais s'il pouvait avoir la liste des villes où Zillis avait résidé,
des connexions avec des meurtres ou des disparitions locales
pourraient apparaître. Un autre tableau pourrait voir le jour.

Les tueurs en série célèbres étaient des pèlerins de la mort,
des itinérants qui mettaient toujours beaucoup d'espace entre
deux de leurs curées sanglantes. Quand des séries de meurtres
se trouvaient séparées par des centaines de kilomètres et plusieurs juridictions, les recoupements étaient plus difficiles à
réaliser ; les motifs d'un paysage, visibles d'avion, étaient rarement discernables pour l'homme à pied.

Un serveur, ayant une bonne connaissance des cocktails,
drôle et beau gosse, trouvait du travail partout dans le pays. En
choisissant les bons établissements, on lui demandait rarement
ses certificats de travail précédents, juste son numéro de Sécu-

rité sociale, son numéro de permis de conduire, et une licence de vente d'alcool en bonne et due forme. Jackie O'Hara, comme tous les patrons de son espèce, ne demandait pas à voir les appréciations des précédents employeurs; il se fiait à son instinct pour embaucher ses employés.

Billy éteignit les lumières et quitta la maison. Il verrouilla la porte avec le double de la clé, et emporta le sésame avec lui, au cas où une nouvelle visite s'imposait.

46.

Le couchant projetait des rais sanglants sur le grand panneau articulé en construction, qui se dressait en face de la taverne, de l'autre côté de la nationale.

Alors que Billy rentrait chez lui en voiture pour récupérer le corps de Ralph Cottle, l'assemblage scintillant au soleil attira son regard. Le spectacle était si saisissant qu'il se gara sur le bas-côté.

Devant le chapiteau jaune et violet où l'équipe de construction se retrouvait pour déjeuner, pour discuter de l'avancée des travaux, ou encore pour organiser des réceptions en l'honneur des notables et du gotha des artistes, une foule s'était rassemblée pour admirer cette merveille fugace de la nature.

Garé devant le barnum, le mobil-home, jaune et pourpre, construit sur un châssis d'autocar et estampillé *Valis*, offrait ses chromes et son acier au feu ardent de l'astre. Les fenêtres tintées étaient couleur bronze, sombres, fumées et en même temps incandescentes.

Ce n'était ni le grand barnum, ni le mobil-home de rock star, ni la brochette d'artistes glamour venue admirer le couchant qui avaient incité Billy à s'arrêter.

De prime abord, il aurait dit que c'était le chatoiement des rayons qui l'avait fasciné. Et pourtant cette assertion, toute crédible qu'elle fût, était loin de la vérité.

Le panneau articulé était gris, mais la lumière du soir le recouvrait d'un film d'or. Ce scintillement et les ondes de chaleur montant de la construction donnaient l'impression que l'œuvre était en feu.

Et soudain, Billy comprit ce qui l'avait poussé à s'arrêter : cette vision du panneau en flammes – car l'œuvre devait être effectivement détruite une fois achevée.

Il se dessinait comme un augure dans cette lumière évanescente du couchant. Un oracle. Le feu. Le feu allait venir. Même les cendres, après les flammes, étaient perceptibles avec le gris de la peinture sous les rayons.

La force de cette vision grandit à mesure que l'astre lâchait ses derniers traits de lumières ; alors la véritable raison du pouvoir hypnotique de cette scène s'imposa à Billy. Ce qui le frappait, c'était cette grande silhouette humaine prisonnière des machines, cet homme qui luttait pour survivre au milieu des rouages géants, des dents acérées des engrenages, des pistons rageurs comme des marteaux-pilons.

Durant ces dernières semaines, à mesure que l'œuvre monumentale prenait forme, l'homme, conformément au souhait de l'artiste, paraissait pris au piège dans la machine. Il était une victime de forces qui le dépassaient.

Mais aujourd'hui, avec le miracle de ce soleil couchant, l'homme ne semblait pas touché par les flammes qui consumaient la machine autour de lui. Il était lumineux, certes, mais comme un phare, solide, inébranlable ; les flammes ne l'atteignaient pas, il était inaccessible.

Cette machine fantasmagorique n'avait pas la moindre utilité mécanique ; c'était un assemblage de symboles, sans nulle fonction.

Une machine qui ne fournit pas un travail n'a pas de sens. Elle ne peut pas même servir de prison.

L'homme pouvait sauter par-dessus les engrenages quand il le voulait. Il se « croyait » simplement prisonnier, une conviction née de son propre défaitisme et auto-apitoiement, et son erreur ce soir sautait aux yeux... L'homme pouvait toujours échapper au non-sens, trouver une signification à sa vie et, à partir de là, se forger des objectifs dignes de ce nom pour guider ses pas.

Billy Wiles n'était pas du genre à chercher les révélations. Il avait passé sa vie à les fuir. Introspection et souffrance étaient pour lui synonymes.

Mais c'était bel et bien une révélation, et il ne la repoussa pas. Au contraire. Il reprit la route en direction de sa maison, dans le crépuscule grandissant, tandis qu'en pensée il grimpait un grand escalier de causalité à bifurcations multiples ; il parvint à une intersection, poursuivit son ascension, arriva à un autre carrefour.

Il ne savait qu'espérer de cette soudaine perception. Peut-être était-il un être trop faible pour pouvoir en tirer toute la substantifique moelle, mais quelque chose, d'ores et déjà, avait changé en lui.

Lorsque Billy arriva chez lui, le ciel était indigo, éclairé d'une ultime lueur à l'occident ; il quitta l'allée menant au garage et s'engagea en voiture derrière la maison. Il se gara en marche arrière, juste au pied des marches du perron, pour rendre plus aisé le chargement du corps.

On ne pouvait le voir de la route, ni des maisons voisines. En descendant de voiture, Billy entendit le premier hibou hululer. Seuls les rapaces nocturnes le verraient, ainsi que les étoiles.

Il prit l'escabeau dans l'office et vérifia le vidéodisque dans le placard au-dessus du four à micro-ondes. En passant l'enregistrement en lecture rapide, Billy s'assura que personne n'était entré dans la maison – du moins par la cuisine.

Il ne s'attendait pas à voir un intrus. Steve Zillis était de service à la taverne.

Après avoir rangé l'escabeau, il traîna le cadavre de Cottle à travers la maison jusqu'au bas des marches du perron, à l'aide de la poignée de fortune qu'il avait confectionnée. Hisser Cottle dans le coffre arrière de l'Explorer se révéla plus fastidieux et pénible qu'il ne le supposait.

Billy jeta un regard circulaire sur le jardin et sur les silhouettes noires des arbres en contrebas, alignées comme des sentinelles. Mais il n'avait pas l'impression d'être observé. Il était quasiment certain d'être seul.

Même si fermer la porte à clé était inutile, il donna deux tours de verrou, puis rentra le 4 x 4 dans le garage.

À la vue de sa scie circulaire, de sa perceuse sur colonne, et de tous ses outils, Billy eut soudain l'envie de fuir la réalité et son stress, de se réfugier dans l'odeur du bois fraîchement coupé, de retrouver le bonheur simple d'un assemblage en queue-d'aronde parfaitement réalisé.

Ces dernières années, il avait tellement travaillé dans sa maison, pour lui, pour lui seul... S'il devait, aujourd'hui, travailler pour les autres, que pourrait-il fabriquer sinon ce dont tout un chacun avait besoin : des cercueils. C'est ce qu'il avait toujours fait au fond, construire des cercueils pour lui-même.

Il chargea dans l'Explorer une autre bâche de plastique, une pelote de corde, un rouleau adhésif, une lampe torche, et quelques autres accessoires utiles. Il ajouta deux ou trois couvertures de déménagement et deux cartons vides pour dissimuler le cadavre.

Devant lui, l'attendait une longue nuit macabre de fossoyeur, et il ne redoutait pas seulement le tueur psychopathe mais toutes ces choses tapies dans les ténèbres. Des ténèbres naissent toutes les terreurs, c'était la vérité, mais les ténèbres aussi (et il s'accrochait à cette idée comme à une bouée de sauvetage) étaient les prémices à la lumière... La lumière !... Quelles que fussent les épreuves qui l'attendaient cette nuit, il continuait à croire qu'il verrait le jour se lever demain.

47.

Quatre heures de sommeil, facilité par un Vicodin et une bière, c'était trop peu pour être réparateur.

Plus de douze heures d'activités intenses s'étaient succédées depuis que Billy s'était levé. Il avait encore des ressources, mais les rouages de son esprit, sollicités depuis si longtemps, ne tournaient plus assez vite, en tout cas plus assez pour réfléchir efficacement.

Puisque rien n'indiquait que l'Explorer avait été transformée en corbillard de fortune, Billy jugea sans risque de s'arrêter devant un drugstore. Il acheta des Anacin contre le mal de tête et un paquet de No-Doz à la caféine contre la fatigue.

Il avait mangé deux muffins au petit déjeuner, et un sandwich au jambon à midi. Il manquait cruellement de calories.

La boutique vendait des plats sous vide et mettait, à disposition des clients, un four à micro-ondes pour les réchauffer. Mais curieusement, la seule pensée de manger de la viande lui retournait l'estomac.

Il acheta six barres chocolatées pour les glucides, six barres aux cacahuètes pour les protéines, et une bouteille de Pepsi pour avaler les cachets de caféine.

— C'est quoi toutes ces douceurs ? On n'est pas le jour de la Saint-Valentin à ce que je sache, lança le vendeur en désignant les emplettes de Billy.

— Non, c'est Halloween avant l'heure…

Dans l'Explorer, il avala les comprimés d'Anacin et les No-Doz.

Sur le siège passager traînait encore le journal qu'il avait acheté à Napa. Il n'avait pas trouvé le temps de lire l'article sur le meurtre de Giselle Winslow.

Glissés dans le journal, il avait les quelques articles du *Denver Post* téléchargés à la bibliothèque – Judith Kesselman disparue à jamais.

Tout en mangeant successivement une barre chocolatée et une autre aux cacahuètes, Billy lut les documents. L'université, les représentants de l'État du Colorado, le ministère public étaient cités. Tout le monde, hormis la police, était persuadé que Judith serait retrouvée saine et sauve.

Les flics se montraient beaucoup plus réservés. À l'inverse des bureaucrates et des politiciens, ils ne pratiquaient pas la langue de bois. Ils paraissaient être les seuls à se soucier réellement du sort de la jeune fille.

L'officier en charge de l'enquête était l'inspecteur Ramsey Ozgard – Oz, pour les intimes.

Ozgard avait quarante-quatre ans à l'époque. Il avait par trois fois été décoré pour sa bravoure.

Aujourd'hui, à cinquante ans, il devait sans doute être encore en exercice, une supposition étayée par la seule autre information personnelle concernant Ozgard que Billy put trouver dans les articles ; à l'âge de trente-huit ans, Ozard avait reçu une balle dans la jambe gauche. Il avait droit à une pension d'invalidité complète, mais il avait refusé de quitter son travail, arguant qu'il ne boitait pas.

Billy voulait parler à cet Ozgard. Mais comment faire, sans dévoiler son identité ou son numéro de téléphone ?

Il partit pour la maison de Lanny Olsen, tandis que le sucre, le Pepsi et la caféine commençaient à lubrifier les engrenages de son esprit.

À l'inverse de la veille, il ne se gara pas devant l'église pour finir le trajet à pied. Lorsqu'il arriva au bout de la rue, il contourna la maison, et s'engagea dans le terrain pentu, derrière le stand de tir et sa butte de ballots de paille.

La pelouse fit place à l'herbe folle, aux broussailles. Le sol se fit accidenté et pierreux.

Il se gara à mi-pente, coupa le moteur et tira le frein à main.

Il aurait pu se servir des phares pour éclairer son chemin, mais de ces hauteurs, on pouvait apercevoir le halo lumineux des autres résidences.

Ne voulant attirer ni la curiosité, ni la suspicion, il coupa les feux.

À pied, en s'éclairant avec la lampe torche, il trouva rapidement le gouffre, à quelques mètres devant le 4 x 4.

Avant l'implantation des vignes, avant l'arrivée des Européens, avant même que les ancêtres des Indiens, venant d'Asie, eussent traversé le détroit de Béring pour conquérir le continent, les volcans avaient modelé cette vallée, et décidé de son avenir.

L'ancien chai Rossi, les vieux celliers des vins Heitz, ainsi que d'autres édifices dans la vallée étaient construits en rhyolite, une roche volcanique provenant des carrières locales. Le socle sur lequel reposait la maison de Lanny était constitué de basalte, une autre roche volcanique, sombre et dense.

Après une éruption, il subsiste parfois des cheminées vides, des boyaux par lesquels la lave a traversé les roches alentour. Billy ignorait si le gouffre en question était une ancienne cheminée, ou la relique de l'activité d'une fumerolle de gaz.

En revanche, il savait que le conduit était large d'un mètre vingt et quasiment sans fond.

Billy connaissait bien cette propriété ; lorsqu'il s'était retrouvé seul et orphelin à quatorze ans, Pearl Olsen lui avait ouvert sa porte. À l'inverse de nombreuses personnes, Pearl n'avait pas peur de lui. Elle savait la vérité. Elle lui avait offert son grand cœur, et malgré son cancer et ses multiples rechutes, elle l'avait élevé comme son propre fils.

Avec leurs douze années d'écart, Lanny et Billy n'avait jamais été des frères, mais ils vivaient sous le même toit. En outre, Lanny était plutôt du genre renfermé et, lorsqu'il n'était pas à son travail, il s'abîmait dans ses dessins.

Mais les deux garçons s'entendaient plutôt bien. De temps en temps, Lanny se comportait avec Billy comme un oncle de substitution.

Durant un de ces jours de connivences, Lanny, qui s'était mis en tête de sonder la profondeur du gouffre, avait emmené Billy avec lui.

Jamais aucun enfant ne jouait dans les broussailles, mais cet abîme terrifiait quand même Pearl. Elle avait fait boulonner un cadre de séquoia sur la gueule du trou et une trappe vissée en interdisait l'accès.

Après avoir retiré le panneau, Lanny et Billy avaient exploré le boyau à l'aide d'un projecteur de police alimenté au moteur d'un pick-up. Le faisceau avait éclairé les parois sur une centaine de mètres sans parvenir à révéler le fond.

Passé la bouche de sortie, le conduit s'élargissait, offrant une cheminée d'environ trois mètres de section aux murs étrangement ondulés et convolutés.

Ils avaient fixé cinq cents grammes de rondelles au bout d'une bobine de ficelle et l'avaient jetée dans le boyau, l'oreille aux aguets, attendant d'entendre le cliquetis du métal heurtant le fond. Leur bobine de trois cents mètres se révéla trop courte.

De guerre lasse, ils jetèrent des billes d'acier dans le gouffre. En chronométrant le temps écoulé avant d'entendre le premier impact, ils en déduisirent la profondeur. Aucun projectile n'émit le moindre son avant d'avoir parcouru cinq cents mètres.

Mais le fond du trou était plus loin encore.

Après ce long boyau vertical, la cheminée s'incurvait. Peut-être même y avait-il encore d'autre angulation du conduit plus loin encore.

Après le premier *cling!*, les billes ricochaient contre les parois, et les bruits se succédaient et se perdaient en écho indéfiniment.

La cheminée devait s'enfoncer sur plusieurs kilomètres dans les entrailles de la vallée.

À la lueur de la lampe torche, Billy retira avec sa visseuse électrique les vis cruciformes qui maintenaient en place la trappe – des vis plus récentes que celles qu'il avait ôtées vingt ans plus tôt. Il tira le couvercle hors du trou.

Aucun courant d'air ne montait du boyau. Il percevait tout juste une vague odeur de cendres, et dessous un zeste d'iode, un soupçon de chaux.

En grognant sous l'effort, il extirpa le corps de la voiture et le traîna jusqu'à l'orée du trou.

Peu importait les traces qu'il laissait dans la végétation. La nature était vigoureuse. En quelques jours, tout indice de son passage aurait disparu, y compris les empreintes de pneus de l'Explorer.

Même si le mort aurait désapprouvé puisqu'il appartenait de son vivant à la Société des agnostiques, Billy murmura une courte prière avant de basculer sa dépouille dans le vide.

La chute de Ralph Cottle fut beaucoup plus bruyante que celle des billes d'acier de son enfance. Les premiers impacts étaient habités de craquements d'os.

Puis la bâche en glissant sur la paroi après la première angulation du boyau émit un sifflement irréel, qui se fit de plus en plus aigu à mesure que le suaire de plastique fondait dans l'abîme, tournoyant peut-être dans le conduit à la manière d'une balle de fusil dans un canon rayé.

48.

Billy alla garer l'Explorer sur la pelouse derrière le garage, à l'abri des regards d'éventuels conducteurs venant faire demi-tour au bout de la rue en impasse. Il enfila une paire de gants de latex.

Avec la clé de secours, qu'il avait récupérée dans la souche un peu moins de dix-neuf heures plus tôt, il pénétra dans la maison par la porte côté jardin.

Il avait avec lui la bâche, le rouleau adhésif, la corde, et bien sûr son .38.

Il allumait toutes les lumières sur son passage.

Le mercredi et le jeudi, Lanny ne travaillait pas ; sa disparition ne serait pas découverte avant trente-six heures. Si un ami passait à l'improviste, toutefois, il apercevrait les lumières ; voyant que personne ne venait lui ouvrir, celui-ci commencerait à se poser des questions et les ennuis commenceraient.

Billy voulait en finir au plus vite, quitter la maison et éteindre les lampes derrière lui.

Les mains dessinées de Mickey, pointant vers le mort, étaient toujours scotchées aux murs. Il les retirerait plus tard, en même temps qu'il nettoierait les lieux.

Si le tueur avait truffé Lanny d'indices compromettants (comme il l'avait fait, aux dires de Cottle, avec Giselle Winslow), ils seraient perdus corps et biens pour la justice s'il envoyait le cadavre à plusieurs kilomètres sous terre.

Malheureusement, en faisant disparaître les indices incriminant sa personne, Billy détruirait du même coup d'autres indices que le tueur pouvait avoir laissés involontairement qui, eux, auraient pu convaincre un tribunal de l'identité du véritable assassin. En éradiquant les uns, il oblitérait les autres.

Le piège était machiavélique. Le scénario du tueur, *son spectacle*, se déroulait exactement comme il l'avait prévu, scène par scène, acte par acte. Dès les premières réactions de Billy, il avait été certain que Billy franchirait cette ligne de non-retour, qu'il n'aurait d'autre choix que d'accomplir ce qu'il était en train de faire.

Mais Billy s'en fichait. Rien d'autre ne comptait sinon Barbara. Il devait rester libre de ses mouvements pour pouvoir la protéger – elle n'avait que lui dans sa vie !

Si Billy était suspecté de meurtre, John Palmer s'empresserait de le mettre sous les verrous. Le shérif y verrait un signe du destin ; en obtenant l'inculpation de Billy, il pourrait régler ses comptes avec le passé, réécrire l'histoire à sa guise…

Combien de temps pouvait-on le garder à vue sans preuve, par simple suspicion ? Au moins pendant quarante-huit heures, certainement…

Barbara alors serait morte. Ou portée disparue, comme Judith Kesselman, étudiante en musique, amoureuse des chiens et des promenades sur la plage.

La pièce serait terminée. Le rideau tomberait et le malade aurait un nouveau visage dans un bocal.

Passé, présent, futur… tout était éternellement présent dans la trame du temps, tout se télescopait… il aurait juré entendre le vrombissement des aiguilles de sa montre dans leur giration effrénée… Alors il piqua un sprint vers l'escalier, gravit les marches quatre à quatre vers l'étage.

Plus tôt déjà, sur le chemin de la maison, il craignait que le corps de Lanny ne soit plus dans le fauteuil de la chambre, là où il l'avait vu pour la dernière fois. Un nouveau retournement de situation, un nouveau coup de théâtre…

Une fois sur le palier, Billy hésita, saisi par la même terreur. Il hésita une fois encore sur le seuil de la chambre à coucher. Puis il rassembla son courage et alluma la lumière.

Lanny était toujours à sa place, avec le livre sur les genoux, la photographie de Giselle Winslow en marque-page.

Le corps n'était pas beau à voir. Retardée par l'air conditionné, la décomposition des chairs n'était pas encore visible, mais les vaisseaux sanguins du visage avaient commencé à marbrer la peau de taches violacées.

Les yeux de Lanny suivaient Billy tandis qu'il traversait la chambre, mais ce n'était qu'une illusion d'optique.

49.

Après avoir étalé la bâche de polyane au sol, Billy s'assit sur le lit et décrocha le téléphone. Il lui fallait le code téléphonique de Denver. Pour avoir son renseignement, il composa le 411, avec un soin tout particulier – il ne tenait pas à taper le « 9 » par erreur, comme dans le mensonge qu'il avait raconté aux deux sergents...

Même si Ramsey Ozgard était toujours en activité à la police de Denver, il était possible qu'il n'habite pas en ville, mais dans l'une des innombrables banlieues de l'agglomération, auquel cas le retrouver serait très compliqué. Sans compter que son numéro pouvait être sur liste rouge.

Lorsqu'il eut en ligne les renseignements de Denver, la chance lui sourit. Un petit coup de pouce du destin n'était que justice... Ils avaient un certain Ozgard, Ramsey G., et il habitait la ville !

Il était 22 h 54 dans le Colorado, mais l'heure tardive donnerait une note urgente et crédible à son appel.

Un homme répondit à la deuxième sonnerie...

— Inspecteur Ozgard ? demanda Billy.

— Lui-même.

— Ici l'agent Lanny Olsen du comté de Napa, en Californie. D'abord, je vous prie de m'excuser de vous appeler si tard.

— Je suis insomniaque, agent Olsen, et comme j'ai maintenant six cents chaînes sur ma télé, je regarde des redifs de *l'Ile aux naufragés* et des idioties de ce genre jusqu'à 3 heures du mat. Que puis-je pour vous ?

— Je vous appelle de chez moi à propos d'une affaire dont vous avez eu la charge, il y a quelques années. Vous pouvez si vous voulez appeler mon chef au poste pour la section nord du comté ; il vous confirmera que je suis bien de la maison et ils vous donneront mon numéro personnel pour me rappeler chez moi...

— J'ai un identificateur d'appel, déclara Ozgard. Votre nom s'affiche sur mon écran. Si ce que vous avez à me demander me paraît trop chaud, j'appellerai vos supérieurs. Mais pour l'instant, ce n'est pas nécessaire. Je vous écoute.

— Merci. Il s'agit d'une affaire de disparition ; il y a peut-être un lien avec ce qui se passe ici. Les faits remontent à cinq ans et demi et...

— Judith Kesselman.

— Tout juste.

— Ne me dites pas que vous l'avez retrouvée ! Et surtout pas morte.

— Non. Je ne l'ai pas retrouvée. Ni morte ni vive.

— Dieu soit loué ! Je ne la crois plus vivante, mais quand j'apprendrai qu'elle est morte, ce sera un sale jour pour moi. J'adorais cette petite.

— Ah bon ? demanda Billy, surpris.

— Je ne l'ai jamais rencontrée, mais je l'aimais, je l'aimais comme ma fille. J'en ai tellement appris sur Judi que j'ai fini par la connaître mieux que bon nombre de gens de mon propre entourage.

— Je comprends.

— C'était vraiment une chic fille.

— C'est ce qu'il paraît.

— J'ai parlé à tous ses amis, à sa famille. Personne n'avait rien à lui reprocher. Tous ne faisaient que des éloges... son dévouement pour les autres, sa gentillesse... vous savez comment parfois une victime peut vous hanter, comment on finit par s'y attacher...

— Bien sûr.

— Cette petite m'a obsédé. Elle écrivait beaucoup de lettres. Une fois que quelqu'un entrait dans sa vie, c'était pour toujours ; elle restait en contact. J'ai lu des centaines de lettres de Judi, agent Olsen. Des centaines.

— Et elle est entrée à son tour dans votre vie...

— Le contraire eût été impossible. Elle est entrée droit dans mon cœur. C'étaient les lettres d'une jeune femme qui aimait les gens, qui leur donnait tout son cœur. Il y avait dans ses mots tant de lumière...

Billy contempla le trou pourpre au milieu du front de Lanny, puis il détourna la tête pour scruter le couloir derrière la porte ouverte.

— On a un problème chez nous, expliqua-t-il. Je ne peux entrer dans le détail, parce qu'on rassemble encore les indices et que nous n'avons rien de solide.

— Je comprends, le rassura Ozgard.

— Mais je voudrais vous citer un nom, pour voir si ça éveille quelque chose chez vous.

— J'en ai la chair de poule... c'est vous dire si j'espère pouvoir vous être utile.

— J'ai tapé son nom sur Google, et la seule info que j'ai eue sur mon bonhomme concerne la disparition Kesselman et encore, ce n'est pas grand-chose, presque rien pour tout dire...

— Tentez donc votre chance avec moi. J'en sais peut-être plus que Google...

— Steven Zillis.

À Denver, Ramsey Ozgard laissa échapper un hoquet de stupeur.

— Vous vous souvenez de lui ?

— Je ne risque pas de l'oublier...

— C'était un suspect ?

— Pas officiellement.

— Mais personnellement vous...

— Il y avait quelque chose qui clochait chez ce gars.

— Quoi donc ?

Ozgard resta un moment silencieux.

— Même si on a aucune envie de boire une bière avec un homme, ni même de lui serrer la main, on n'a pas le droit de salir sa réputation...

— C'est juste pour me faire une idée, lui assura Billy. C'est à titre purement officieux. Cela restera entre nous. Dites-moi simplement ce que vous pouvez, sans vous mettre dans l'embarras.

— En fait, le jour où Judi a été kidnappée – parce que je crois dur comme fer qu'elle a été kidnappée –, pour la journée entière, les vingt-quatre heures d'affilée, et même un peu plus, Zillis avait un alibi en béton armé. Inattaquable, même au marteau-piqueur.

— Vous avez essayé.

— Pour ça oui ! Mais même s'il n'avait pas eu d'alibi, il n'y avait aucun indice qui le rendait suspect.

— Alors d'où venait votre suspicion ?

— Il était trop ouvert, trop franc pour être honnête.

Billy ne répondit rien, mais il était déçu. Il cherchait des preuves et Ozgard n'avait rien à vendre.

Percevant la déception de Billy, l'inspecteur explicita son point de vue :

— Il est venu à moi avant même que je l'aie dans le collimateur. En réalité, je n'aurais jamais eu aucun soupçon sur lui s'il n'était pas venu me trouver. Il voulait tellement se rendre utile… Il parlait, parlait. Un vrai moulin à paroles. Il aimait tant Judi, elle était comme sa sœur… sauf qu'il ne la connaissait que depuis un mois.

— Vous dites qu'elle était exceptionnelle dans ses relations avec les autres, qu'elle s'attachait à eux, de façon fusionnelle.

— Aux dires de ses amis les plus proches, elle ne connaissait pas très bien Zillis, juste de vue.

Se faisant à contrecœur l'avocat du diable, Billy lança :

— Il pouvait, lui, être plus attaché à elle, qu'elle à lui. Je veux dire qu'elle exerçait peut-être une sorte de magnétisme sur les autres, une attirance qui…

— Il fallait voir Zillis, sa façon de se comporter avec moi… C'était comme s'il voulait que j'aie des soupçons sur lui, que je vérifie son emploi du temps et que je découvre qu'il avait un alibi à toute épreuve. Et une fois que j'ai vérifié ça, il y avait une sorte d'arrogance en lui.

Sentant la révolte latente chez l'inspecteur, Billy demanda :

— Vous êtes toujours en colère.

— Oui, je le suis. Zillis est revenu me voir ; il faisait son grand numéro... Avant de disparaître de la circulation, il ne cessait de vouloir offrir son aide, il appelait, passait à l'improviste, pour soumettre des idées, des pistes, et j'avais ce sentiment que c'était pour me narguer, que c'était du théâtre.

— Du théâtre. J'ai la même impression. Mais cela ne me suffit pas pour le coincer.

— C'est un petit connard. Mais cela ne signifie pas qu'il soit autre chose que ça. Mais il ne manquait pas de culot. Il a même commencé à faire comme si on était amis, lui et moi. Les suspects ne font jamais ça. C'est contre nature. Vous le savez comme moi. Mais il avait cette aisance, cette assurance, et ce côté plaisantin.

— « Quoi de neuf, docteur ? »

— Il dit toujours ça, ce crétin ?

— Oui.

— C'est un sale connard. Il le cache avec sa belle gueule, mais c'est un connard, un vrai de vrai.

— Donc, il ne vous lâche pas le grappin, et puis, tout à coup, il disparaît de la circulation.

— L'enquête s'est enlisée. Judi avait disparu comme si elle n'avait jamais existé. Zillis a quitté la fac à la fin de cette année-là. Je ne l'ai jamais revu.

— Il est chez nous, aujourd'hui.

— Je me demande ce qu'il a fait entre-temps.

— On le découvrira peut-être.

— Je l'espère.

— Je vous tiendrai au courant.

— Quand vous voudrez. Vous n'êtes pas le premier dans la maison, pas vrai ?

Billy ne comprit pas tout de suite, ayant presque oublié quel personnage il incarnait, mais il se reprit *in extremis* :

— Non. Mon père était flic. Il a voulu être enterré en uniforme.

— Moi, c'est mon père et mon grand-père. Il y a tellement de flics dans ma lignée que ça fait *cling ! cling !* dans mes artères ; je n'ai même pas besoin de sortir ma plaque, les gens savent d'instinct qui je suis. Mais Judith Kesselman, je l'ai aussi dans le sang. Je veux qu'elle repose en paix, avec le respect, la dignité qu'elle mérite... et pas... pas qu'elle soit abandonnée quelque part comme un vulgaire détritus. Dieu sait que la justice n'est pas de ce monde mais, pour elle, il faut qu'il y en ait une. Il le faut.

Après avoir raccroché, Billy ne trouva pas la force de se relever. Il fixait Lanny des yeux, et Lanny semblait le regarder aussi.

Ramsey Ozgard était dans la vraie vie, dans toute sa houle, nageant droit devant, et non pas longeant avec précaution le rivage. Il était immergé dans la vie, dans sa communauté, dévoué corps et âme à elle.

L'implication d'Ozgard avait migré de Denver jusqu'à lui, aussi palpable que si les deux hommes s'étaient trouvés dans la même pièce. En entendant la révolte de cet homme, Billy mesura l'isolement dans lequel il s'était enfermé jusqu'ici. L'isolement et ses dangers.

Barbara avait commencé à le faire sortir de son cocon. Puis il y avait eu la soupe en boîte. La vie lui avait asséné son « une-deux » préféré : cruauté et absurdité.

Il était perdu sur les vagues à présent, mais non par choix. Les événements l'y avaient précipité, l'avaient poussé au large, là où la houle est puissante et véloce.

Le poids de vingt années d'émotions refoulées, de réserve calculée, de réclusion, l'avait étouffé, entravant ses mouvements. Billy voulait à présent apprendre à nager de nouveau, mais un courant de fond semblait l'entraîner au loin, loin des siens, vers une solitude plus immense encore.

50.

Comme s'il savait où il allait finir – jeté dans les entrailles de l'ancienne cheminée de lave, sans tombe ni cérémonie –, Lanny ne voulait pas se laisser envelopper d'un suaire.

Lanny n'était pas mort dans cette pièce ; aucune trace de sang ou débris de cervelle ne maculait les murs ou les meubles. Billy voulait faire disparaître Lanny de façon mystérieuse, pour éviter qu'une enquête pour homicide ne soit lancée. Pour cela, il lui fallait laisser l'endroit immaculé.

Dans l'armoire, il avait pris un lot de serviettes-éponges ; Billy avait reconnu instantanément l'odeur ; Lanny utilisait la même lessive et produit assouplissant que Pearl.

Il avait étalé les serviettes sur les bras et le dossier du fauteuil où se trouvait le cadavre. Si quoi que ce soit devait encore couler de l'orifice de sortie à l'arrière du crâne, les tissus-éponges l'absorberaient.

Il avait apporté avec lui un petit sac plastique pour poubelle de salle de bains. En évitant de regarder les yeux laiteux et exorbités, il avait glissé le sac sur la tête de Lanny et, avec du ruban adhésif, il l'avait attaché autour du cou le plus hermétiquement possible – précaution supplémentaire contre les fuites.

Même s'il savait qu'accomplir une tâche morbide ne pouvait rendre fou, que l'horreur venait toujours après la folie – jamais avant –, Billy ne pouvait s'empêcher de s'interroger. Combien de temps lui restait-il avant que chacun de ses rêves, voire chacune de ses heures de veille, ne deviennent des antres de démence hurlante.

Billy venait d'extraire Lanny du fauteuil sans trop de mal lorsque les difficultés commencèrent. Lanny gisait au sol en ayant gardé la même position que lorsqu'il était assis. Ses jambes repliées refusaient d'être étendues.

La *rigor mortis*. Le cadavre était raide et le resterait long-temps avant que la décomposition des tissus ait suffisamment assoupli les chairs.

Combien de temps au juste? Six heures? Douze? Billy n'avait pas tout ce temps devant lui.

Il fit de son mieux pour emballer le corps dans la bâche. Par-fois, la résistance du mort paraissait volontaire, parfois même entêtée.

Le paquet final était volumineux, mais au moins hermétique. Restait à savoir si la corde, servant de poignée de transport, allait tenir…

Les serviettes de toilette étaient immaculées. Billy les replia et les remisa dans l'armoire à linge.

Elles avaient perdu leur bonne odeur de propre.

Tirer Lanny jusqu'au palier fut aisé. Mais dans l'escalier, le corps se mit à faire des bruits sinistres. Dans sa position quasi-ment fœtale, le cadavre cognait durement sur chaque marche, émettant un mélange de chocs mous et de claquement d'os.

Arrivé sur le demi-palier, Billy se souvint que Lanny l'avait trahi pour sauver son emploi et sa retraite, et qu'ils en étaient arrivés à cette situation à cause de lui. Cette vérité, tout impla-cable qu'elle fût, n'allégea en rien la besogne de Billy, et la descente de la dernière volée de marches demeura aussi éprou-vante.

Traîner le corps dans le couloir, la cuisine, puis jusqu'au perron côté jardin ne se révéla pas trop difficile. Il y eut quelques marches à négocier, juste quelques-unes, et ils étaient dehors.

Que faire? Charger le corps dans l'Explorer et s'approcher au plus près du gouffre? Le trou n'était pas très loin; tirer Lanny jusque là-bas ne paraissait pas plus épuisant que de le hisser dans le coffre arrière du 4 x 4 et de l'en sortir.

Comme une pierre réfractaire, la colline renvoyait la chaleur de la journée ; par chance, une brise s'était levée avec les étoiles.

Mais le trajet, sur ce sol pentu, envahi de broussailles qui s'accrochaient à ses jambes, lui parut bien plus long qu'il ne l'avait imaginé depuis le perron. Il avait des crampes dans les bras, mal aux épaules, au cou.

Pendant qu'il traînait son boulet, il s'aperçut soudain qu'il pleurait. Cela lui fit peur. Il lui fallait rester solide comme un roc.

Il comprit d'où venaient ces larmes. Plus il s'approchait du puits de lave, moins Billy considérait son fardeau comme une banque d'indices compromettants. Sans sacrements ni éloge funéraire, c'était Lanny Olsen qu'il s'apprêtait à faire disparaître, le fils d'une femme au grand cœur qui lui avait ouvert sa porte et son amour, alors que Billy était un adolescent dévasté de quatorze ans.

Au clair des constellations, maintenant que la vue de Billy s'acclimatait à l'obscurité, l'amas rocheux ceignant le gouffre rappelait la calotte d'un crâne.

Peu importait ce qui l'attendait là-haut, que ce soit une montagne de têtes de mort ou une plaine infinie d'ossements, Billy ne pouvait faire marche arrière, et encore moins ramener Lanny à la vie, car il n'était que Billy Wiles, un bon barman et un écrivain raté. Il ne savait pas faire de miracles ; il avait juste l'espoir – un espoir opiniâtre et une obstination aveugle.

Alors sous la nuit étoilée et la brise chaude, il arriva jusqu'au crâne de pierre. Sans perdre une seconde, pas même pour reprendre son souffle, il jeta son fardeau dans l'abîme.

Il resta accoudé aux montants de bois, scrutant le boyau noir, écoutant la chute vertigineuse du corps, en une sorte d'ultime adieu.

Puis le silence revint ; il ferma les yeux.

— C'est fini, articula-t-il.

Bien sûr, rien n'était fini. D'autres tâches l'attendaient encore, aussi sinistres pour certaines, mais aucune plus éprouvante, espérait-il.

Il avait laissé sa lampe et sa visseuse sur le sol à côté du trou. Il remit le couvercle en place, sortit les vis de sa poche et referma le tout.

Lorsqu'il rejoignit la maison, la sueur avait emporté ses pleurs.

Derrière le garage, Billy rangea la lampe et la visseuse dans l'Explorer. Les gants de latex étaient déchirés. Il les retira et les jeta dans la poubelle de bord et en enfila une paire neuve.

Il retourna dans la maison pour l'inspecter de fond en comble. Surtout ne laisser aucun indice de sa présence dans les murs, ou de celle d'un cadavre.

Dans la cuisine, il eut un moment d'hésitation. Que faire du rhum, du Coca, des citrons verts et autres reliques abandonnées sur la table ? Il y réfléchirait plus tard.

Voulant fouiller la chambre à coucher à l'étage, il traversa la maison en longeant le couloir du rez-de-chaussée avec son tapis à fleurs. Au moment où il arrivait dans l'entrée, il perçut une lueur sur sa droite, derrière l'arche donnant dans le salon.

Le revolver dans sa main devint soudain moins pesant, mais un accessoire indispensable.

Lors de son premier passage dans la maison, alors qu'il montait l'escalier pour s'assurer que le corps de Lanny était toujours dans le fauteuil de la chambre à coucher, Billy avait allumé le lustre dans le salon, mais aucune autre lumière. À présent, tous les luminaires brillaient dans la pièce, jusqu'au plus petit abat-jour.

Dans le canapé, face à l'arche, comme un mémorial à l'irrationnel et à la solidité des habits de seconde main, se tenait assis Ralph Cottle.

51.

Ralph Cottle, contre toute logique, s'était débarrassé de son suaire de plastique, avait remonté des kilomètres de parois verticales des entrailles de la vallée, et était revenu dans la maison d'Olsen, à peine quarante minutes après avoir été jeté dans l'ancienne cheminée volcanique, le tout en restant parfaitement mort et membre de la vénérable Société des agnostiques.

Sous le choc, Billy crut un instant que Cottle était encore en vie, qu'il n'avait jamais été mort mais, la seconde suivante, il comprit que le corps qu'il avait jeté dans le gouffre n'était pas celui de Cottle, que le contenu de son *burrito* géant avait été remplacé.

« Mais qui alors ? » s'entendit souffler Billy, s'interrogeant sur l'identité du mort qui se trouvait dans la bâche, avant de se tourner lentement vers le couloir derrière lui, prêt à tirer sur quiconque se trouvait là, sans sommation ni questionnement aucun.

Une matraque avec une âme de plomb, ou quelque instrument de ce genre, s'abattit sur lui et le frappa à l'endroit idéal, juste à la base de l'occiput. Le coup fut moins douloureux que psychédélique. Une gerbe d'étoiles étincelantes, bleues et rouges, jaillit sous son crâne et vint mourir contre le rideau de ses paupières qui se baissaient.

Il ne sentit pas le sol monter à sa rencontre. Pendant un temps qui lui parut durer des heures, il tomba en chute libre dans la cheminée volcanique, se demandant comment les morts trompaient l'ennui dans l'antre glacé de cet ancien volcan.

Le choix vous appartient

Les ténèbres le réclamaient plus avidement que la lumière ; à plusieurs reprises, il faillit se réveiller, affleurant la surface de la conscience, mais il était happé de nouveau, et plongeait plus profond encore dans les abysses noirs.

À deux reprises, une voix s'adressa à lui, à moins qu'il n'entendît pas les autres appels. Les deux fois, il comprit les mots, mais ce n'est qu'à la dernière itération qu'il put répondre.

Dans son vertige et sa confusion, Billy se conseillait de bien écouter cette voix, de se souvenir du timbre, de ses intonations, pour pouvoir la reconnaître plus tard. L'identification serait difficile, car la voix ne paraissait pas humaine ; rauque, étrange, distordue, mais elle posait une question avec insistance :

— *Êtes-vous prêt pour votre deuxième blessure ?*

La seconde fois, donc, Billy fut capable de répondre :

— Non.

Retrouvant sa propre voix, même si elle était faible et sifflante, il trouva la force de soulever les paupières.

Malgré sa vue brouillée, il distingua l'homme à la cagoule, vêtu d'habits sombres, qui se tenait au-dessus de lui. Les mains étaient gantées – de fins gants de cuir noir ; elles étaient refermées sur la crosse d'une arme étrange et futuriste.

— Non, répéta Billy.

Il gisait sur le dos, le haut du corps sur le tapis fleuri du couloir, le reste sur le plancher, son bras droit en travers de la poitrine, le gauche étendu sur le côté. Son revolver ? Où était son revolver ?

Enfin, sa vision s'éclaircit et Billy s'aperçut que l'arme bizarre que tenait l'inconnu n'était ni le signe de l'existence des machines temporelles, ni celui d'une rencontre du troisième type avec des ET surévolués. Il s'agissait d'une simple cloueuse électrique sur batterie.

La main gauche de Billy reposait paume en l'air ; l'homme à la cagoule la cloua au plancher.

III

VOTRE UNIQUE POSSESSION, C'EST VOTRE MANIÈRE DE VIVRE

52.

La douleur et la peur embuent l'esprit, étouffent la raison.

Les chairs transpercées, Billy hurla. Une brume de terreur noya toutes ses pensées au moment où il comprit qu'il était cloué au sol, immobilisé, à la merci du dingue.

La souffrance peut être endurée, et vaincue, seulement si elle est assumée. Si elle est niée ou source de terreur, elle grandit en esprit sinon en réalité.

La meilleure réponse à la terreur est la colère, la foi en la justice, la révolte.

Ces pensées ne traversaient pas son esprit en rangs ordonnés comme à la parade. Elles étaient des vérités universelles ancrées dans son inconscient, nourries par l'expérience, et il était sensible à leur influence comme s'il s'agissait de pur instinct, inscrit dans son sang et sa moelle.

Quand il était tombé, il avait lâché le revolver. Le dingue ne semblait pas l'avoir récupéré… l'arme était peut-être à la portée de Billy…

Il tourna la tête sur le côté, fouillant le couloir du regard. De sa main libre, il tâta le sol sur son côté droit.

Le malade jeta quelque chose à la figure de Billy. Il tressaillit, s'attendant à l'éclair de douleur mais ce n'était qu'une photographie.

Il ne pouvait distinguer l'image. Il secoua la tête pour écarter le cliché de son visage.

La photo tomba sur sa poitrine. Le dingue allait-il la lui clouer sur le torse ?

Non. La cloueuse à la main, le tueur s'éloigna dans le couloir en direction de la cuisine. Une pointe dans la paume... il avait joué sa scène.

Vite. Garder une image de lui. La graver dans sa mémoire. Taille approximative, corpulence. Largeur des épaules. Hanches... fines ? larges ? Un signe distinctif dans sa démarche ? Gracieuse, claudicante ?

La peur, la douleur, la vision trouble, tout ça n'aidait guère... mais le pire, c'était l'angle de vue impossible : Billy était couché sur le dos, le tueur debout ; il ne pouvait se faire une idée des mensurations du dingue, pas en l'espace des quelques secondes où il était resté dans son champ de vision.

L'inconnu disparut dans la cuisine. Il y eut là-bas un peu de remue-ménage, des bruits. Il cherchait quelque chose, ou faisait quelque chose.

Billy repéra un éclat métallique sur le plancher – le revolver ! L'arme se trouvait derrière lui, hors d'atteinte.

Après avoir traîné son fardeau jusqu'à l'autel de pierre en forme de crâne, après avoir jeté Lanny dans l'antre de la cheminée volcanique, Billy avait épuisé son capital d'effroi, du moins le pensait-il. Mais il n'en avait pas terminé... il devait à présent tester la résistance du clou qui plaquait sa paume au sol. Et bouger sa main l'emplissait de terreur.

La douleur était sourde, lancinante, mais tolérable... finalement moins atroce qu'il ne s'y attendait. Mais remuer la main pour tenter d'arracher le clou, ce serait tenter de mâcher un caramel avec un abcès dentaire.

Il n'était pas seulement terrorisé à l'idée de bouger sa main, il ne voulait pas la voir non plus. Même si l'image, en pensée, était sans doute plus terrible que la réalité, son estomac se serra lorsqu'il tourna la tête pour examiner sa blessure.

Hormis le doigt excédentaire, on eût dit, avec le gant en latex, une main de Mickey, comme celles qui étaient dessinées et pointaient vers l'endroit où reposait le cadavre de Lanny. L'illusion était saisissante. Tout y était, jusqu'au bourrelet au poignet.

Un fourmillement lui chatouillant l'avant-bras se révéla être un filet de sang, une découverte qui mit un terme à cette douce illusion.

Il y avait peu de sang finalement. La hampe du clou devait freiner l'hémorragie. Mais quand il retirait la pointe...

Retenant son souffle, Billy tendit l'oreille. Tout était silencieux dans la cuisine. Apparemment le fou était parti.

Il ne voulait pas crier de douleur une nouvelle fois devant lui, pas question de lui faire ce plaisir.

Le clou... Il n'était pas enfoncé dans sa chair jusqu'à la tête. Environ un centimètre de la hampe dépassait au-dessus de sa paume. Il distinguait les striures de la tige d'acier.

Il ne pouvait savoir quelle en était la longueur exacte. Mais à en juger par sa section, ce clou devait mesurer au moins huit centimètres de l'extrémité à la tête.

En soustrayant la portion au-dessus de sa paume et celle traversant sa main, il en déduisit que quatre bons centimètres au moins étaient enfoncés dans le sol. Après avoir perforé la latte de bois, le sous-plancher, une toute petite longueur de pointe pouvait s'être enfoncée dans la solive.

Mais si le clou mesurait dix centimètres, alors il était solidement planté dans le solivage. Tenter de l'arracher était peine perdue.

Les maisons étaient bien construites à l'époque. Des solives de 50 mm x 100 mm, voire de 50 mm x 145 mm, espacées tous les 30 cm, devaient supporter le plancher.

Néanmoins, les probabilités étaient de son côté. 30 centimètres de vide pour 5 centimètres de solive.

S'il plantait sept clous au hasard dans ce plancher, un seulement trouverait le bois massif. Les six restants ne rencontreraient que le vide.

Lorsque Billy tenta de replier sa main, il poussa un cri de douleur malgré lui.

Il n'y eut pas de rire sardonique dans la cuisine. Un indice de plus prouvant que le tueur était parti.

Soudain, Billy se demanda si, avant de s'en aller, le tueur avait composé le 911...

53.

Immobile et attentif comme seuls les cadavres peuvent l'être, Ralph Cottle jouait la sentinelle sur le canapé.

Le tueur lui avait croisé les jambes et posé les mains sur ses genoux pour lui donner une posture décontractée. Il paraissait attendre patiemment que le maître de maison lui apporte un apéritif, ou que débarquent les sergents Napolitino et Sobieski.

Même si Cottle n'était ni mutilé ni décoré d'accessoires, Billy ne put s'empêcher de penser aux mannequins de Steve Zillis.

Zillis était au travail. Billy avait vu sa voiture un peu plus tôt, lorsqu'il s'était arrêté devant la taverne pour admirer le soleil couchant sur le panneau articulé.

Il penserait à Cottle et à Zillis plus tard. D'abord le clou !

Doucement, Billy se tourna sur le côté pour se positionner face à sa paume clouée.

Avec le pouce et l'index de sa main droite, il saisit la tête du clou. Avec précaution, il tenta de le faire bouger dans son logement, mais la pointe restait immobile, bien enfoncée dans le bois.

Si la tête avait été petite, il aurait pu tenter de passer sa main au travers pour se libérer, en laissant le clou dans le plancher. Mais la tête était large. Même s'il pouvait peut-être supporter la douleur de l'arrachement, le passage de la tête dans les chairs causerait de grands dommages internes.

Quand Billy essaya une nouvelle fois de faire bouger le clou, la douleur jaillit, qu'il tâcha de comprimer en serrant les dents si fort qu'il crut que ses molaires allaient éclater.

Il n'y eut pas même un grincement dans le bois; il serait édenté avant que ce clou ne sorte des lattes. ! Et puis, enfin, la pointe bougea.

Sous la traction, le clou s'éleva, à peine, mais le mouvement était perceptible. Il glissait dans les fibres du bois, mais également dans la chair de sa main.

La douleur était aveuglante. Des éclairs en cascade, éblouissants, acérés.

Il sentit la hampe racler contre un os. Si le clou avait brisé un métacarpe, il aurait besoin d'une intervention chirurgicale.

Malgré l'air conditionné, la maison ne lui avait pas paru aussi froide à son arrivée. À présent, il grelottait, sa sueur tournait en glace.

Billy poursuivit ses efforts, et la douleur se fit plus aveuglante encore; il eut l'impression de devenir luminescent, que la lumière irradiait de tout son corps, un prodige dont seul Cottle était témoin.

Même si les probabilités étaient contre le clou, celui-ci avait eu de la chance, car la pointe avait traversé non seulement la latte, le sous-plancher, mais avait trouvé une solive. Le cou fourré de la roulette du désespoir : on jouait le rouge et c'est le noir qui sortait.

Le clou céda enfin et, dans une pulsion de rage et de triomphe, Billy faillit le jeter au loin; mais il se ravisa. Il lui aurait alors fallu le retrouver car il ne pouvait laisser ici ce clou imprégné de son sang.

Il posa sagement la pointe à côté de son trou.

Le feu de la douleur reflua, devint braises rougeoyantes et Billy put se relever.

La blessure saignait des deux côtés de la perforation, mais raisonnablement. Les chairs avaient été percées, après tout, pas déchiquetées, et l'orifice n'était pas large.

En mettant sa main en coupe sous sa paume, pour ne pas répandre du sang sur le tapis et le plancher, il courut à la cuisine.

Le tueur avait laissé la porte de derrière ouverte. Il n'était pas sur le perron, ni sans doute dans le jardin.

Il ouvrit le robinet de l'évier et passa sa main sous le jet d'eau glacée.

Bientôt l'épanchement de sang se réduisit. Il tira quelques serviettes en papier du distributeur et les enroula autour de sa main blessée.

Il sortit sur le perron arrière. Il tendit l'oreille. Ce n'était pas la présence éventuelle du tueur qu'il tentait de discerner, mais le mugissement de sirènes au lointain.

Au bout d'une minute de silence, il en conclut que le dingue, cette fois, n'avait pas appelé le 911. Le malade, l'« artiste », avait sa fierté. Pas question de jouer deux fois le même mauvais tour.

Billy retourna dans la maison. Il aperçut la photographie que le tueur lui avait jetée au visage ; elle lui était sortie de l'esprit. Il ramassa le cliché.

C'était une jolie rousse. Elle regardait l'objectif. Terrifiée.

Elle aurait pu avoir un joli sourire.

Billy ne la connaissait pas. Mais ce n'était pas ça l'important. C'était la fille de quelqu'un. Quelque part des gens l'aimaient.

Butez la pute…

Ces mots résonnaient en lui ; Billy, sous le choc, faillit tomber à genoux.

Pendant vingt ans, il n'avait pas simplement confiné ses émotions. Certaines avaient été bannies, Billy ne s'autorisant à ressentir que ce qui était sans danger pour lui.

Il ne s'accordait la colère qu'avec modération, et jamais il ne s'était laissé aller à la haine. Il craignait qu'en laissant filtrer ne serait-ce qu'une goutte de haine, un flot furieux se déverse en lui et l'emporte.

Mais se contenir face au mal, toutefois, n'était pas une vertu ; haïr ce tueur psychopathe n'était pas un péché. C'était un juste courroux, animé davantage de révolte que d'aversion, une colère plus lumineuse que la douleur qui venait de le transformer en lampe incandescente.

Il ramassa le revolver. Il abandonna Cottle dans son canapé et grimpa l'escalier, en ne pouvant s'empêcher de se demander si, à son retour au rez-de-chaussée, le mort ne se serait pas volatilisé.

54.

Dans l'armoire à pharmacie de la salle de bains, Billy trouva de l'alcool, du bandage liquide et une collection de flacons portant l'avertissement : ATTENTION ! TENIR HORS DE PORTÉE DES ENFANTS.

Le clou, étant propre, n'était pas en soi vecteur d'infection. Mais il avait pu emporter dans les chairs des bactéries se trouvant sur la peau.

Billy versa l'alcool dans sa paume, espérant que le liquide s'insinue dans la blessure. Au bout d'un moment, ça commença à piquer.

Ayant pris la précaution de ne pas trop refermer sa main, l'hémorragie s'était quasiment arrêtée. Elle ne reprit pas avec l'alcool.

C'était une stérilisation de fortune. Billy n'avait ni le temps, ni les moyens de faire mieux.

Il déposa du pansement liquide sur les deux orifices. Cela éviterait une surinfection venant de l'extérieur.

Plus important encore, le pansement liquide (qui en séchant formait une pellicule caoutchouteuse) éviterait toute hémorragie. La débauche de flacons contenait des gélules ou des comprimés. À l'évidence, Lanny était un malade peu scrupuleux qui ne terminait jamais ses soins, mais gardait des réserves pour une éventuelle automédication ultérieure.

Billy trouva deux flacons d'antibiotique – du Cipro, 500 mg. Dans l'un, il restait trois cachets, dans l'autre, cinq.

Il rassembla les gélules dans une seule bouteille, arracha l'étiquette qu'il jeta à la poubelle.

Plus que l'infection, Billy redoutait l'inflammation. Si sa main enflait et se raidissait, ce serait un handicap en cas de confrontation avec le tueur.

Dans l'armoire, il trouva du Vicodin. Cela n'empêcherait pas l'inflammation si la blessure s'infectait, mais l'analgésique soulagerait la douleur. Il restait quatre comprimés. Ils rejoignirent les huit gélules de Cipro dans la bouteille.

Sa main était le siège d'ondes de douleur qui suivaient le rythme de son pouls. Quand Billy regarda de nouveau la photographie de la jeune femme rousse, une autre douleur, plus psychologique que physique, pulsa en lui.

La souffrance est un don du ciel. L'humanité, sans la souffrance, ne peut connaître la peur, ni la pitié. Sans peur, il n'y aurait pas d'humilité, tous les hommes seraient des monstres d'égocentrisme et de cruauté. La reconnaissance de la douleur et de la peur chez autrui fait naître en nous la compassion, et cette pitié est notre humanité, notre rédemption.

Dans les yeux de la jeune femme rousse, une terreur absolue. L'abomination de connaître son destin.

Billy n'avait pu la sauver. Mais si le tueur avait suivi les règles du jeu, il ne l'avait pas torturée.

Quand son regard glissa de ce visage douloureux vers l'arrière-plan du cliché, il reconnut la pièce – c'était la chambre de Billy. Elle avait été retenue captive chez lui. Et tuée là-bas.

55.

Assis sur le bord de la baignoire dans la salle de bains de Lanny, la photo de la jeune femme rousse dans les mains, Billy tentait de reconstituer la chronologie du meurtre.

Le psychopathe avait appelé aux environs de midi et demi, après que les sergents furent partis et après qu'il eut emballé Cottle dans la bâche. Pour tromper Billy, il avait passé l'enregistrement lui offrant le choix : la femme rousse torturée, puis tuée ; ou alors abattue d'une simple balle ou d'un seul coup.

À ce moment, déjà, le tueur détenait sa victime. Il était même probable que la malheureuse entendait l'enregistrement qu'il diffusait à Billy au téléphone.

À 13 heures, Billy était parti pour Napa. Le tueur avait emmené la femme chez lui, pris la photo, puis l'avait tuée promptement.

Quand le dingue avait découvert Cottle emmailloté derrière le canapé, son esprit facétieux s'était réveillé. Il avait interverti les cadavres – la femme à la place du pochard.

Billy avait, à son insu, jeté le corps de la jeune femme dans l'ancienne cheminée volcanique, empêchant ainsi à jamais sa famille de récupérer sa dépouille, d'avoir la maigre consolation de pouvoir offrir à leur fille une sépulture digne de ce nom.

Cet échange de cadavres, c'était du Zillis tout craché ; il y reconnaissait son humour potache, ce détachement avec lequel il pouvait lancer des plaisanteries sinistres.

Steve ne prenait son service qu'à 18 heures. Il avait eu tout le temps d'accomplir ses bonnes blagues.

Mais en ce moment même, la petite ordure était à la taverne. Il ne pouvait avoir installé Cottle dans le canapé ni avoir cloué la main de Billy au plancher.

Billy consulta sa montre : 23 h 41.

Il se força à regarder de nouveau la photo de la jeune femme rousse, car il comptait jeter le cliché dans le gouffre avec les autres indices compromettants. Il voulait se souvenir d'elle, graver son visage dans sa mémoire.

Lorsque le dingue avait lancé la lecture de l'enregistrement, peut-être la malheureuse, ligotée et bâillonnée, avait-elle entendu Billy rendre sa sentence : *Butez la pute.*

Ces mots lui avaient épargné la torture mais, à présent, ils étaient une torture pour Billy.

Il ne pouvait se résoudre à jeter cette photo. Mais la garder était également dangereux ; il la plia toutefois, en veillant à ce que la pliure ne passe pas sur le visage de la jeune femme, et rangea le cliché dans son portefeuille.

Avec méfiance, il sortit de la maison pour rejoindre l'Explorer. Se fiant à son instinct, Billy doutait que le tueur soit dans les parages, en train de l'espionner. La nuit paraissait calme et tranquille.

Il jeta dans la poubelle de bord le gant de latex perforé et en prit un nouveau. Il débrancha son téléphone portable et l'emporta avec lui.

De retour dans la maison, il passa toutes les pièces au peigne fin, rassemblant les indices pour les mettre dans un sac-poubelle, en particulier la photo de Giselle Winslow (celle-ci, il ne voulait pas la garder), les dessins des mains de Mickey, le clou…

Une fois le ménage terminé, il posa le sac-poubelle à côté de la porte côté jardin.

Il prit un verre propre. Il se servit quelques centilitres de Coca-Cola tiède.

À force de s'agiter, la douleur à sa main avait forci. Il avala un Cipro et un Vicodin.

Billy jugea plus prudent de cacher le fait que Lanny avait bu la veille. La maison devait offrir un aspect parfaitement habituel. Il fallait éviter à tout prix d'éveiller les soupçons.

Voyant que l'absence de Lanny se prolongerait, la police viendrait sonner chez lui, jeter un coup d'œil par les fenêtres. Ils finiraient par entrer. S'ils découvraient que Lanny s'était soûlé, ils en déduiraient qu'il avait eu un coup de cafard et qu'il s'était peut-être suicidé.

Dès qu'ils en arriveraient à ce genre de conclusion, ils se mettraient à fouiller les abords de la propriété. Plus les herbes auraient le temps de se redresser, moins ils risquaient de s'intéresser au gouffre.

Quand tout fut nettoyé, les indices méticuleusement collectés dans le sac-poubelle, et qu'il ne restait plus à s'occuper que de Cottle, Billy prit son portable pour appeler le numéro de la taverne.

— Ici la taverne, répondit Jackie O'Hara.

— Comment vont vos cochons avec leurs cerveaux humains ?

— Ils sont partis boire ailleurs.

— Parce que la taverne est un établissement familial.

— Tout juste. Et elle le restera.

— Jackie, j'ai un problème...

— Je n'aime pas quand ça commence comme ça... Cela veut dire que je vais me faire avoir.

— ... je vais devoir prendre un autre jour de congé, demain.

— Qu'est-ce que je disais !

— Non. Il ne faut pas tomber dans le mélo.

— Tu ne parais pas si malade que ça.

— Ce n'est pas un coup de froid. C'est l'estomac.

— Passe-le-moi, j'ai deux mots à lui dire.

— Ne le prenez pas si mal.

— Ce n'est pas normal... ce n'est pas au patron d'être derrière le comptoir à tirer des pressions.

— Quoi, il y a tant de monde que ça ce soir ?... Steve ne peut pas se débrouiller tout seul ?

— Steve n'est pas là. Je suis tout seul.

Les mains de Billy se crispèrent sur le téléphone.

— Je suis passé tout à l'heure devant la taverne. Sa voiture était sur le parking.

— C'est son jour de congé.

Billy avait oublié.

— Voyant que je n'arrivais pas à trouver quelqu'un pour te remplacer, Steve est passé me donner un coup de main de 15 heures à 21 heures. Qu'est-ce que tu fichais en voiture, si t'étais malade ?

— J'allais chez le docteur. Steve n'a pas pu rester plus de six heures ?

— Il avait des trucs à faire, avant et après.

Avant, occire la jeune femme rousse et, après, clouer la main de Billy…

— Qu'a dit le toubib ?

— C'est un virus.

— C'est ce qu'ils disent tous quand ils ne savent pas ce que c'est.

— Non. Je pense vraiment que c'est un virus de quarante-huit heures.

— Comme si les virus avaient une montre en main ! Si tu te pointais avec un troisième œil au milieu du front, les toubibs te diraient encore que c'est un virus.

— Je suis sincèrement désolé de te faire ce sale coup, Jackie.

— Je survivrai. Ce n'est qu'une emmerde de boulot, ce n'est pas la fin du monde.

En coupant la communication, Billy avait l'impression, au contraire, que l'apocalypse était imminente.

Sur le comptoir de la cuisine : le portefeuille de Lanny, ses clés de voiture, de la petite monnaie, son téléphone portable, et son pistolet .9mm de service. Rien n'avait bougé depuis la veille.

Billy prit le portefeuille. Puis aussi le téléphone, le pistolet et le holster.

Dans le casier à pain, il chipa le pain de mie complet que Lanny conservait dans un sac en plastique à glissière.

Dehors, au bout du perron, il émietta le pain sur la pelouse. Les oiseaux feraient bombance demain matin.

De retour dans la maison, il glissa un torchon dans le sac de pain de mie vide.

Une vitrine à fusil trônait dans le bureau. Dans les tiroirs, sous les portes vitrées, Lanny rangeait ses munitions, des bombes lacrymogènes ainsi qu'un ceinturon de service.

La ceinture était pourvue de tous ses accessoires : chargeurs de rechange, bombe lacrymogène dans son étui, Taser, menottes, clé, stylo réglementaire, et un holster. Prête à l'emploi.

Billy récupéra un chargeur de rechange. Il prit également les menottes, la bombe lacrymo et le Taser. Il fourra le tout dans le sac plastique.

56.

Des créatures ailées, peut-être des chauves-souris pourchassant des papillons de nuit aux premières heures du matin, décrivaient des loopings au-dessus de Billy. Quand il leva la tête vers ces nuées, son regard s'arrêta sur le fin croissant de la nouvelle lune suspendu dans le ciel.

Sans doute était-elle là à son arrivée, cheminant vers l'ouest, mais il ne l'avait pas remarquée. Cela n'avait rien de surprenant. Depuis la tombée de la nuit, il n'avait guère eu le temps de contempler le ciel; son attention était tout accaparée par de sinistres besognes terrestres.

Ralph Cottle n'était pas facile à transporter, avec ses membres raidis selon des angles incommodes par la *rigor mortis*. N'ayant pu trouver de bâche chez Lanny, Billy avait enveloppé le cadavre dans une couverture, et l'avait ficelé avec la collection complète de cravates de son ami (qui se réduisait à trois exemplaires). Son colis glissait très mal sur la pelouse pendant son ascension vers les broussailles.

Cottle avait dit qu'il n'était pas un héros. Et, sans doute, était-il mort en lâche.

Il tenait à sa vie, toute misérable qu'elle fût. « C'est tout ce que j'ai. » Il ne pouvait imaginer qu'il pouvait y avoir mieux, si on s'en donnait la peine, si on était prêt à l'accepter.

À l'instant où la lame s'était enfoncée entre ses côtes et lui avait transpercé le cœur, Cottle s'était sans doute rendu compte que l'on pouvait passer à côté de sa vie, mais pas à côté de sa mort.

Billy ressentit de l'empathie pour cet homme, dont le désespoir était plus abyssal encore que le sien, et dont la faiblesse de caractère était plus vaste encore.

Quand les branchages se mirent à s'accrocher à la couverture de laine, freinant encore sa progression, Billy jucha le cadavre sur ses épaules, sans dégoût ni plainte. Il chancela sous le fardeau, mais ne tomba point.

Il était retourné au gouffre quelques minutes plus tôt pour retirer le couvercle. Le trou l'attendait, béant.

Il n'y avait pas qu'un seul monde, mais des millions, disait Cottle, que son monde n'était pas celui de Billy. Que ce fût vrai ou non, leurs mondes s'étaient aujourd'hui rejoints.

Le corps dans sa couverture tomba dans le vide. Heurta une paroi. Rebondit. Tomba encore. Dans les ténèbres. Du néant vers le néant.

Quand le silence vint, laissant supposer que l'agnostique avait rejoint sa sépulture, en compagnie de Lanny et de l'inconnue, Billy remit en place le couvercle.

Billy quitta la maison de Lanny Olsen, sans savoir où aller. Il devrait affronter Steve Zillis, mais pas tout de suite, pas encore. D'abord, il devait se préparer à l'assaut.

En d'autres temps, les hommes, à l'aube d'une bataille, se rendaient à l'église pour se préparer spirituellement et mentalement, pour être enveloppés, réconfortés par les volutes d'encens, la lueur des cierges, et par la miséricorde et l'humilité du Sauveur.

À cette époque, les églises étaient ouvertes jour et nuit, offrant leur refuge sans restriction.

Aujourd'hui les temps avaient changé. Certaines églises restaient ouvertes vingt-quatre heures sur vingt-quatre, mais la plupart avaient des horaires de visite draconiens et leurs portes étaient verrouillées bien avant minuit.

Certaines fermaient pour des raisons économiques, le coût de l'électricité et du chauffage ayant raison de la mission spirituelle.

D'autres étaient vandalisées, à coups de graffiti ou par des infidèles qui, par moquerie, venaient copuler sur l'autel en laissant la nef constellée de préservatifs.

Autrefois ces comportements haineux et intolérants étaient jugulés par la fermeté, l'éducation et le culte du remords. Aujourd'hui, le clergé considère que les serrures et les alarmes sont plus efficaces que les anciens remèdes.

Plutôt que d'errer dans le comté à la recherche d'une église daignant lui ouvrir ses portes sans avoir pris rendez-vous avec le prêtre, Billy se rendit là où vont les hommes de maintenant lorsqu'ils ont besoin de méditer passé minuit : les relais routiers.

Aucun grand axe routier ne traversant le comté, le seul relais, implanté sur la nationale 29, était modeste comparé aux établissements des grandes chaînes qui étaient quasiment de petites villes. Mais le relais offrait une station-service éclairée comme en plein jour, une épicerie, des douches gratuites, un accès Internet, et un restaurant ouvert vingt-quatre heures sur vingt-quatre – cuisine à l'huile de friture et café serré à vous faire dresser les cheveux droit sur la tête.

Billy ne voulait ni caféine ni cholestérol. Il voulait juste une immersion dans le monde normal, pour se remettre de la folie dans laquelle il était plongé, et se réfugier dans un endroit public où il ne risquait pas d'être attaqué.

Il se gara devant le restaurant ; les lampadaires étaient si puissants qu'il aurait pu lire un livre de poche sous l'averse de photons qui traversait le pare-brise.

Dans la boîte à gants, il récupéra le sachet de lingettes et se nettoya les mains.

Ces lingettes étaient destinées à se dégraisser les doigts après avoir mangé un Big Mac et des frites dans la voiture, pas à se désinfecter l'épiderme après avoir manipulé des cadavres. Mais Billy n'était pas en position de faire le difficile.

Sa main gauche, perforée, était chaude au toucher et un peu engourdie. Il la plia, lentement, avec précaution.

Grâce au Vicodin, il n'avait pas mal. C'était peut-être plus grave. Si l'état de sa blessure empirait sans que la douleur l'en avertisse, sa main ne risquait-elle pas de le lâcher au pire moment ?

Avec le Pepsi tiède, il avala deux autres cachets d'Anacin, qui avaient des effets anti-inflammatoires. De l'ibuprofène aurait été plus indiqué, mais il n'avait que de l'aspirine sous la main.

Un peu de caféine pouvait compenser le manque de sommeil mais, en excès, ses nerfs en souffriraient et il risquait de se lancer dans des actions inconsidérées ; il prit néanmoins un nouveau comprimé de No-Doz.

Il avait brûlé de l'énergie depuis qu'il avait mangé ses barres au chocolat et aux cacahuètes. Il en avala une nouvelle de chaque.

Tout en mangeant, il songea à Steve Zillis, son suspect numéro 1. Son unique suspect.

Les indices contre Zillis étaient écrasants. Mais aucun n'était des preuves directes.

Cela ne signifiait pas que le dossier ne tenait pas. La moitié des condamnations était obtenue par recoupement d'indices concourants, et moins d'un pour cent des verdicts conduisait à des erreurs judiciaires.

Les meurtriers ne laissaient pas forcément de preuves irréfutables sur les lieux du crime. À l'époque des tests ADN, n'importe quel vilain, en regardant les séries policières à la télévision, pouvait apprendre à ne pas laisser de traces compromettantes.

Toute chose en ce bas monde avait sa face obscure et Billy ne connaissait que trop bien les dangers des preuves indirectes.

Dans son cas, le problème n'avait pas été la preuve en soi, mais John Palmer, aujourd'hui shérif, et à l'époque jeune lieutenant aux dents longues qui briguait le fauteuil de capitaine.

La nuit où Billy avait fait de lui un orphelin, la vérité était terrible, certes, mais limpide, sans la moindre difficulté d'interprétation…

57

Le jeune Billy Wiles, alors âgé de quatorze ans, est arraché de son rêve érotique par des éclats de voix.

Au début, il a l'esprit encore confus. Il croit être passé d'un rêve agréable à un autre, beaucoup moins plaisant celui-là.

Il enfouit son visage sous l'oreiller et tente de retrouver sa fée des songes.

Mais la réalité joue les trouble-fêtes, s'insinue, insiste.

Ce sont les voix de sa mère et de son père, qui montent du rez-de-chaussée, à peine atténuées par le plancher.

Magiciennes et enchanteurs hantent nos mythes : les sirènes qui attirent les marins sur les écueils, Circée qui transforme les hommes en cochons, le joueur de flûte qui entraîne les enfants de Hamelin à leur mort. Ces personnages illustrent notre tendance secrète à l'autodestruction, celle qui nous habite depuis que la première pomme a été croquée.

Billy est son propre joueur de flûte, s'autorisant à être tiré de son lit par les notes dissonantes de ses parents.

Les disputes sont rares dans cette maison, mais pas exceptionnelles. D'ordinaire les désaccords restent étouffés, silencieux, aussi brefs qu'intenses. Si l'aigreur demeure, elle s'exprime dans le silence, ce silence qui paraît tout guérir avec le temps, du moins en apparence.

Billy croit ses parents heureux ensemble. Ils s'aiment. Il le sait.

Pieds nus, en pantalon de pyjama, encore à moitié endormi, Billy se lève, longe le couloir, descend l'escalier…

Il sait aussi que ses parents l'aiment. À leur manière. Son père à sa façon froide et austère. Sa mère à sa façon bipolaire, passant tour à tour de la négligence bienveillante à l'amour possessif. Tous deux aussi sincères qu'excessifs.

Les raisons du ressentiment entre sa mère et son père sont toujours restées mystérieuses à Billy et lui semblent sans conséquence. Jusqu'à cette nuit.

Lorsqu'il arrive dans la salle à manger, le garçon se retrouve plongé (hasard ou volonté délibérée ?) dans les vérités glacées et les secrets des deux êtres qu'il pensait le mieux connaître au monde.

Jamais il n'avait imaginé que son père pouvait cacher une colère aussi ardente. Il n'y a pas seulement la puissance de sa voix, mais ce ton haineux, tranchant comme des pierres, ces mots atroces... sa rancœur couve depuis si longtemps, comme un brouet noir et fumant, nourrissant sa fureur à chaque instant.

Derrière la porte de la cuisine, il entend son père accuser sa mère de l'avoir trahi sexuellement, de le tromper régulièrement. Il la traite de putain et pis encore, sa colère se muant en rage sauvage.

Dans la salle à manger, Billy est pétrifié sous le choc, son esprit se recroquevillant sous les insultes que son père hurle à sa mère. Ses parents lui ont toujours paru asexués, séduisants mais étrangers à de telles pulsions.

S'il s'était posé la question concernant sa venue au monde, il aurait attribué sa conception au devoir marital et au désir de fonder une famille, sûrement pas à la passion charnelle.

Plus choquant encore que les insultes, c'est l'acceptation de sa mère ; elle ne réfute pas les accusations, et dans ses contre-attaques, elle laisse entendre que son père n'est pas tout à fait un homme. Avec pas moins de haine, elle répond aux insultes par la moquerie. Elle humilie son père, lui montre tout son mépris

Ses railleries rendent son père fou de rage. Un claquement retentit. Une gifle...

Sa mère pousse un cri de douleur, mais réplique aussitôt :

— Tu ne me fais pas peur ! Jamais, tu ne me feras peur.

Il y a alors des bruits, des chocs, des tintements, et puis d'autres sons, terribles ceux-là, des coups sourds, puissants, féroces.

Sa mère hurle de douleur, de terreur.

Billy se retrouve dans la cuisine sans même l'avoir décidé, criant à son père d'arrêter, mais son père ne l'entend pas ; il ne remarque même pas sa présence.

Son père cogne, cogne ; il est possédé, hypnotisé par le pouvoir hideux du gourdin dans sa main – une manivelle de voiture.

Sa mère se tord au sol, comme un insecte blessé, n'ayant plus la force de crier, juste de pousser des plaintes étouffées.

Billy aperçoit d'autres armes sur le plan de travail. Un marteau, un couteau de boucher, un revolver.

Son père a dû les sortir pour impressionner sa mère.

Mais sa mère n'avait pas été intimidée ; elle devait penser qu'il n'aurait pas le cran de le faire, ; qu'il était un lâche, un pleutre inoffensif. Lâche, il l'était sûrement pour frapper une femme sans défense à coups de manivelle, mais elle avait sous-estimé sa dangerosité.

Billy saisit le revolver à deux mains et crie à son père d'arrêter de frapper, il l'implore ; voyant que rien n'y fait, il tire une balle en l'air.

Le recul de l'arme le surprend et Billy perd l'équilibre.

Son père se tourne vers son fils, mais pas dans un esprit de soumission. La manivelle est un sceptre des ténèbres dans sa main. On ne sait plus lequel maîtrise l'autre.

— Et toi, d'où viens-tu ? demande son père, en brandissant l'arme. Quel fils ai-je nourri toutes ces années ? À qui est ce bâtard ?

La terreur envahit le garçon, une vague irrépressible ; son père va le tuer… le garçon presse la détente une fois, deux fois, trois fois. L'arme rue dans ses mains.

Deux manqué, un touché – à la poitrine.

Son père est projeté en arrière et tombe à la renverse. Une boutonnière de sang s'ouvre au milieu de son torse.

La manivelle tombe au sol, tintinnabule sur le carrelage. Un carreau casse. Et puis c'est le silence. Plus de cris, plus d'injures, juste le souffle court de Billy et les gémissements de sa mère.

Et puis sa mère articule :

— Papa ? (Sa voix chevrote de douleur.) Papa Tom ?

Son vrai père, un ancien marine, avait été tué en mission lorsqu'elle avait dix ans. Papa Tom était son beau-père.

— Aide-moi… (Sa voix faiblit encore, devint méconnaissable.) Aide-moi, papa Tom.

Papa Tom était un homme falot, avec des cheveux couleur de poussière, les yeux d'un marron sale, les lèvres perpétuellement gercées, et son rire d'asthmatique vous vrillait les tympans.

Personne n'aurait demandé de l'aide à papa Tom, sauf en ultime recours, et sachant que c'était peine perdue.

— Aide-moi, papa Tom.

En outre, le vieil homme vivait dans le Massachusetts, autrement dit, à des années-lumière du comté de Napa.

La gravité de la situation met fin à l'hébétude de Billy, et il se précipite vers sa mère, plein d'horreur.

Elle semble paralysée ; le petit doigt de sa main droite s'agite spasmodiquement, mais rien d'autre ne bouge, passé le cou.

Comme une poterie brisée et mal réparée, la forme de son crâne et les traits de son visage semblent faux, déformés.

De son œil ouvert, le seul qui lui reste, elle regarde Billy. – Papa Tom.

Elle ne reconnaît pas son fils, son fils unique ; elle le prend pour le vieil homme du Massachusetts.

— S'il te plaît, l'implore-t-elle.

Le visage brisé laisse supposer des dommages cérébraux irréversibles ; devant l'état de sa mère, Billy est pris de sanglots.

Son œil unique regarde l'arme dans la main de Billy.

— S'il te plaît, papa Tom. Je t'en prie…

Billy n'a que quatorze ans, c'est un jeune garçon, tout juste sorti de l'enfance et il y a des décisions qu'on ne devrait pas lui demander de prendre.

— Je t'en prie…

C'est un dilemme déjà terrible pour un adulte… il ne peut pas choisir, ne veut pas. Mais il y a sa mère qui souffre, qui le supplie… il y a sa terreur…

Les mâchoires engourdies, elle l'implore :

— Oh Jésus, Jésus… où suis-je ? Qui est là ? C'est toi ? Qui s'approche ? Qui rampe vers moi ? Non, allez-vous-en, j'ai peur… j'ai peur… Partez ! Partez !

Parfois le cœur prend des décisions que la raison ne saurait entendre, et même si le cœur se laisse facilement abuser, on sait aussi que dans le paroxysme du désespoir et de la souffrance, lui seul entrevoit le chemin lumineux.

Dans les années qui suivront, Billy se demandera souvent s'il avait eu raison de suivre son cœur. Car il l'a écouté…

— Je t'aime, maman, souffle-t-il.

Et il fait feu et tue sa mère.

*
* *

Le lieutenant John Palmer est le premier policier sur le lieu du drame.

Ce qui apparaît de prime abord comme une entrée chevaleresque d'un représentant de l'ordre, ressemblera plus tard, aux yeux de Billy, au piqué avide d'un vautour sur sa charogne.

Pendant qu'il attend l'arrivée de la police, Billy ne se résout pas à quitter la cuisine ; il ne peut laisser sa mère toute seule.

Il a l'impression qu'elle n'a pas totalement quitté ce monde, que son esprit est encore là, à trouver du réconfort auprès de lui. Peut-être ne ressent-il rien de tout ça, mais oh ! comme il voudrait que ce soit le cas…

Il n'ose plus la regarder, voir ce qu'elle est devenue, mais il reste auprès d'elle, les yeux baissés.

Lorsque le lieutenant Palmer fait son entrée, Billy n'est plus seul alors ; il n'a plus besoin d'être fort et il s'effondre. Le garçon est pris de tremblements.

— Que s'est-il passé, fiston ? demande Palmer.

Avec ces deux cadavres autour de lui, Billy n'est plus l'enfant de personne ; il se sent perdu, vulnérable jusqu'au tréfonds, et terrifié par l'avenir.

Lorsqu'il entend le mot « fiston », ce mot revêt un sens nouveau pour lui, c'est une main tendue vers lui, une promesse.

Billy s'approche de Palmer.

Peut-être par calcul, ou par simple réaction humaine, le lieutenant ouvre les bras.

Billy se réfugie contre lui, tout tremblant, et John Palmer le serre dans ses bras.

— Raconte-moi, fiston. Que s'est-il passé ?

— Il la frappait. J'ai tiré. Il la frappait avec la manivelle.

— Tu l'as tué ?

— Il la frappait à coups de manivelle. J'ai tiré sur lui. Et sur elle.

Un autre homme aurait été touché par la détresse de ce garçon, mais le lieutenant brigue le poste de capitaine. Il est ambitieux. Ambitieux et impatient.

Deux années plus tôt, un garçon de dix-sept ans à Los Angeles, bien loin de Napa, avait abattu son père et sa mère. Pour sa défense, l'adolescent prétendait avoir été abusé sexuellement par ses parents depuis des années.

Le procès, qui s'était terminé seulement deux semaines avant cette nuit tragique où la vie de Billy avait basculé, s'était soldé par la condamnation du garçon. Les analystes prédisaient que l'adolescent serait acquitté, mais l'inspecteur en charge de l'enquête avait été méticuleux, et avait accumulé des quantités de preuves, démontant un à un tous les mensonges du prévenu.

Ces deux dernières semaines, l'inspecteur était devenu la coqueluche des médias. On l'invitait sur les plateaux de télévision. Son nom était plus connu que celui du maire de Los Angeles.

L'aveu de Billy, aux yeux de Palmer, représente moins l'occasion de découvrir la vérité, qu'une chance miraculeuse pour sa carrière.

— Qui as-tu tué, fiston ? Ton père ou ta mère ?

— Les deux. Il lui a fait tant de mal avec la manivelle que j'ai dû la tuer elle aussi.

Au loin les sirènes mugissent; Palmer fait sortir Billy de la cuisine et le conduit au salon. Il le fait asseoir sur le canapé.

Sa question n'est plus « Que s'est-il passé, fiston, », mais « Qu'as-tu fait, mon garçon? Qu'as-tu fait exactement? ».

Pendant trop longtemps, le jeune Billy Wiles ne saisit pas la différence.

Et c'est le début de soixante heures aux enfers.

À quatorze ans, il est trop jeune pour comparaître dans un procès d'adultes. La peine de mort ou la prison à perpétuité n'étant pas envisageables pour un jeune mineur, l'interrogatoire doit donc être moins stressant que pour un prévenu majeur.

Mais John Palmer veut faire craquer Billy, lui arracher une autre confession : Billy a frappé sa mère à coups de manivelle, il a tué son père lorsque celui-ci a voulu s'interposer pour protéger sa femme, et, pour finir, il a abattu la malheureuse d'une dernière balle.

Les peines pour mineurs étant beaucoup moins sévères que pour les adultes, la société, parfois, respecte la loi moins scrupuleusement. Par exemple, si le jeune accusé ignore qu'il a droit à l'assistance d'un avocat, on risque de ne pas l'en informer pour faire avancer plus vite l'enquête.

Si le suspect est au courant de ses droits, mais n'a pas d'argent pour se payer un avocat, on peut être certain que celui qui lui sera commis d'office sera un incapable notoire, ou le dernier ivrogne du barreau.

Contrairement à ce que veut nous montrer la télévision, les avocats, dans la vie réelle, ne sont pas tous de preux défenseurs de la veuve et de l'orphelin, pas plus que les accusés sont des brebis innocentes.

Un policier expérimenté comme John Palmer, avec la bienveillance de ses supérieurs, animé par l'ambition et prêt à tout pour arriver à ses fins, a tout un arsenal d'astuces à sa disposition pour empêcher un jeune suspect d'avoir une assistance juridique et pour pouvoir l'interroger à sa guise dans les jours qui suivent son arrestation.

L'une de ces astuces, c'est le coup du transfert. L'avocat commis d'office arrive au centre de détention de Napa et découvre malheureusement qu'à cause du manque de place ou autre raison fumeuse, son jeune client a été transféré au poste de Calistoga. À son arrivée à Calistoga, il a la désagréable surprise de découvrir qu'il y a eu une erreur : le garçon, en fait, a été emmené à St. Helena. Et à St. Helena, on renvoie l'avocat sur Napa.

Il peut y avoir également des problèmes mécaniques pendant que l'on transporte le suspect. Une heure de trajet se métamorphose en demi-journée, selon la gravité de la panne.

Durant ces deux jours et demi de détention, Billy est transporté de bureau en bureau, de salle d'interrogatoire en salle d'interrogatoire. Ses émotions sont à vif, sa peur aussi constante que ses repas sont rares, mais la pire épreuve c'est sur la route, dans la voiture de patrouille...

Billy est à l'arrière, derrière la grille de sécurité, les mains menottées à un anneau au plancher.

Il y a un chauffeur, qui ne dit jamais un mot. Malgré le règlement, John Palmer fait le voyage à l'arrière, à côté du suspect.

Le lieutenant Palmer est grand, et son suspect n'a que quatorze ans. Dans l'exiguïté de l'habitacle, leur différence de taille terrifie Billy.

En outre, Palmer est un expert en intimidation. Ses questions sont lardées de silences accusateurs. Avec des regards savants, des mots choisis avec soin, des changements d'humeur déconcertants, il use et érode la volonté du garçon aussi efficacement qu'une ponceuse décape le bois.

Mais le pire, c'est quand Palmer le touche.

Parfois Palmer se tient très près. Aussi près qu'un garçon s'asseyant à côté d'une fille, hanche contre hanche.

Il lui ébouriffe les cheveux avec une affection feinte. Il pose sa grosse main sur son épaule, ou sur son genou, ou sur sa cuisse, comme en ce moment même où il lui dit :

— Tuer ses parents n'est pas un crime si tu as une bonne raison, Billy. Si ton père t'a maltraité pendant des années et si ta mère le savait, personne ne te reprochera ce que tu as fait...

— Mon père n'a jamais fait ça. Pourquoi vous n'arrêtez pas de dire ça?

— Je ne dis rien. Je pose juste la question, Billy. Tu n'as pas à avoir honte s'il te touchait depuis que tu es petit. Cela fait de toi la victime, tu comprends? Et même si tu aimais ça, tu...

— Je n'aurais pas aimé ça.

— Même si tu aimais ça, il n'y a pas de honte à avoir.

Cette main sur son épaule...

— Même si tu aimais ça, c'est toujours toi la victime.

— Non. Je ne suis pas la victime. Je n'étais la victime de personne. Arrêtez de dire ça.

— Certains hommes, parfois, font des choses terribles à des enfants sans défense et certains finissent par aimer ça.

Sa main à présent descend sur sa cuisse...

— Mais les enfants ne restent pas moins innocents, Billy. Les gentils garçons sont toujours innocents.

Billy préférerait que Palmer le frappe. Ce contact, cette main posée doucement sur lui, ces insinuations, c'est pire que les coups, parce que les coups arriveront de toute façon, quand Palmer verra que les caresses ne fonctionnent pas.

À plusieurs reprises, Billy manque d'avouer ce que veut Palmer, juste pour échapper à cette voix hypnotique, pour que cette main cesse de le toucher.

Billy commence à se poser des questions. Après avoir abrégé les souffrances de sa mère, pourquoi a-t-il appelé la police, pourquoi n'a-t-il pas mis le revolver dans sa bouche pour en finir?

Finalement, Billy doit son salut au travail exemplaire de la police scientifique et du médecin légiste, et aux remords des supérieurs de Palmer qui l'ont laissé mener cette enquête en électron libre. Tous les indices désignent le père comme auteur des coups, et non le fils.

Les empreintes sur le revolver sont celles de Billy, mais sur la manivelle ce sont celles du père.

Le tueur tenait l'arme de la main gauche, or, à l'inverse de son père, Billy est droitier.

Les vêtements de Billy sont un peu tachés de sang, mais c'est négligeable comparé à l'état de la chemise du père.

En se défendant, sa mère a griffé son mari. Et ce sont le sang et des débris de peau du père – et non ceux de Billy – que l'on a retrouvés sous les ongles de la malheureuse.

À l'époque, deux membres de la police doivent démissionner, et un autre est limogé. Quand l'affaire se tasse, le lieutenant John Palmer en sort sans égratignure ni blâme.

Billy songe à porter plainte contre Palmer, mais il a peur de venir témoigner et, plus que tout, il redoute les conséquences si jamais il n'obtient pas réparation. Il juge plus prudent de faire profil bas.

Rester tranquille, discret, ne pas attirer l'attention, ne pas attendre grand-chose de la vie, profiter du peu que l'on a. Et déménager.

Par ironie du sort, il va se retrouver chez Pearl Olsen – veuve d'un policier, et mère d'un autre.

Elle lui offre une échappatoire aux limbes des services sociaux ; dès leur première rencontre, Billy sait qu'elle est exactement ce qu'elle paraît être, sans faux-semblant. Même s'il n'a que quatorze ans, il a appris que l'adéquation entre réalité et apparence est parfois plus rare que les enfants ne le croient, et que c'est là, désormais, une qualité qu'il espère un jour acquérir pour lui-même.

58.

Garé sous le lampadaire du parking, devant le restaurant du relais routier, Billy Wiles mangeait ses barres énergétiques, en songeant à Steve Zillis.

Les preuves contre Zillis, bien qu'indirectes, étaient bien plus solides que celles que Palmer avait utilisées contre Billy.

Toutefois, il restait une petite chance pour que Zillis soit innocent. Les mannequins, les films sadomasos, l'aspect global de la maison démontraient qu'il était une ordure, voire un dément, mais pas qu'il avait tué qui que ce fût.

Le souvenir de sa garde à vue avec Palmer lui avait appris l'importance de l'irréfutable.

Dans l'espoir de trouver un indice clé, même aussi ténu que le croissant de lune au-dessus du restaurant, Billy prit le journal qu'il avait acheté à Napa et commença à le parcourir. À la une, un article sur le meurtre de Giselle Winslow.

Contre toute logique, il espérait que les flics aient trouvé sur le lieu du crime une queue de cerise nouée.

Mais ce qu'il découvrit dans l'article – un fait qui jaillit vers lui aussi vif qu'une chauve-souris fondant sur une phalène – c'était que la main gauche de Giselle Winslow avait été coupée. Le dingue avait emporté un souvenir – pas le visage cette fois… –, une main !

Lanny ne lui avait pas raconté ce détail. Certes, quand Lanny l'avait retrouvé sur le parking au moment où Billy découvrait la deuxième note sur son pare-brise, le corps de la jeune femme venait juste d'être découvert. Les policiers du service ne savaient pas encore tous les détails.

Inévitablement, Billy songea à ce mot scotché sur son réfrigérateur dix-sept heures plus tôt, celui qu'il avait caché dans les pages du livre d'Hemingway. Le message était un avertissement : « *Mon associé viendra vous voir à 11 heures. Attendez-le sur le perron.* »

En pensée, il revit les deux dernières phrases de la lettre ; elles lui paraissaient obscures alors, mais beaucoup moins désormais.

> *Vous semblez bien en colère. Ne vous ai-je pas tendu la main de l'amitié ? Si, je vous l'ai offerte… sur un plateau.*

À la première lecture, Billy avait senti la moquerie dans ces mots, la raillerie. Maintenant, le tueur lui annonçait qu'il était hors de course, battu à plates coutures.

Quelque part chez lui, la main coupée de Giselle Winslow attendait la visite des policiers.

59.

Un couple de chauffeurs routiers sortirent du restaurant. Ils étaient en jean, T-shirt et casquettes de base-ball – sur celle de l'homme était écrit PETERBILT, la marque de poids lourds, sur celle de la femme DÉESSE DE LA ROUTE. L'homme fouillait ses incisives avec un cure-dents, la femme bâillait, en étirant les bras.

Derrière le volant de l'Explorer, Billy se surprit à regarder les mains de la femme… comme elles étaient petites, on pouvait en cacher une n'importe où.

Au grenier. Sous une latte du plancher. Derrière la chaudière. Au fond d'un placard. Dans le vide sanitaire sous les perrons. Ou dans le garage, dans un tiroir de l'établi. Dans un bocal de formol ou à l'air libre.

Si le dingue avait caché chez Billy la main de cette femme, il pouvait y avoir aussi disséminé des reliques des autres victimes ! Quelle partie du corps avait-il donc prélevée sur la femme rousse, et où l'avait-il dissimulée ?

Billy brûlait de foncer chez lui, pour fouiller la maison de fond en comble. Il avait le reste de la nuit et toute la matinée pour tenter de retrouver ces horreurs.

Mais s'il ne mettait pas la main dessus ? Allait-il continuer à chercher l'après-midi ? Bien sûr.

Une fois que sa quête aurait commencé, plus rien ne pourrait l'arrêter ; il serait comme possédé tant qu'il n'aurait pas exhumé son Graal sinistre.

À sa montre, il était 1 h 36. Jeudi. Dans un peu plus de vingt-deux heures sonneraient les douze coups fatidiques.

Mon dernier meurtre : jeudi minuit.

Billy marchait déjà à la caféine, au chocolat, à l'Anacin et au Vicodin. S'il passait sa journée à la recherche de restes humains, si à la fin de la journée il n'avait ni identifié le dingue, ni pris un peu de repos, il serait physiquement et nerveusement épuisé ; dans cet état, il serait un piètre gardien pour Barbara.

Il ne devait pas perdre de temps à chercher la main coupée.

En outre, il n'y avait pas que cette note scotchée sur le réfrigérateur qui était révélatrice... en relisant l'article du journal, un autre souvenir lui vint à l'esprit : le mannequin aux six mains.

Avec les mains reliées à ses bras, la créature de plastique se plantait des couteaux de boucher dans la gorge.

Avec celles fixées à ses chevilles, elle agrippait un barreau de grille en fer forgé enfoncé dans son vagin.

La troisième paire avait été prélevée sur un mannequin « donneur ». Elles se dressaient au bout des seins, comme une imitation obscène de Kali, la déesse hindoue.

Même si les trois autres mannequins présentaient un nombre normal de mains, le spécimen hexamane laissait supposer que Zillis était un fétichiste des mains.

Sur la jaquette des vidéos pornographiques, les mains des femmes étaient souvent ligotées avec des menottes, des cordes, des sangles de cuir.

L'ablation d'une main sur le cadavre de Giselle Winslow n'était pas anodine, loin s'en fallait.

Malgré tous ses efforts, Billy n'avait pas encore tiré assez de longueur de corde pour attraper Zillis au lasso.

Ne vous ai-je pas tendu la main de l'amitié ? Si, je vous l'ai offerte... sur un plateau.

Humour potache. En pensée, Billy voyait le sourire narquois de Zillis, il l'entendait prononcer ces mots précis, avec son faux air de serveur badin et jovial.

Soudain, il fut frappé par le nombre de pitreries que Zillis accomplissait avec ses mains. Zillis était particulièrement adroit. Il jonglait avec les olives et autres menus objets. Il connaissait des tours de prestidigitation. Il pouvait faire « courir » une pièce de monnaie sur ses phalanges et la faire disparaître à volonté.

Mais tout cela n'aidait pas Billy à faire le nœud coulant au lasso.

Il serait bientôt 2 heures du matin. S'il voulait coincer Zillis, mieux valait profiter du couvert de la nuit.

Le pansement liquide protégeant les deux orifices de la blessure avait été mis à rude épreuve. La pellicule translucide se crevassait et fronçait sur le pourtour.

Il ouvrit l'applicateur et passa une nouvelle couche de produit sur la première ; était-ce un hasard si, pour sa seconde blessure, le dingue lui avait perforé la main avec un clou ? Fallait-il y voir un message subliminal ?

Si Billy voulait coincer Zillis, il devait d'abord avoir une conversation avec lui. Rien de plus. Rien de pire. Juste une discussion sérieuse.

Dans le cas où Zillis était le dingue en question, les questions devraient lui être posées en lui plaquant un pistolet sur la tempe.

Certes, si Zillis n'était qu'un doux pervers, et non un assassin, il ne comprendrait pas l'attitude de Billy. Il serait même très en colère et aurait très envie de le poursuivre en justice pour harcèlement, menace, ou autre chose.

La seule façon d'éviter les représailles était de l'intimider. Mais Zillis ne serait pas facile à intimider, sinon en lui faisant très mal et en lui promettant que ce serait deux fois pire s'il alertait la police.

Restait à savoir si Billy était prêt à brutaliser quelqu'un…

Il remua sa main blessée. Il l'ouvrit, la ferma.

Il avait encore le choix. Il pouvait passer aux actes, et molester peut-être un innocent, ou alors il pouvait patienter, réfléchir, attendre de voir la suite des événements et risquer de faire courir à Barbara un plus grand danger encore.

Le choix vous appartient.

Cela avait toujours été le cas. Cela le serait jusqu'à la fin. Agir ou ne pas agir. Fermer une porte ou l'ouvrir. Se détourner de la vie, ou y entrer à pieds joints.

Il n'avait guère de temps pour réfléchir à ce dilemme. De toute façon, toute analyse le plongerait davantage dans un abîme de perplexité.

Il lui fallait se servir de ses expériences passées, trouver une solution applicable à la situation présente. Mais Billy restait sec. La leçon de toutes les leçons, c'est celle de l'humilité.

Finalement, il prit sa décision en se fondant simplement sur la pureté de sa motivation – même si la vérité entière d'un homme reste à jamais obscure.

Il démarra le moteur et s'éloigna du relais routier.

Il ne voyait plus la lune dans le ciel, son fin croissant d'argent. Il devait lui tourner le dos.

60.

À 2 h 09, Billy se gara dans une petite rue, à deux cents mètres de la maison de Zillis.

Les branches basses des ficus s'étendaient sous les lampadaires de la chaussée et les réverbères orange éclairaient le trottoir ; les ombres des feuilles se répandaient au sol comme une manne de piécettes noires.

Billy marchait d'un pas tranquille, comme un insomniaque se promenant pour tromper le temps.

Les fenêtres des maisons étaient éteintes, les perrons plongés dans l'obscurité, la rue déserte et silencieuse.

La terre ayant rendu la chaleur emmagasinée dans la journée, la nuit avait perdu de sa touffeur.

Le sac plastique était glissé sous sa ceinture, et battait contre sa hanche. À l'intérieur, les menottes, la bombe lacrymogène et le Taser.

Sur son flanc droit, le holster de combat avec le pistolet à l'intérieur.

Il avait sorti son T-shirt de son pantalon pour cacher le renflement de l'arme. À plus d'un mètre de distance, dans cette pénombre, le pistolet était invisible.

Quand il arriva devant chez Zillis, il quitta le trottoir et s'engagea dans l'allée, puis longea les eucalyptus en direction du garage.

Sur la façade, derrière les stores, tout était éteint ; mais de la lumière filtrait des fenêtres côté jardin – la chambre à coucher et la salle de bains.

Billy scruta les alentours, à la recherche de la moindre ombre suspecte, laissant le temps à ses yeux de s'acclimater à cette nouvelle obscurité, après la clarté de la rue.

Il glissa son T-shirt dans son pantalon, pour pouvoir atteindre sans gêne son arme.

Il sortit d'une poche une paire de gants de latex et les enfila.

Le quartier était silencieux. Les maisons voisines étaient proches. Il lui faudrait ne pas faire de bruit quand il entrerait chez Zillis. Des cris alerteraient les voisins, tout comme un coup de feu mal assourdi par un oreiller.

Billy quitta le jardin pour s'engager dans le patio où trônait une unique chaise d'aluminium. Pas de table, pas de barbecue, pas de plantes en pot.

À travers les jalousies de la porte, il apercevait la cuisine, éclairée seulement par les deux horloges digitales – celle du four électrique et celle du four à micro-ondes.

Billy décrocha le sac en plastique arrimé à sa ceinture pour y récupérer la bombe lacrymogène. Par chance, la serviette à l'intérieur assourdit le cliquetis des menottes.

Lors de sa première visite, il avait volé un double de la clé de la porte d'entrée. Il inséra avec précaution le sésame, et le tourna très lentement, craignant que la serrure ne grince et que le bruit n'alerte l'occupant de la maison.

La porte s'ouvrit en silence. Les gonds chuintèrent, mais ne couinèrent pas.

Billy entra et referma le battant derrière lui.

Pendant une minute, il resta sur le seuil, immobile. Ses yeux étaient bien acclimatés à l'obscurité, mais il avait besoin d'un peu de temps pour s'orienter.

Son cœur battait la chamade. Peut-être, en partie, à cause des comprimés de caféine...

Lorsqu'il traversa la cuisine, les semelles de caoutchouc de ses Rockports crissèrent légèrement sur le linoléum. Il grimaça d'inquiétude, mais poursuivit sa progression.

Par chance, il y avait de la moquette dans le salon. Billy fit deux pas dans la pièce avant de s'arrêter pour se repérer de nouveau.

L'ameublement spartiate de Zillis était un don du ciel. Cela minimisait les risques de heurter un meuble ou de renverser une lampe dans l'obscurité.

Billy entendit des voix ténues. Il tendit l'oreille, sur le qui-vive. Il ne parvenait pas à comprendre ce qu'elles disaient.

Il pensait trouver Zillis seul chez lui. Peut-être était-il plus prudent de battre en retraite ? Mais il devait en avoir le cœur net.

Une faible lueur soulignait l'entrée du couloir menant aux chambres et à la salle de bains. Les lumières du corridor étaient éteintes, mais la clarté filtrait des portes ouvertes des deux pièces du fond.

Les deux pièces se faisaient vis-à-vis. Celle de gauche était la salle de bains, celle de droite la chambre à coucher.

À en juger par les timbres différents, il y avait deux voix. Une femme et un homme.

Billy tenait la bombe dans sa main droite, le pouce glissé sous la plaque de sécurité, prêt à appuyer sur le bouton.

La peur lui disait de troquer la bombe lacrymogène contre le pistolet. Mais la peur n'était pas toujours bonne conseillère.

S'il tirait sur Zillis, Billy se retrouverait à la case départ. Il devait le mettre hors d'état de nuire, pas le tuer ou le blesser gravement.

En marchant dans le couloir, il passa devant « la salle de torture » des mannequins.

Plus il écoutait ces voix, plus elles lui paraissaient fausses. On eût dit deux mauvais acteurs. À la qualité du son les voix semblaient provenir d'un poste de télévision bon marché.

La femme poussa soudain un cri de douleur, mais un cri sensuel, comme si la douleur était un plaisir.

Billy avait presque atteint le bout du couloir lorsque Zillis surgit de la salle de bains sur la gauche.

Torse nu, en pantalon de pyjama, il continuait de se brosser les dents en sortant de la pièce pour aller voir ce qui passait à l'écran.

Ses yeux s'écarquillèrent en apercevant Billy.

— Qu'est-ce que ?... marmonna-t-il avec sa brosse dans la bouche.

Billy lui envoya une giclée.

Les bombes pour la police sont redoutables jusqu'à six mètres – quatre mètres étant la distance idéale. Steve Zillis se tenait à deux mètres de Billy.

Une dose de produit dans la bouche et le nez suffisait à contrecarrer une attaque. Si on voulait arrêter net son agresseur, il fallait viser les yeux.

Le jet éclaboussa les deux yeux, en plein milieu, et le nez aussi.

Zillis lâcha sa brosse à dents, se couvrit le visage, mais trop tard ; aveuglé, il se détourna de Billy et percuta le mur du fond. Poussant des gémissements désespérés, courbé en deux, il hoquetait, la bouche écumante et dégoulinante de dentifrice, comme un chien enragé.

La brûlure aux yeux devait être terrible ; ses pupilles étaient si dilatées que sa vision n'était plus qu'un magma rouge ; il ne distinguait pas son assaillant, pas même sa silhouette. Sa gorge aussi était en feu, à cause du produit qui s'était écoulé par l'arrière de ses narines, et ses poumons se contractaient spasmodiquement pour tenter d'expulser les bouffées d'air empoisonnées

Billy se pencha, attrapa le bas d'une jambe de pyjama et tira un grand coup.

Battant des bras dans l'air pour attraper quelque chose, un mur, un chambranle de porte, n'importe quoi pour se retenir, Zillis tomba lourdement au sol ; l'impact fit vibrer tout le plancher.

Entre les hoquets, les halètements, les quintes de toux, le jeune homme se lamentait sur l'état de ses yeux, sur sa douleur, la brûlure...

Billy sortit le .9 mm et lui donna un coup sur la tempe avec le canon, juste assez appuyé pour faire mal.

Zillis poussa un cri.

— Silence ! ou je cogne plus fort, prévint Billy.

Zillis lui lança une injure. Billy lui asséna un nouveau coup, pas plus fort comme il l'avait promis ; juste de quoi lui remettre les idées en place.

— Pas de panique, reprit Billy. Tu vas déguster pendant vingt minutes, une demi-heure, c'est tout.

Entre deux halètements, Zillis bredouilla :

— Nom de Dieu, je suis aveugle.

— C'est juste le gaz.

— Tu es complètement malade…

— C'est du gaz lacrymo. Rien d'irréversible…

— Je n'y vois plus rien, insista Zillis.

— Ne t'agite pas.

— Je suis aveugle, je te dis !

— Mais non. Ne bouge pas.

— Merde. Ça fait un mal de chien !

Un filet de sang coulait de la tempe de Zillis. Billy n'avait pas frappé fort, mais la peau s'était entaillée.

— Reste tranquille. Plus vite tu coopéreras, plus vite on en aura terminé.

Il réconfortait Zillis, comme si l'innocence de Zillis était une évidence.

Jusqu'à cet instant, cette tactique lui avait paru une bonne idée, le meilleur moyen d'obtenir ce qu'il voulait… et si Zillis n'était pas coupable, Billy pensait pouvoir s'en sortir sans trop de problème.

Mais il n'avait pas imaginé que la rencontre serait aussi violente, aussi brutale. Un jet de gaz. Zillis à terre, obéissant, doux comme un agneau. Tout paraissait si simple en théorie…

Billy avait à peine commencé que la situation lui échappait déjà.

Faisant de son mieux pour se montrer sûr de lui, Billy reprit :

— Si tu ne veux pas avoir plus mal encore, reste assis sans bouger jusqu'à avis contraire de ma part.

Zillis haletait.

— Tu m'as entendu ?

— Évidemment, merde ! Tu es juste à côté.

— Tu m'as bien compris ?

— Je suis aveugle, mais pas sourd.

Billy se rendit dans la salle de bains, ferma le robinet du lavabo et jeta un regard circulaire autour de lui.

Il ne savait trop ce qu'il cherchait, mais il aperçut une chose qu'il ne voulait pas voir : son reflet dans la glace. Il pensait avoir la tête d'un illuminé, d'un fou dangereux et c'était le cas. Il devait paraître effrayé également, et c'était le cas aussi. Mais il ne s'attendait pas à voir briller une lueur démoniaque dans ses yeux, et pourtant elle était bel et bien là.

61.

Dans la chambre, un homme nu cagoulé fouettait les seins d'une femme avec un martinet.

Billy coupa le téléviseur.

— Quand je t'imagine en train de tripoter les citrons et les olives pour tes cocktails, j'en ai des haut-le-cœur.

Étendu dans le couloir, Zillis ne l'entendit pas, ou fit mine de ne pas entendre.

Le matelas et le sommier reposaient sur un cadre d'acier à roulettes. Ni tête ou pied de lit où attacher Zillis.

Le jeune homme n'ayant rien d'une fée du logis, le lit était dépourvu de dessus-de-lit, d'édredon et autres effets décoratifs. Le cadre était donc à nu

Billy sortit les menottes du sac plastique et referma l'un des bracelets à la traverse inférieure.

— Mets-toi à quatre pattes, ordonna Billy, et avance vers moi.

Toujours dans le couloir, le souffle moins contraint mais encore sifflant, Zillis cracha par terre. Ses larmes avaient fait ruisseler le produit irritant jusqu'à ses lèvres et, à présent, il avait un goût horriblement amer dans la bouche.

Billy s'approcha de Zillis et plaqua le canon du pistolet dans sa nuque.

Zillis se figea aussitôt.

— Tu sais ce que c'est?

— Arrête…

— Je veux que tu entres à quatre pattes dans la chambre.

— Putain, Billy…

— Je suis sérieux.

— À quatre pattes ! Jusqu'au pied du lit !

Même si la seule lumière dans la chambre était une petite lampe de chevet sur la table de nuit, Zillis cligna des yeux, aveuglé par la clarté.

Billy dut le rediriger deux fois dans la bonne direction.

— Assieds-toi par terre, contre le lit. Voilà, comme ça… Avec ta main gauche, tâte à côté de toi. Il y a des menottes, accrochées au montant. Tu les as ?

— Pourquoi ? se lamenta Zillis, les yeux ruisselants de larmes, le nez plein de morve. Pourquoi tu me fais ça ?

— Passe ton poignet dans le bracelet libre.

— Je n'aime pas ça.

— Personne ne te demande d'aimer.

— Qu'est-ce que tu vas me faire ?

— Ça dépend de toi. Ferme le bracelet maintenant.

Zillis s'exécuta avec des gestes malhabiles ; Billy vint s'assurer que les menottes étaient bien verrouillées – Zillis y voyait trop mal pour tenter un coup fourré.

Le jeune homme pouvait traîner le lit à travers la pièce si le cœur lui en disait, il pouvait même le retourner avec quelques efforts, ôter le matelas et le sommier, et patiemment démonter les boulons du cadre pour se libérer… mais tout cela lui prendrait du temps.

La moquette paraissait crasseuse. Billy ne voulait pas s'y asseoir, ni même s'y agenouiller.

Il se rendit dans le coin repas de la cuisine et revint avec l'unique chaise de la maison. Il la posa devant Zillis, hors de sa portée et s'assit.

— Billy, j'ai mal à en crever.

— Tu dramatises.

— J'ai les jetons pour mes yeux. Je n'y vois plus.

— J'ai quelques questions à te poser.

— Des questions ! C'est pour ça que tu me fais ça ? T'es devenu dingue !

— Parfois, je me le demande, reconnut Billy.

Zillis toussa. Puis ce fut une quinte furieuse, suivie d'une série de spasmes. Et ce n'était pas de la comédie.

Billy attendit.

Quand Zillis put de nouveau parler, sa voix était rauque et chevrotante.

— Tu me fous les jetons, Billy…

— Tant mieux. Pour commencer, dis-moi où tu ranges ton pistolet.

— Quel pistolet? Que veux-tu que je fasse d'un pistolet?

— Celui avec lequel tu l'as tué…

— Tué? Tué qui? Je n'ai tué personne, nom de Dieu, Billy!

— Tu lui as tiré une balle au milieu du front.

— Mais non! Non! Tu te trompes de personne, vieux.

Ses yeux rougis par les larmes mêlées au gel irritant ne cessaient de s'agiter. Impossible de voir s'il jouait la comédie. Zillis battit des paupières, tentant en vain d'y voir clair.

— Si c'est une blague, c'est pas drôle, merde…

— C'est toi d'ordinaire le rigolo de service. Pas moi. C'est toi l'artiste…

Zillis ne réagit pas au mot.

Billy se dirigea vers la table de nuit et ouvrit le tiroir.

— Qu'est-ce que tu cherches?

— Le pistolet.

— Mais il n'y a pas de pistolet!

— Il n'y était pas tout à l'heure, quand tu étais sorti, mais il est forcément ici à présent. Tu dois forcément le garder à portée de main.

— Tu es venu ici?

— Tu aimes te vautrer dans la fange, à ce que j'ai vu… plus c'est abject mieux c'est, pas vrai? Il faudra que je pense à me désinfecter en sortant d'ici.

Billy ouvrit la porte de la table de nuit et fouilla l'espace de rangement.

— Qu'est-ce que tu vas faire si tu ne trouves pas de flingue?

— Te clouer la main au plancher et te couper les doigts, un par un.

Zillis poussa un gémissement, comme s'il était sur le point de pleurer.

— Oh merde, arrête tes conneries. Pourquoi tu m'en veux? Je ne t'ai jamais rien fait...

Billy ouvrit la porte de l'armoire.

— Quand tu étais chez moi, où as-tu caché la main coupée?

Zillis gémit de nouveau en secouant la tête de désespoir.

L'étagère au-dessus de la penderie était à hauteur des yeux. Tout en l'explorant, Billy ajouta :

— Qu'as-tu caché d'autre chez moi? Quelle partie as-tu coupé sur la fille rousse? Une oreille? Un sein?

— Je ne comprends rien.

— Ah non?

— Tu es Billy Wiles, nom de Dieu.

Billy revint vers le lit, et passa la main entre le matelas et le sommier, toujours à la recherche de l'arme. Heureusement qu'il portait des gants, sinon, il n'aurait jamais osé y toucher.

— Tu es Billy Wiles, insistait Zillis. Billy Wiles...

— Et alors? Qu'est-ce que cela veut dire, selon toi? Que je ne suis pas fichu de me défendre?

— Je n'ai rien fait, Billy. Rien du tout.

Billy fit le tour du lit.

— Eh bien je vais te montrer que je sais me défendre, même si je ne fais pas péter les vumètres.

Zillis reconnut l'allusion.

— J'ai dit ça comme ça. Ce n'était pas une insulte. Je ne l'ai pas dit méchamment.

Billy fouilla sous le matelas. Rien.

— Je dis toujours plein de conneries, Billy. Tu me connais. Je passe mon temps à vanner tout le monde. Tu sais comment je suis. Merde, Billy, je suis un trou du cul. Tu le sais bien; je ne fais que parler, la tchatche c'est tout ce que j'ai, et la plupart du temps, je fais même pas attention à ce que je dis.

Billy revint s'asseoir sur sa chaise.

— Tu me vois mieux à présent, Stevie?

— Non. À peine. Je peux avoir un Kleenex?

— Sers-toi de tes draps.

Zillis tendit sa main libre vers la literie en boule au pied du lit et tira à lui un coin de drap. Il s'essuya le visage et se moucha.

— Tu as une hache quelque part ?

— Oh non, je t'en prie…

— Je répète ma question : possèdes-tu une hache, Stevie ?

— Non.

— Dis-moi la vérité.

— Billy, non…

— As-tu une hache ?

— Je t'en prie, ne fais pas ça.

— As-tu une hache, Stevie ?

— Oui, j'ai une hache, admit Zillis dans un sanglot de désespoir.

— Soit tu es un acteur hors pair, soit juste un pauvre crétin, Steve Zillis ! lança Billy.

Et c'était la seconde possibilité qui commençait à l'inquiéter.

62.

— Quand tu réduisais tes mannequins en miettes dans le jardin, tu pensais que c'étaient de vraies femmes?

— Ce sont juste des mannequins.

— Ça t'excite de découper des pastèques? Parce que c'est rouge à l'intérieur, c'est ça? Rouge comme de la chair? Tu aimes ça quand ça gicle!

Zillis le regarda avec de grands yeux.

— Quoi? C'est elle qui t'a raconté ça? Qu'est-ce qu'elle t'a dit encore?

— Qui ça « elle », Stevie?

— L'autre vieille salope d'à côté. Celia Reynolds.

— Tu n'es en position d'insulter personne, ni elle, ni qui que ce soit.

Zillis fit amende honorable. Il hocha la tête.

— Tu as raison. Je suis désolé. Elle est juste toute seule. Je sais. Mais elle est vraiment pénible. Elle ne peut pas se mêler de ses affaires? Il faut toujours qu'elle soit derrière sa fenêtre, à regarder ce qui se passe dehors. Je ne peux pas sortir dans le jardin sans qu'elle m'espionne.

— Surtout que tu y fais des tas de trucs bizarres, n'est-ce pas, Stevie?

— Non. Je ne fais rien de particulier. Je veux juste avoir un peu d'intimité. Alors je lui ai fait le coup de la hache. Deux fois. Juste pour lui faire peur.

— Lui faire peur?

— Pour lui apprendre à s'occuper de ses propres affaires. Et la troisième fois, je lui ai montré que c'était pour de faux, je lui ai montré que je savais qu'elle me regardait.

— Comment tu as fait ?

— Je n'en suis pas très fier, avec le recul.

— Je suis sûr qu'il y a des tas de choses dont tu n'es pas fier, Stevie.

— Je lui ai fait un doigt d'honneur. J'ai explosé un mannequin et une pastèque – et pour moi, ce n'était qu'un mannequin et une pastèque que je réduisais en bouillie, rien d'autre, je t'assure ! – puis je me suis approché de la clôture et je lui ai fait un gros doigt d'honneur.

— Tu as détruit une chaise aussi.

— Oui. J'ai éclaté une chaise. La belle affaire !

— La seule chaise qui reste est celle où je suis assis en ce moment.

— J'en avais deux. Une seule me suffit. C'était juste une chaise.

*
* *

— Tu aimes voir les femmes souffrir.

— Pas du tout.

— J'ai trouvé tes films pornos sous ton lit. Ils y sont arrivés tout seuls ? Une bonne blague d'un spectre farceur, c'est ça ? Que fait-on, on appelle SOS fantômes pour qu'ils nous en débarrassent ?

— Ce ne sont pas de vraies femmes.

— Ce ne sont pas non plus des mannequins.

— Elles n'ont pas mal pour de vrai. Elles simulent.

— Mais toi, tu regardes.

Zillis ne répondit rien. Il baissa la tête.

D'une certaine manière, c'était plus facile qu'il ne l'avait imaginé. Billy pensait que poser des questions aussi sordides et voir un homme s'enfoncer dans le mensonge serait un spectacle

si déprimant qu'il n'aurait pas la force de pousser l'interrogatoire jusqu'au bout. Mais une sensation de pouvoir lui donnait
de l'assurance. Et de la satisfaction. Cette facilité le surprenait.
Le terrifiait même.

— Ce sont des films répugnants, Stevie. Vraiment dégueu-
lasses.

— Oui, répondit Zillis. C'est dégueulasse. Je sais.

— Tu n'as jamais tourné toi-même des vidéos où tu tortu-
rais des femmes?

— Bien sûr que non!

Zillis avait relevé la tête, mais n'osait encore regarder Billy
en face.

— Je n'ai jamais fait de mal à une femme. Jamais comme ça.

— Jamais comme ça?

— Non. Je le jure.

— Alors comment, Stevie?

— Je n'ai jamais touché une femme. Je ne pourrais jamais.

— Pourquoi? Tu es un enfant de chœur, Stevie?

— Mon truc à moi c'est... c'est de regarder.

— Regarder des femmes se faire torturer?

— J'aime regarder, voilà. Même si j'en ai honte.

— Je doute que tu en aies vraiment honte.

— Oh si, je t'assure. Pas pendant bien sûr... mais après.

— Après quoi?

— Après avoir regardé. Ce n'est pas comme si... Merde, je
n'ai pas demandé à être comme ça!

— Personne ne voudrait être comme toi.

— Sans doute.

— Cite-moi une personne. Une seule personne qui voudrait
être comme toi.

— Tu as raison.

— Tu as honte à quel point? persista Billy.

— Je jette les vidéos après. Cela m'est arrivé plein de fois.
Je les ai même brûlées. Mais au bout d'un moment... tu sais ce
que c'est... j'en achète de nouvelles. Il me faut de l'aide pour
sortir de ça.

— Et de l'aide, tu en as cherché, Stevie ?

Zillis ne répondit pas.

— As-tu déjà cherché de l'aide ?

— Non.

— Si tu veux vraiment arrêter, pourquoi ne pas être allé trouver quelqu'un ?

— Je pensais pouvoir m'arrêter tout seul. Je pensais en avoir la force.

Zillis se mit à pleurer. Ses yeux étaient encore irrités par le produit, mais il y avait aussi de vraies larmes.

*
* *

— Pourquoi as-tu fait ces horreurs à ces mannequins ?

— Tu ne peux pas comprendre.

— C'est vrai que je suis ce crétin de Billy Wiles, celui avec qui les aiguilles restent collées au zéro, mais vas-y, tente le coup, je vais faire de mon mieux.

— Ce que je leur ai fait, ça ne veut rien dire.

— Pour un truc qui ne veut rien dire, tu y as consacré beaucoup de temps et d'énergie.

— Je ne veux pas parler de ça. Pas ça. (C'était moins un refus qu'une supplique.) Je ne veux pas.

— Cela te fait rougir ? C'est trop d'atteinte à ta pudeur délicate ?

Zillis pleurait sans interruption à présent. Pas des sanglots. Des larmes silencieuses de honte, d'humiliation.

— Le faire, ce n'est pas comme en parler...

— Quoi ? Ce que tu fais aux mannequins ?

— Tu peux me faire sauter la tête, mais je ne parlerai pas de ça. Je ne peux pas.

— Quand tu mutiles tes mannequins, tu es excité, Stevie ? Plus c'est immonde, plus tu es en transe, pas vrai ?

Zillis secoua la tête, puis baissa les yeux.

— Leur faire ces horreurs et en parler est donc si différent ? insista Billy.

— Billy, je t'en prie... Je ne veux pas... je ne veux pas m'entendre parler de ça.

— Parce que quand tu le fais, tu es purement dans l'acte. Mais si tu en parles, cela te renvoie à l'être dégénéré que tu es.

À en juger par l'expression de Zillis, Billy avait vu juste.

Il était inutile d'insister sur les mannequins. C'était comme ça. À trop le harceler, Zillis risquait de se refermer dans sa coquille.

Billy n'avait pas encore les informations qu'il voulait, ce pour quoi il était venu.

Il était à la fois épuisé et sur les nerfs, tendu comme un fil par la caféine. Il avait besoin de sommeil. De temps en temps, sa main percée lui lançait des éclairs de douleur ; l'effet du Vicodin commençait à s'estomper.

Parce que la fatigue était oblitérée par les médicaments, Billy risquait de ne pas pouvoir poursuivre l'interrogatoire avec la clarté d'esprit nécessaire.

Si Zillis était le tueur, il jouait la comédie à la perfection.

Mais c'était justement le propre des psychopathes : c'étaient des araignées voraces qui, avec des talents d'illusionniste hors pair, se faisaient passer pour des humains dotés d'émotions pour mieux dissimuler leur nature bestiale, leur appétit de prédateurs insatiables.

— Quand tu fais ces choses à tes mannequins, reprit Billy, quand tu regardes ces films, est-ce que tu penses parfois à Judith Kesselman ?

Au cours de cette confrontation, Zillis avait été pris de cours plus d'une fois, mais cette question lui causa un véritable choc. Ses yeux, encore enflammés par le produit irritant, s'écarquillèrent. Son visage pâlit, ses traits s'affaissèrent, comme s'il venait de recevoir un uppercut.

63.

Zillis était menotté au lit. Billy était libre de ses mouvements, mais il avait de plus en plus l'impression d'être pris au piège par les réponses évasives de son prisonnier.

— Stevie ? Je t'ai posé une question.

— À quoi ça rime tout ça ? demanda Zillis avec sérieux et une pointe d'agacement.

— Comment ça ?

— Qu'est-ce que tu veux ? Je ne comprends pas ce que tu veux, Billy.

— Je te demande s'il t'arrive de penser à Judith Kesselman, insista Billy.

— Comment es-tu au courant pour elle ?

— À ton avis ?

— Tu réponds à mes questions par des questions, comme si je pouvais avoir réponse à tout !

— Pauvre Stevie... Parle-moi de Judith Kesselman... J'attends.

— Il lui est arrivé quelque chose.

— Quoi, Stevie ? Quoi ?

— Cela s'est passé à l'université. Il y a cinq ans. Cinq ans et demi.

— Tu sais ce qui lui est arrivé, Stevie ?

— Personne ne le sait.

— Pourtant quelqu'un le sait.

— Elle a disparu.

— Comme par un tour de magie ?

— Du jour au lendemain…

— C'était une fille charmante, hein ?

— Tout le monde l'aimait bien.

— Oui, tout le monde. Elle était si gentille, si innocente. Les personnes innocentes sont les plus délicieuses, n'est-ce pas, Stevie ?

Zillis fronça les sourcils.

— « Délicieuses » ?

— Les victimes innocentes… ce sont les meilleures, celles qui procurent le plus de plaisir. Je sais ce qui lui est arrivé, annonça Billy pour laisser entendre qu'il savait que Zillis l'avait kidnappée et tuée.

Un violent frisson parcourut Steve Zillis ; les chaînes des menottes tintèrent sur le montant du lit.

Ravi de cette réaction, Billy enfonça le clou :

— Oui, Stevie, je sais.

— Quoi ? Qu'est-ce que tu sais ?

— Tout.

— Tout ce qu'il lui est arrivé ?

— Oui. Tout.

Zillis était adossé contre le cadre du lit, les jambes étendues devant lui. Soudain il replia les jambes devant sa poitrine.

— Oh, seigneur…, gémit-il – une lamentation abjecte.

— Tout dans le moindre détail, insista Billy.

Zillis ouvrit la bouche de stupeur et sa voix se mit à chevroter.

— Ne me fais pas de mal, Billy.

— Que crois-tu que je puisse te faire, Stevie ?

— Je ne sais pas. Je ne veux pas y penser.

— Tu es pourtant plein d'imagination, particulièrement « créatif » quand il s'agit, dans tes fantasmes, de faire du mal à des femmes… et là, tu ne veux pas y « penser » ?

Zillis tremblait de tous ses membres.

— Qu'est-ce que tu veux, Billy ? Dis-moi ce que tu attends de moi.

— Je veux que l'on parle de ce qui est arrivé à Judith Kesselman.

Voyant Zillis éclater en sanglots comme un petit garçon, Billy se leva de sa chaise.

— Stevie?

— Va-t'en.

— Tu sais que je ne vais pas m'en aller. Parlons de Judith Kesselman.

— Je ne veux pas.

— Moi, je crois que si. (Billy ne s'approcha pas de Zillis, mais il s'accroupit devant lui, pour être à sa hauteur.) Je crois, au contraire, que tu en as très envie.

Zillis secoua la tête avec désespoir.

— Non. Je ne veux pas. Si on en parle, tu vas me tuer.

— Pourquoi dis-tu ça, Stevie?

— Tu le sais très bien.

— Pourquoi te tuerais-je?

— Parce que, alors, j'en saurais trop, pas vrai?

Billy fixa son prisonnier du regard, tentant de percer ses pensées.

— C'est toi qui l'as fait, gémit Zillis.

— Qui a fait quoi?

— C'est toi qui l'as tuée; je ne sais pas pourquoi, je ne comprends pas, mais maintenant que je suis au courant, tu vas me tuer aussi.

Billy prit une profonde inspiration et grimaça.

— Qu'as-tu fait de toi, Stevie...

Pour toute réponse, Zillis se contenta de sangloter.

— Regarde ce que tu es devenu...

Zillis qui avait les genoux ramenés devant sa poitrine, étendit de nouveau les jambes.

— Stevie?

L'entrejambe du pyjama était mouillé. Zillis avait uriné sur lui.

64.

Certains monstres sont davantage des créatures pathétiques que de dangereux prédateurs. Ils n'ont pas de véritables repaires comme de vrais chasseurs. Ils habitent des terriers d'emprunt, mal entretenus, avec le minimum de meubles et quelques objets à l'image de leur nature pervertie. Tout ce qu'ils désirent, c'est assouvir leurs fantasmes et endurer leur existence le plus sereinement possible, ce qui est un vœu pieux... car même lorsque le reste du monde les laisse tranquilles, ils ne peuvent s'empêcher de se tourmenter tout seuls.

Billy refusait de croire que Zillis appartenait à cette espèce pathétique.

Admettre que Zillis n'était pas un tueur psychopathe, c'était pour Billy reconnaître qu'il avait perdu un temps précieux à poursuivre un loup qui se révélait être une brebis.

Pis encore, si Zillis n'était pas le tueur, Billy n'avait plus aucune piste. Tous les indices semblaient désigner le jeune homme. Et personne d'autre.

Et pour couronner le tout, si le dingue n'était pas menotté devant lui, alors il avait torturé ce pauvre Zillis pour rien.

Billy continua donc à questionner son captif, mais de minute en minute, ce n'était plus une confrontation... cela devenait de la pure oppression. Un matador ne trouve pas la gloire quand le taureau, dégoulinant de sang sous les banderilles et les coups de lance du picador, est rendu hagard et ne réagit plus à la muleta.

Et bientôt, Billy, cachant son désespoir grandissant, se rassit sur sa chaise pour porter sa dernière attaque, espérant un ultime faux pas de son adversaire.

— Où étais-tu ce soir, Steve?

— Tu le sais. J'étais au bar. Je te remplaçais.

— Seulement jusqu'à 21 heures. Jackie m'a dit que tu es venu l'aider entre 15 heures et 21 heures, parce que tu avais des choses à faire avant et après.

— C'est vrai.

— Alors, où étais-tu entre 21 heures et minuit?

— Qu'est-ce que cela peut faire?

— C'est important. Où étais-tu?

— Tu vas me frapper... tu vas me tuer de toute façon.

— Je ne vais pas te tuer, et je n'ai pas tué Judith Kesselman. Mais je suis sûr que toi, tu l'as tuée.

— Moi?

Son étonnement paraissait aussi crédible que toutes ses autres réactions.

— Tu es vraiment doué, Steve.

— Doué pour quoi? Pour tuer des gens? Tu es complètement frappé! Je n'ai jamais tué personne!

— Steve, si tu as un bon alibi à me donner entre 21 heures et minuit, c'est fini. Je m'en vais et tu es libre.

Zillis était suspicieux.

— C'est aussi simple que ça?

— Oui.

— Et... tu t'en irais comme ça?

— Oui. Tout dépend de ton alibi.

Zillis réfléchissait à sa réponse, guère rassuré.

Billy commença à se dire qu'il était en train de concocter un mensonge.

— Et si c'est justement pour cela que tu es là? demanda alors Zillis. Si, en fait, tu sais déjà où j'étais, mais que tu veux me l'entendre te le dire pour que tu puisses me tabasser?

— Je ne te suis pas.

— D'accord, d'accord... J'étais avec quelqu'un, voilà. Elle ne m'a jamais parlé de toi, mais si toi tu en pinces pour elle, qu'est-ce que tu vas me faire, hein?

Billy le regarda avec de grands yeux.

— Tu étais avec une femme ?

— Je n'étais pas « avec » elle, comme « au lit avec elle ». C'était juste un rendez-vous. Un dîner, que j'ai dû retarder parce que je te remplaçais. C'était notre deuxième rendez-vous.

— Qui est-ce ?

Se préparant à voir Billy, fou de jalousie, se ruer sur lui, Zillis bredouilla :

— Amanda Pollard.

— Mandy Pollard ? Je la connais. C'est une gentille fille.

— C'est tout ce qu'elle est pour toi ? articula Zillis, n'osant se croire tiré d'affaire. « Une gentille fille » ?

Les Pollard avaient des vignes. Ils travaillaient pour un grand négociant de la vallée. Mandy avait une vingtaine d'années – jolie, sympathique. Elle travaillait dans l'entreprise familiale. C'était une jeune femme si saine, si fraîche qu'elle semblait venir d'une autre époque.

Billy jeta un regard circulaire dans la pièce en désordre... les cassettes de films pornos étalées par terre au pied de la télévision, le tas de linge sale dans un coin.

— Elle n'est jamais venue ici, expliqua Zillis. C'est notre deuxième rendez-vous. Je cherche un nouvel appartement, quelque chose de joli. Je veux me débarrasser de tous ces trucs. Prendre un nouveau départ.

— C'est une fille bien.

— Oui, s'empressa de confirmer Zillis. Je pense qu'avec elle dans ma vie, je pourrai m'en sortir, faire quelque chose de bien pour une fois.

— Elle devrait voir ta tanière...

— Non. Non. Billy, non, je t'en prie. Ce n'est pas comme ça qu'elle me voit. Je veux devenir meilleur pour elle.

— Où êtes-vous allés dîner ?

Zillis donna le nom d'un restaurant.

— On est arrivés vers 21 h 30. On est repartis à 23 h 15, parce qu'il n'y avait plus que nous dans la salle.

— Et après ?

— On a fait un tour en voiture. Une jolie balade. On ne s'est pas arrêtés quelque part. Ce n'est pas le genre de fille… On a fait que rouler, en parlant, en écoutant de la musique.

— Jusqu'à quelle heure ?

— Je l'ai ramenée chez elle vers 1 heure du matin.

— Puis tu es revenu ici.

— Oui.

— Et tu t'es mis un film porno où un type fouette une femme…

— C'est vrai… Je sais ce que je suis, mais je sais aussi que je peux être autrement.

Billy se dirigea vers la table de nuit et décrocha le téléphone. L'appareil avait un long fil, il l'apporta à Zillis.

— Appelle-la.

— Maintenant ? Il est 3 heures du matin, Billy ?

— Appelle-la. Dis-lui combien tu as aimé votre soirée, comme elle compte pour toi. Elle ne t'en voudra pas de la réveiller pour lui dire ça.

— On n'a pas encore ce type de relation. Elle va me prendre pour un dingue.

— Tu l'appelles et moi j'écoute, ou alors j'enfonce le canon de ce pistolet dans ton oreille et je réduis ta cervelle en bouillie. Fais ton choix.

Zillis tremblait tellement qu'il dut s'y reprendre à trois fois avant de composer le bon numéro.

Accroupi à côté de son captif, le canon enfoncé dans le flanc de Zillis pour qu'il ne tente rien d'idiot, Billy écouta Mandy Pollard répondre au téléphone ; elle fut surprise que son nouvel amoureux l'appelle à cette heure.

— Ne t'inquiète pas, s'empressa-t-elle de dire à Zillis. Tu ne me réveilles pas. J'étais juste couchée à regarder le plafond.

La voix de Zillis chevrotait, mais Mandy dut croire que c'était l'émotion de l'appeler si tard et de lui dire son affection de façon plus ostensible qu'il ne l'avait peut-être montrée ce soir.

Pendant quelques minutes, Billy les écouta se raconter leur soirée – leur dîner, leur promenade – et puis il fit signe à Zillis d'écourter.

Mandy Pollard avait bel et bien passé la soirée avec Zillis ; et elle n'était pas le genre de fille à sortir avec des dingues par jeu et goût du risque.

Zillis avait dîné avec Mandy ; il ne pouvait être le dingue qui avait installé le cadavre de Ralph Cottle sur le canapé de Lanny, et qui avait cloué la main de Billy sur le plancher du couloir.

65.

Billy rangea le pistolet dans son étui.

— Je vais te laisser attaché ici, déclara-t-il.

Steve Zillis parut soulagé de voir Billy rengainer son arme, mais il restait sur ses gardes.

Billy arracha le cordon du téléphone et le glissa dans son sac.

— Je veux que tu n'appelles personne. Tu vas profiter de ce temps pour te calmer et réfléchir à ce que je vais te dire.

— Tu ne vas pas me tuer ?

— Non. Je vais laisser les clés des menottes dans la cuisine, sur le plan de travail.

— Sur le plan de travail, d'accord. Mais je ne vois pas en quoi ça m'aide.

— Après mon départ, enlève le matelas et démonte le sommier. Il est attaché au cadre de lit avec des boulons.

— Oui, mais…

— Dévisse les écrous avec tes doigts.

— Ils sont peut-être grippés par la rouille.

— Tu as emménagé il y a six mois. Les écrous ne rouillent pas si vite. S'ils sont trop serrés, tords les montants du cadre, essaye de donner un peu de jeu dans les boulons. Tu vas t'en sortir, j'en suis sûr.

— Oui, je m'en sortirai, mais je ne comprends pas ce qui t'a pris. Tu ne peux croire sérieusement que j'ai tué Judith Kesselman, comme tu le dis. C'est trop énorme. Alors pourquoi tu m'as fait ça ? Pourquoi ?

— Je ne vais pas te répondre, et il vaut mieux que tu ne sois pas au courant, répondit Billy en rangeant sa bombe dans le sac. Crois-moi, ça vaut bien mieux pour toi.

— Regarde dans quel état je suis, geignit Zillis. J'ai les yeux en feu. Je me suis pissé dessus, nom de Dieu! c'est humiliant. Tu m'as frappé avec ton arme, tu m'as entaillé le crâne... tu m'as fait mal, Billy!

— Cela aurait pu être pire. Bien pire.

Interprétant ces mots comme une menace, Zillis fit profil bas.

— D'accord. OK. Je t'écoute. Je me tais.

— Suivant le serrage des écrous, il te faudra au moins une heure, peut-être deux, pour te libérer. Les clés des menottes sont dans la cuisine. Dès que tu seras libre, fais tes valises.

— Quoi? s'exclama Zillis en battant des paupières.

— Appelle Jackie et dis-lui que tu démissionnes.

— Mais je ne veux pas démissionner!

— Ouvre les yeux, Steve. Nous ne pouvons plus nous voir tous les jours comme si de rien n'était. Pas après ce que je sais sur toi et ce que tu sais sur moi. Il faut que tu t'en ailles.

— Pour aller où?

— Je m'en fiche. Quitte juste le comté.

— Je suis heureux ici. En plus, je n'ai pas les moyens de déménager en ce moment.

— Va à la taverne vendredi récupérer ton dernier chèque. Je laisserai une enveloppe pour toi à Jackie. Il y aura dix mille dollars en liquide. Cela t'aidera à t'installer ailleurs.

— Je n'ai rien fait de mal et tu as foutu ma vie en l'air. Ce n'est pas juste.

— Tu as raison. Ce n'est pas juste. Mais c'est comme ça. Tes meubles ne valent pas un clou. Balance-les à la benne. Fais tes valises et quitte la ville vendredi soir.

— Je pourrais appeler les flics et porter plainte.

— Tu crois? Je doute que tu aies envie que les flics fouinent ici, trouvent tes films sadomasos, tes mannequins dans l'autre pièce.

Malgré sa peur, Zillis se fit sarcastique :

— Pour qui tu te prends? Pour Dieu sur Terre?

Billy secoua la tête.

— Steve, tu es pitoyable. Tu vas prendre les dix mille dollars, t'estimer heureux d'être en vie, et te tirer d'ici. Une chose encore : n'appelle plus jamais Mandy.

— Hé, tout doux. Tu ne peux pas...

— Ne l'appelle plus. Ne la vois plus. Jamais.

— Billy... elle peut me changer du tout au tout.

— C'est une chic fille. Une fille bien.

— C'est exactement ce que je veux dire. Je pourrais repartir de zéro si elle...

— Une femme bien peut changer un homme. Mais pas toi. Tu es descendu trop bas. Tu es irrécupérable. Si tu l'appelles ou si tu la vois, ne serait-ce qu'une fois, je le saurai. Et je te retrouverai... Tu sais que je suis sérieux, n'est-ce pas ?

Zillis resta silencieux.

— C'est tellement injuste !

— Oui, tu sais que je suis sérieux... Pour ton bien, ne l'oublie pas.

Billy porta la main à son pistolet.

— Ça va. D'accord. Je ferai comme tu dis.

— Bien. Maintenant, je m'en vais.

— Cet endroit craint de toute façon. Les vignobles... au fond, c'est pareil qu'une ferme. Et je n'ai jamais été un gars de la campagne.

— Non. Tu ne l'es pas, répondit Billy sur le pas de la porte.

— C'est un trou, ici. Il ne se passe jamais rien.

— Que des pantouflards, tu as raison. Pas un pour titiller la zone rouge.

— Va te faire foutre.

— Adieu l'aventurier. D'autres queues de cerises t'attendent...

66.

Billy n'avait pas parcouru un kilomètre après avoir quitté la maison de Zillis, qu'il fut pris de tremblements. Il dut se garer et attendre de retrouver son calme.

Sous la pression, il était devenu ce qu'il exécrait le plus au monde. Pendant un moment, il était devenu un John Palmer *bis*.

Donner à Steve Zillis dix mille dollars ne changeait rien à l'affaire.

Quand les spasmes refluèrent enfin, il ne put se résoudre à redémarrer. Il ne savait plus où aller. Il était au bord d'un précipice. Et un 4 x 4 ne sait pas voler.

Il voulait rentrer chez lui, même si la clé de l'énigme ne se trouvait pas là-bas.

Juste rentrer chez lui, dans sa retraite... Il voulait s'isoler – une pulsion qu'il connaissait bien. Une fois à la maison, il pourrait s'asseoir à son établi, tailler ses morceaux de bois, et envoyer au diable le reste du monde !

Sauf que cette fois, il irait en enfer avec lui. Il ne pouvait emmener Barbara avec lui dans son refuge, mais s'il la laissait à la clinique, seule et sans défense, il détruisait sa seule raison de vivre.

Les événements l'avaient plongé dans l'action, dans le tourbillon de la vie, et pourtant il se sentait seul au monde, au-delà du désespoir.

Pendant trop longtemps, Billy n'avait pas semé et, à présent, il n'avait rien à récolter. Ses amis n'étaient que des connaissances. La vie, c'était d'abord la communauté, mais il était seul.

En fait, le problème dépassait le simple isolement. Ses amis, qui n'étaient que de simples relations, étaient à présent des suspects potentiels. Billy s'était construit un fort de solitude où il avait cultivé une douce paranoïa.

Il redémarra, et se mit à rouler, sans direction précise, du moins aucune dont il eut conscience. Comme un oiseau, il se laissait porter sur les courants de la nuit ; seul objectif : rester en l'air, ne pas tomber, tenir jusqu'à ce qu'une lueur éclaire l'horizon.

Il en avait plus appris sur Ivy Elgin en une seule visite chez elle qu'en des années passées à travailler à ses côtés. Il aimait bien Ivy, mais il la trouvait à présent plus mystérieuse que lorsqu'il ne savait quasiment rien sur elle.

Elle n'avait, sans nul doute, aucun lien avec le tueur mais, après son histoire avec sa mère et son père, Billy avait appris à se méfier de tout le monde.

Harry Avarkian était un homme bien et un bon avocat – mais il était également l'un des trois légataires qui géraient les sept millions de dollars de Barbara, un magot susceptible de faire tourner les têtes les mieux faites. Avant de connaître Barbara, Billy n'était venu qu'une seule fois chez Harry. Barbara l'avait ouvert au monde. Ils allaient dîner chez Harry au moins six fois par an... mais, depuis le drame, Billy n'y était plus jamais retourné. Les deux hommes ne se voyaient plus qu'au bureau.

Harry Avarkian était une connaissance, mais Billy ne le « connaissait » pas.

Les pensées de Billy se focalisèrent sur le Dr Ferrier. Ce qui était parfaitement stupide. Les médecins dans la vie n'écumaient pas les rues pour tuer les gens.

Sauf que le Dr Ferrier voulait que Billy l'aide à tuer Barbara... il voulait retirer la sonde dans son estomac, la faire mourir de faim dans son coma.

Si l'on s'octroyait le droit de décider de la vie d'autrui, de sa valeur et de son prix de revient, alors débrancher une prise ou presser une détente revenait presque au même.

Ridicule ! Néanmoins, Billy connaissait le Dr Ferrier mille fois moins que son père ; et son père avait, en une fraction de seconde, détruit tout ce que Billy croyait savoir sur le genre humain, quand il avait brandi cette manivelle d'acier avec une lueur démoniaque et sadique dans les yeux.

Quant à John Palmer... cet homme aimait par-dessus tout le pouvoir. Tout le monde le savait. Mais son monde intérieur restait une *terra incognita*.

Plus Billy songeait aux gens de son entourage, plus l'idée que le tueur soit un parfait étranger faisait son chemin... et plus l'affolement le guettait.

Être, à la fois, impliqué et détaché. Rester calme.

Pour posséder ce que vous ne possédez pas, vous devez d'abord passer par la voie de la dépossession.

Et ce que vous ne savez pas est la seule chose que vous sachiez.

Tout en roulant et se laissant aller à cette immobilité intérieure, Billy arriva bientôt, sans même s'en être rendu compte, au relais routier. Il se gara, comme plus tôt, devant le restaurant.

Sa main gauche était douloureuse. Il avait du mal à remuer les doigts. Ça commençait à enfler. Le Vicodin ne faisait plus effet. Billy hésitait à reprendre un cachet ; trouver de l'ibuprofène devenait urgent.

Il était affamé, mais la pensée de manger encore une barre chocolatée l'écœurait. Il avait besoin également d'une nouvelle injection de caféine, mais pas en pilules.

Après avoir caché le pistolet et le revolver sous le siège, Billy quitta la voiture, même si, avec sa vitre brisée, les armes n'étaient guère à l'abri ; il se dirigea vers le restaurant.

Il était 3 h 40 du matin. Billy avait l'embarras du choix ; toutes les alcôves étaient libres.

Quatre camionneurs étaient assis au bar, juchés sur les tabourets, buvant un café et grignotant une tarte.

Une femme imposante les servait, avec un visage d'ange planté sur un cou de taureau. Dans sa crinière, teinte d'un noir cirage, scintillaient des barrettes jaunes en forme de papillons.

Billy s'installa au bar.

67.

À en croire le badge sur sa blouse, la serveuse s'appelait Jasmine. Elle appela aussitôt Billy « Chéri » et lui servit la tasse de café et la tarte au citron qu'il commanda.

Jasmine et les camionneurs étaient en pleine conversation lorsque Billy se hissa sur un tabouret. En les écoutant, il apprit que l'un d'entre eux s'appelait Curly, et un autre Arvin. Quant au troisième chauffeur, personne ne prononça son prénom, pas plus que celui du quatrième qui avait une dent en or.

Au début, ils parlaient du continent perdu de l'Atlantide. Pour Arvin, cette civilisation légendaire avait péri parce que les Atlantes s'étaient lancés dans la biogénétique et avaient créé des monstres qui les avaient exterminés.

On passa rapidement de l'Atlantide au clonage et des recherches sur l'ADN, lorsque Curly mentionna qu'à Princeton ou Harvard, ou Yale, ou Dieu savait dans quel antre du diable, des savants essayaient de créer un cochon doté d'un cerveau humain.

— Ce n'est pas nouveau, lança Jasmine. En toutes ces années au bar, je peux te dire que j'en ai vu des tas de porcs-humains.

— À quoi serviraient des cochons humanisés ? s'interrogea Arvin.

— À être là, répliqua Sans-Prénom numéro un.

— Comment ça ?

— À quoi servent les montagnes ? À rien. Juste pour que des types puissent les escalader. Alors pourquoi pas inventer des cochons humains, juste pour savoir si c'est possible.

— Mais ils feraient quoi ces cochons humains ? demanda Dent d'Or.

— Cela m'étonnerait qu'on leur demande de faire quoi que ce soit, avança Curly.

— Mais si on les invente, c'est bien pour que ça serve à quelque chose, s'entêta Dent d'Or.

— En tout cas, on peut être sûrs d'un truc, déclara Jasmine. Les intégristes vont voir tout rouge.

— Quels intégristes ? s'enquit Arvin.

— Ceux d'un côté ou de l'autre, répondit Jasmine. Une fois qu'on aura des cochons avec des cerveaux humains, on n'aura plus le droit de bouffer ni du jambon ni du bacon.

— Je ne vois pas le rapport, répliqua Curly. Le jambon et le bacon proviendront toujours des cochons normaux.

— Cela va être un beau cirque ! prédit Jasmine. Comment justifier qu'on puisse manger du jambon et du bacon alors que tes gamins iront en classe avec des cochons savants et qu'ils te les ramèneront à la maison au goûter.

— Cela n'arrivera jamais, déclara Sans-Prénom.

— Jamais, confirma Arvin.

— Ce qui va arriver, rétorqua Jasmine, c'est qu'à force de faire joujou avec des gènes humains ces idiots vont faire une grosse connerie et qu'on va tous y passer.

Les quatre chauffeurs étaient d'accord. Billy aussi.

Mais Dent d'Or n'en démordait pas... les scientifiques avaient une idée derrière la tête avec leurs cochons humains.

— Ils n'ont pas dépensé des millions de dollars sur ce projet juste pour rigoler, ce sont des gens sérieux.

— Tu parles ! répliqua Jasmine. L'argent, ils s'en fichent. Il n'est pas à eux.

— C'est l'argent des contribuables, ajouta Curly. Le tien et le mien.

Billy lança un commentaire ou deux, mais se contenta surtout d'écouter, se laissant bercer (et même réconforter) par ces conversations de comptoirs qu'il connaissait si bien.

Le café était fort. La tarte avait vraiment le goût de citron et était couverte de meringue.

Il se sentait curieusement calme, assis là au bar, à écouter les gens parler.

— Tu veux qu'on parle gâchis d'argent? enchaîna Dent d'Or, t'as qu'à voir l'horreur qu'ils construisent sur la grande route.

— Quoi? Tu parles du truc en face de la taverne, ce machin qu'ils doivent brûler à la fin du chantier, demanda Arvin.

— Attention les garçons, c'est de l'*Art*! leur rappela Jasmine.

— Je ne vois pas où c'est de l'art, lança Sans-Prénom. L'art, c'est fait pour durer, non?

— Le type va se faire des millions en vendant des vidéos, des photos, leur rappela Curly. Il va exploiter le filon jusqu'à la dernière pépite.

— N'importe qui ne peut pas se déclarer artiste comme ça, s'étonna Dent d'Or. On doit passer des espèces d'examens ou quelque chose du genre, non?

— Il dit être un artiste d'un genre nouveau, précisa Curly.

— Nouveau, mon cul! lâcha Arvin.

— Chéri, lui lança Jasmine, ne le prends pas mal, mais je ne vois pas ce que ton gros cul a d'extraordinaire non plus.

— Il dit qu'il fait des *performances d'art*, précisa Curly.

— C'est quoi ça?

— À ce que j'ai cru comprendre, c'est de l'art qui ne dure pas. C'est censé faire quelque chose, et quand c'est fait, c'est fini.

— Qu'est-ce qu'il y aura dans les musées dans cent ans? s'inquiéta Sans-Prénom. Des salles vides?

— Il n'y aura plus de musée, précisa Jasmine. Les musées, c'est pour les gens. Il n'y aura plus personne. Juste des cochons avec des cerveaux humains!

Billy était devenu d'une immobilité d'airain. Sa tasse de café s'était arrêtée à quelques centimètres de ses lèvres; il restait bouche ouverte, incapable de poursuivre son geste pour boire.

— Chéri? Il n'est pas bon mon café?

— Si, si. Il est parfait. En fait, j'en veux bien une autre tasse. Vous le servez dans des mugs ?

— On a un bock en plastique où on peut en mettre trois tasses. On appelle ça : le Coup de Fouet.

— Parfait. Un Coup de Fouet, alors.

68.

Une alcôve du restaurant offrait un coin cybercafé. Six ordinateurs avec une connexion Internet.

Un camionneur était derrière l'un des postes de travail, manipulant sa souris, les yeux rivés sur l'écran. Peut-être vérifiait-il ses délais de livraison ou bien jouait-il à un jeu, ou se baladait-il sur un site porno.

Les ordinateurs étaient boulonnés à la table, il y avait de la place pour poser une assiette et un trou dans le plateau accueillit le Coup de Fouet de Billy.

Il ne connaissait pas le nom du site de Valis ; il commença donc sa recherche par les sites traitant des performances d'art en général et il trouva le lien : www.valisvalisvalis.com.

L'artiste avait un beau site. Billy visionna une vidéo du pont australien auquel Valis avait accroché vingt mille ballons rouges. Il les regarda tous éclater en même temps.

Billy parcourut les commentaires de l'auteur sur ses projets. Ils étaient pompeux et incohérents, entrelardés du jargon verbeux de l'art moderne.

Dans une interview, Valis disait que tous les grands artistes étaient des « pêcheurs d'âmes » car tous cherchaient à toucher l'âme des hommes, ensorceler le cœur et l'esprit de ceux qui admiraient leurs œuvres.

Valis aidait ses aficionados à mieux comprendre chacune de ses créations en donnant un court commentaire en guise de « guide spirituel » : trois lignes, contenant chacune trois mots. Billy en lut quelques exemples.

Il sortit de son portefeuille le papier sur lequel étaient imprimées les six lignes contenues dans la disquette rouge que tenait le cadavre de Ralph Cottle. Il le déplia, le lissa sur la table.

Première ligne : *Parce que moi aussi, je suis un pêcheur d'âmes.*

Cinquième ligne : *Mon dernier meurtre : jeudi minuit.*

Sixième ligne : *Et votre suicide, aussitôt après.*

Les deuxième, troisième et quatrième lignes ressemblaient étrangement à l'un des « guides spirituels » que Valis offrait à ses admirateurs pour les aider à apprécier pleinement ses œuvres.

La première ligne faisait toujours référence au style de l'œuvre ou de la *performance*. Dans le cas présent, le style était : *Cruauté, violence, mort.*

La deuxième ligne présentait la technique utilisée par l'artiste pour exécuter son œuvre d'art. Avec Billy, la technique retenue était : *Mouvement, vélocité, choc.*

La troisième ligne décrivait le (ou les) support(s) où s'inscrivait l'œuvre. Dans la performance présente, les supports étaient : *chair, sang, os.*

Parfois les grands tueurs en série étaient des nomades, des chasseurs itinérants qui laissaient de vastes territoires vierges entre deux proies.

Pour le dingue, tuer n'était pas un jeu. Il ne considérait pas même son activité comme un spectacle. L'essence même de sa motivation, c'était le geste artistique.

Billy avait appris sur les autres sites d'art que cet artiste de la mort avait toujours eu peur des caméras. Pour se justifier, Valis soutenait que l'art était plus important que l'artiste. Rarement donc, on le voyait en photo.

Une telle posture n'empêchait ni la célébrité ni la fortune et lui assurait, en même temps, un certain anonymat.

www.valisvalisvalis.com proposait un portrait officiel de l'artiste. Ce n'était pas une photographie, mais un dessin au crayon que l'artiste avait réalisé lui-même.

Volontairement peut-être, le portrait n'était pas très fidèle à l'apparence actuelle de Valis, mais Billy le reconnut aussitôt.

C'était le buveur de Heineken qui, le lundi soir à la taverne, avait écouté avec amusement Ned Pearsall raconter la fin tragicomique de Henry Friddle sur son nain de jardin.

Vous êtes un spécimen rare, monsieur Billy le Barman.

Déjà, le dingue connaissait son nom de famille, même s'il avait feint de l'ignorer. Il devait déjà tout savoir de lui. Pour des raisons connues de Valis lui seul, Billy Wiles avait été identifié, recherché, et choisi pour cette *performance*.

Aujourd'hui, parmi les navigations possibles proposées sous le portrait, l'une d'elles était intitulée BONJOUR BILLY.

Billy pensait son « capital surprise » totalement épuisé pour la journée, et pourtant il écarquilla les yeux d'effarement.

Au bout d'une minute de stupeur, il déplaça la souris et cliqua sur la vignette.

Le portrait s'évanouit et, sur l'écran, s'afficha le message suivant : SECTION PRIVÉE − ENTREZ MOT DE PASSE.

Billy but une gorgée de café. Puis il tapa WILES et appuya sur la touche ENTER.

Aussitôt, il reçut le message : VOUS ÊTES DOUÉ !

Ces trois mots restèrent affichés pendant dix secondes et puis l'écran devint blanc.

Juste blanc.

Le dessin réapparut. Les sélections possibles sous le portrait ne proposaient plus BONJOUR BILLY.

69.

Le grand panneau était plongé dans l'obscurité. Les roues, les volants d'inertie, les engrenages, les courroies, les pistons et autres pièces étranges luisaient dans le noir.

Terrorisé, encerclé, le personnage géant était figé dans une lutte silencieuse.

Le chapiteau jaune et violet se dressait dans l'ombre, mais une lumière ambrée brillait aux fenêtres du mobil-home.

Billy s'arrêta sur le bas-côté de la route et étudia à distance le véhicule.

Les seize ouvriers qui construisaient l'œuvre sous la direction de Valis ne dormaient pas sur le site. Ils occupaient l'hôtel Vineyard Hills Inn depuis six mois.

Valis, toutefois, habitait sur le chantier pendant toute la durée des travaux. Le mobil-home avait l'électricité et l'eau courante.

Ses cuves pour les eaux usées étaient vidées deux fois par semaine par la société Glen Épuration et Assainissement. Glen Gortner était tout fier d'avoir été choisi pour cette noble tâche, même s'il considérait que le panneau ne valait guère mieux que les résidus de fosse septique qu'il vidait.

Ne sachant s'il devait s'arrêter devant le mobil-home ou se contenter de faire un tour de reconnaissance, Billy descendit l'épaulement de la route pour s'engager dans la prairie en contrebas ; lentement, il contourna le grand véhicule.

La porte côté conducteur était ouverte. Un projecteur éclairait les marches et dessinait un paillasson de lumière sur l'herbe, comme une invite.

Billy s'arrêta. Pendant un moment, il laissa le moteur tourner, un pied sur le frein, l'autre en suspens au-dessus de l'accélérateur.

La plupart des fenêtres étaient dépourvues de stores. Autant que Billy pouvait en juger, il n'y avait personne à l'intérieur.

Seules les fenêtres sur l'arrière, donnant vraisemblablement dans la chambre à coucher, étaient équipées de rideaux. Des lumières étaient allumées dans la pièce, dorées et tamisées.

À l'évidence, Billy était attendu.

Il n'avait aucune envie d'accepter cette invitation. Il brûlait de s'en aller, mais pour aller où ?

Il lui restait moins de vingt-quatre heures avant le « dernier meurtre ». Barbara était toujours en danger.

À cause des indices semés par Valis, Billy allait devenir un suspect dans les affaires de disparition dont la police allait bientôt s'occuper – Lanny, Ralph Cottle, la jeune femme rousse…

Quelque part chez lui ou dans son garage, ou encore enterrée dans son jardin, il y avait la main de Giselle Winslow. Et sans doute d'autres reliques…

Il enclencha la position « parking » sur la boîte auto, éteignit les phares, mais ne coupa pas le moteur.

Près du grand barnum trônait une Lincoln Navigator. Le véhicule de Valis pour ses déplacements dans la région.

Vous êtes doué !

Billy enfila une nouvelle paire de gants en latex.

Sa main gauche était engourdie, mais pas douloureuse. À l'inverse de la plupart des analgésiques, le Vicodin laissait l'esprit clair, mais si ses sens et ses réflexes étaient atrophiés, ne serait-ce que d'un pour cent, cela pouvait signer son arrêt de mort.

Peut-être la caféine en cachets et celle du Coup de Fouet compenseraient… ainsi que la tarte au citron.

Billy coupa finalement le moteur. Dans l'instant, le silence de la nuit parut aussi pressant que dans la maison d'un sourd et muet.

Connaissant l'ingéniosité de son adversaire, Billy se préparait à toute éventualité.

S'il devait y avoir un combat à mort, il préférait prendre le
.38, parce que c'était son revolver. Il avait déjà tué avec.

Il descendit de l'Explorer.

Le crin-crin des criquets troublait le silence de la nuit,
accompagné par le chant des crapauds. Les fanions du chapiteau faseyaient doucement sous les risées.

Billy se dirigea vers la porte ouverte du mobil-home. Il
s'immobilisa dans le rectangle de lumière, hésitant à gravir les
marches.

Dans l'habitacle, une voix se fit entendre, diffusée par les
haut-parleurs de la chaîne hi-fi, qui faisait également office
d'interphone :

— Barbara devrait avoir le droit de vivre, je suis de votre
avis.

Billy monta l'escalier.

La cabine était pourvue de deux fauteuils pivotants, un pour
le chauffeur, l'autre pour le copilote. Les sièges étaient tapissés
d'un cuir délicat – peut-être du cuir d'autruche.

Commandée à distance, la porte se referma derrière Billy.
Sans doute s'était-elle aussi verrouillée.

Dans ce véhicule haut de gamme, une cloison séparait la
cabine de la zone d'habitation. Une autre porte, ouverte, l'invitait à entrer.

Billy pénétra dans une cuisine rutilante. Toute la décoration
était dans les tons crème et miel. Le sol dallé de marbre, les
placards en loupe d'érable avec des lignes sinueuses de menuiserie de marine. Les seules exceptions à ces tons pastel étaient
le comptoir de granit noir et les plaques de chauffage en acier
anodisé.

— Je peux vous préparer un petit déjeuner si vous avez faim,
lui proposa la voix sirupeuse de Valis par les haut-parleurs
encastrés au plafond.

Le sol de marbre menait à un coin repas spacieux où l'on
pouvait tenir à six, voire à huit en se serrant.

La table en sycomore était marquetée de wengé noir, de cor-
naline rouge et de houx aussi blanc que des os qui formaient des
rubans entrelacés – chef-d'œuvre hors de prix d'un ébéniste.

Une arche, découpée dans une autre cloison, donnait dans un salon.

Les matériaux utilisés dépassaient les cinq cents dollars le mètre carré, et la moquette valait sans doute plus du double. Le style des meubles était contemporain, mais il y avait de nombreux bronzes japonais – des pièces de collection de l'ère Meiji.

Selon des habitués de la taverne, qui s'étaient documentés sur ce mobil-home par Internet, il coûtait plus d'un million et demi de dollars, sans les bronzes.

Parfois on appelait ces véhicules les « yachts des routes ». Ce n'était pas une exagération.

La porte close au bout du salon devait conduire à la chambre à coucher. Elle était sans doute fermée à clé.

Valis l'attendait dans ce dernier fortin, à l'affût, l'oreille aux aguets et armé jusqu'aux dents.

Entendant un petit bruit derrière lui, Billy se retourna.

Sur le côté, la cloison protégeant le coin repas était équipée d'élégants porte-rideaux en roseaux. Ces panneaux articulés se relevaient lentement, révélant des niches.

Puis des volets d'acier commencèrent à descendre pour occulter toutes les fenêtres, et se verrouillèrent dans un claquement pneumatique qui le fit sursauter.

Ces volets n'étaient pas exclusivement décoratifs. Toute fuite était désormais devenue impossible.

Un « système de sécurité » censé protéger l'occupant des dangers extérieurs.

Tandis que les portes à rideaux s'escamotaient toujours, dévoilant de nouvelles niches, la voix de Valis résonna à nouveau dans les haut-parleurs :

— Vous allez admirer ma collection… Peu de gens ont eu ce privilège. Mais vous serez le seul, après l'avoir vue, à avoir l'insigne honneur de ressortir d'ici vivant! Je vous souhaite une agréable visite.

70.

Les niches avaient des parois capitonnées, tendues de soie noire. La collection était présentée dans des bocaux de deux tailles différentes.

La base de chaque récipient était enchâssée dans un socle en bois. Une cale noire était glissée entre le couvercle et la face interne de l'étagère supérieure.

Les récipients ne devaient pas se renverser lorsque le véhicule roulait. Avec ce système, ils ne bougeaient pas d'un millimètre.

Chaque bocal était éclairé par des fibres optiques placées sous la base, si bien que le contenu luisait sur le fond de soie noire. Les lumières du salon diminuèrent pour améliorer l'éclairage des bocaux. On eût dit des aquariums.

Mais ces bocaux ne contenaient pas des poissons, mais des reliques de meurtres. Dans le liquide protecteur flottaient des visages, des mains...

Les visages étaient fantomatiques, telles des créatures diaphanes nageant entre deux eaux. Les traits étaient à peine discernables. Tous se ressemblaient.

Les mains, en revanche, étaient parfaitement identifiables, et en disaient davantage sur les victimes que les visages. Ces pièces étaient moins morbides que Billy ne l'aurait cru – des objets étranges, éthérés.

— Elles sont belles, n'est-ce pas ? déclara Valis, avec une voix synthétique rappelant Hal de *2001 : l'Odyssée de l'espace*.

— C'est triste.

— C'est curieux que vous disiez cela. Moi, elles m'enchantent.

— Moi, elles me remplissent de désespoir.

— Le désespoir est salutaire. Le désespoir peut être le nadir d'une vie et le point de départ d'une autre, meilleure.

Billy ne détourna pas les yeux de la collection, malgré sa peur et sa répulsion. Sans doute des caméras le surveillaient. Valis devait être intéressé par les réactions de Billy.

En outre, malgré la tristesse qui émanait de cet éventaire, il y avait une certaine élégance hideuse qui suscitait la fascination.

Le collectionneur avait eu la délicatesse de ne pas inclure dans ses pièces des parties génitales ou des seins.

Valis ne tuait sûrement pas pour assouvir des pulsions sexuelles ; il ne violait pas ses victimes femmes... c'eût été reconnaître qu'ils appartenaient à la même espèce, qu'il partageait avec elles une humanité commune. À l'évidence, Valis se considérait comme un être à part.

L'artiste ne voulait pas non plus dénaturer sa collection avec des pièces de mauvais goût. Pas d'œil, pas d'organes internes.

Des visages et des mains. Uniquement.

En contemplant ces bocaux illuminés, Billy songeait à ces mimes vêtus de noir, avec leur visage et leurs mains tout blancs.

Il y avait là, indéniablement, une recherche esthétique.

— J'y vois une sorte d'équilibre, annonça Billy pour décrire la collection, une harmonie des lignes, une recherche des formes. Et le plus important, peut-être, une retenue, quelque chose de pudique sans tomber dans la coquetterie.

Valis ne répondit rien.

Curieusement, dans ce face-à-face avec la mort où il oblitérait sa peur, Billy n'avait plus l'impression de fuir sa propre vie, mais de l'étreindre à deux mains.

— J'ai lu votre recueil de nouvelles, annonça Valis.

— En critiquant votre œuvre, je ne vous ai pas autorisé à critiquer la mienne.

Valis, surpris, lâcha un petit rire, un rire chaleureux et dépourvu de sarcasme, à en croire les haut-parleurs.

— En fait, j'ai trouvé vos textes puissants et fascinants.

Ce fut au tour de Billy de rester silencieux.

— Ce sont les histoires de quelqu'un qui cherche, reprit Valis. Vous connaissez la réalité de la vie, mais vous tournez autour du fruit, vous tournez encore et encore, en refusant de le prendre, de le goûter.

Billy s'éloigna de la collection et se dirigea vers le bronze Meiji le plus proche : deux poissons, sinueux, simples mais délicatement ciselés, patinés à merveille pour donner l'illusion du fer rouillé.

— Le pouvoir…, annonça Billy. Le pouvoir fait partie de la vie.

Derrière la porte verrouillée, Valis attendait.

— Le vide aussi, poursuivit Billy. Le néant. Les abysses.

Il se dirigea vers un autre bronze : un maître en robe avec un cerf assis à ses côtés. Le personnage était barbu et souriait ; sa robe était brodée et incrustée d'or.

— Il s'agit de choisir, dit Billy, entre le chaos ou l'ordre. Avec le pouvoir, on peut créer. Avec le pouvoir et de nobles intentions, on peut créer de l'art. Et l'art est la seule réponse au chaos et au néant.

— Une seule chose vous attache au passé, déclara Valis après un silence. Je peux vous en délivrer.

— Par un nouveau meurtre ?

— Non. Elle peut vivre et vous… entamer une nouvelle vie… quand vous saurez…

— Quand je saurai quoi ?

— Que Barbara vit chez Dickens.

Billy entendit un hoquet – le sien, sous le choc de la surprise et de l'illumination.

— Lorsque j'étais chez vous, Billy, j'ai consulté les carnets où vous notez ce qu'elle dit dans son coma.

— Vous avez fait ça ?

— Certaines phrases, certaines constructions m'ont paru familières. Dans la bibliothèque de votre salon, il y a les œuvres complètes de Dickens – ces livres lui appartenaient…

— Oui.

— Elle adorait Dickens.

— Elle avait lu tous ses romans, chacun plusieurs fois.

— Mais pas vous.

— Juste deux ou trois. Je n'ai jamais été un grand fan de Dickens.

— Trop dans la réalité de la vie, j'imagine. Trop débordant d'espoir, trop exubérant pour vous.

— Peut-être.

— Barbara connaît si bien ces histoires qu'elle les vit en rêves. Les mots qu'elle prononce dans son coma sont des extraits de certains chapitres.

— Mrs. Joe…, articula Billy, se souvenant de sa dernière visite à Barbara. J'ai lu ce livre… C'est la femme de Joe Gargery, la sœur de Pip, la mégère. Pip l'appelle « Mrs. Joe ».

— *Les Grandes Espérances*, confirma Valis. Barbara vit dans tous les livres de Dickens, mais elle préfère les aventures légères; elle vit rarement les horreurs de *Paris et Londres en 1793*.

— Je n'avais pas fait le rapprochement…

— Elle doit rêver plus souvent d'*Un chant de Noël* que des pages sanglantes de la Révolution française.

— Je n'avais pas vu, mais vous, oui.

— En tout état de cause, elle ne vit ni peur ni souffrance parce que chaque aventure est un territoire connu, c'est pour elle un cocon, où elle trouve plaisir et réconfort.

Billy traversa le salon, admira un autre bronze.

— Elle n'a pas besoin de vous. Elle n'a besoin de rien. Elle se suffit à elle-même. Elle vit avec Dickens et elle ne connaît pas la peur.

Pressentant que c'est ce qu'attendait Valis pour sortir de sa tanière, Billy posa son revolver sur un ancien autel Shinto à gauche de la porte de la chambre à coucher, puis il alla s'asseoir dans un fauteuil au milieu de la pièce.

71.

Plus séduisant que l'autoportrait présenté sur son site, Valis fit son entrée en scène.

Un sourire aux lèvres, il ramassa l'arme sur la table et l'examina.

À côté du fauteuil de Billy, il y avait une petite desserte où trônait un autre bronze japonais de l'ère Meiji : un chien souriant tenant une tortue en laisse.

Valis s'approcha avec le revolver. À la façon d'Ivy, il se déplaçait avec la grâce d'un danseur, comme si la gravité ne parvenait pas à coller ses semelles au sol.

Ses cheveux, d'un noir de jais, étaient saupoudrés de blanc aux tempes, son sourire était chaleureux, ses yeux d'un gris lumineux, francs et directs.

Il avait l'aura d'une vedette de cinéma, l'assurance d'un roi, la sérénité d'un moine.

Debout devant le fauteuil, il pointa le revolver sur le visage de Billy.

— C'est *le* revolver ?

— Oui.

— Celui avec lequel vous avez tué votre père.

— Oui.

— Quel effet cela fait-il ?

Billy fixait le canon des yeux.

— C'est terrifiant.

— Et votre mère… c'était avec cette même arme ?

— Oui.

— Cela vous paraissait juste alors de la tuer…

— Sur le coup, oui. Dans l'instant…

— Et maintenant?

— Je n'en suis plus si sûr.

— Où est le bien? Où est le mal? Tout est une question de point de vue, Billy.

Billy resta silencieux.

Pour arriver à ce que vous n'êtes pas, vous devez passer par la voie dans laquelle vous n'êtes pas.

Regardant Billy par la mire du canon, Valis demanda :

— Qui haïssez-vous, Billy?

— Personne, je crois.

— Tant mieux. C'est plus sain. La haine et l'amour épuisent l'esprit, brouillent la clairvoyance.

— J'aime beaucoup ces bronzes.

— Oui. Ce sont des merveilles. On peut apprécier les formes, la texture, le savoir-faire de l'artiste et, en même temps, se ficher totalement du message qui se cache derrière.

— J'aime, en particulier, celui avec les poissons…

— Pourquoi?

— À cause de l'illusion de mouvement, leur apparente vélocité. On dirait qu'ils sont libres.

— Vous avez assez hiberné comme ça, Billy. Il est peut-être temps de vous dégourdir les jambes. Êtes-vous prêt pour l'ivresse de la vitesse?

— Je ne sais pas trop.

— Moi, je pense que oui.

— En revanche, je suis prêt à une chose…

— Je sais. À la violence. Vous êtes venu dans cette perspective…

Billy leva les mains des accoudoirs et contempla ses gants de latex. Il les retira.

— C'est nouveau pour vous, n'est-ce pas, Billy?

— Totalement.

— Vous savez ce qui va se passer ensuite?

— Pas précisément.

— Cela vous inquiète?

— Moins que ce à quoi je m'attendais.

Valis tira. La balle traversa le dossier, à cinq centimètres de l'épaule de Billy.

Inconsciemment, il devait savoir que Valis allait tirer. Il vit en pensée le corbeau d'Ivy sur sa fenêtre, sentinelle noire et silencieuse. Puis la détonation suivit ; et Billy ne sursauta pas ; il ne battit même pas des paupières et demeura d'une impassibilité zen.

Valis baissa le canon et s'assit dans le fauteuil en face de Billy.

Billy ferma les yeux et laissa aller sa tête en arrière.

— J'aurais pu vous tuer déjà au moins de deux façons, sans même avoir besoin de sortir de la chambre, déclara Valis.

C'était sans doute vrai. Billy ne demanda pas de précisions.

— Vous devez être exténué.

— Oui.

— Comment va votre main ?

— Ça va. Grâce au Vicodin.

— Et le front ?

— Toujours aussi noble.

Billy se demandait si ses yeux bougeaient derrière ses paupières fermées, comme ceux de Barbara lorsqu'elle rêvait. Il avait l'impression de les garder parfaitement immobiles.

— J'ai prévu une troisième blessure pour vous, déclara Valis.

— Cela ne peut pas attendre la semaine prochaine ?

— Vous avez de l'humour, Billy.

— Je suis sérieux.

— Vous sentez-vous soulagé ?

— Un peu.

— Surpris ?

— Oui. (Billy rouvrit les yeux.) Et vous ?

— Non. J'ai tout de suite entrevu votre potentiel.

— Quand ça ?

— Avant que je vous rencontre. C'était écrit dans vos nouvelles. (Valis posa le revolver sur la tablette à côté de son fauteuil.) Votre potentiel était visible à chaque ligne. J'ai fait des recherches sur votre vie, et le potentiel s'est éclairci.

— Parce que j'ai tué mes parents.

— Moins pour ça que pour la perte de la confiance.

— Je vois.

— Sans confiance, il n'y a plus de repos pour l'esprit.

— Plus de repos, non. Plus de paix. Jamais.

— Sans confiance, il n'y a plus de foi. Ni en la gentillesse. Ni en l'intégrité. Plus de foi en rien.

— Vous me connaissez mieux que moi-même.

— Je suis plus vieux. Et plus expérimenté.

— Beaucoup plus expérimenté, c'est certain. Depuis combien de temps préparez-vous cette *performance*? Cela ne date pas de notre rencontre lundi à la taverne?

— Cela fait des semaines et des semaines. L'art exige une préparation minutieuse.

— Avez-vous pris cette commande pour le panneau parce que j'étais là, ou la commande est-elle venue avant?

— Les deux à la fois. Une coïncidence miraculeuse. Comme tant de choses dans la vie.

— Étonnant. Et nous voilà tous les deux réunis.

— Oui. Réunis.

— Mouvement, vélocité, choc, dit Billy, citant la ligne décrivant le style de la *performance* du moment.

— À la lumière de la tournure des événements, je devrais écrire : mouvement, vélocité, liberté.

— Comme les poissons?

— Oui. Comme eux. Vous voulez être libre, Billy?

— Oui.

— Moi, je suis entièrement libre.

— Depuis combien de temps?

— Trente-deux ans. Depuis que j'ai seize ans. Les débuts furent chaotiques. Trop d'errances. Pas de méthode. Pas de technique. Pas de style.

— Tandis qu'aujourd'hui...

— Aujourd'hui, je suis devenu ce que je suis. Vous connaissez ma notoriété?

Billy soutint le regard aux yeux gris et scintillants.

— Oui, répondit Valis à la place de Billy. Vous savez qui je suis.

Une pensée traversa l'esprit de Billy; il se pencha en avant, pris de curiosité.

— Et les autres ? Ceux de votre équipe ?

— Quoi les autres ?

— Ils sont... dans la confidence... comme moi ?

Valis sourit.

— Oh, non. Aucun d'entre eux n'a jamais vu ma collection. Des hommes comme vous et moi sont rares, Billy.

— Possible.

— Vous devez avoir une foule de questions à me poser.

— Peut-être quand j'aurai dormi un peu.

— Je suis passé chez Lanny Olsen tout à l'heure. Vous avez laissé l'endroit intact.

Billy grimaça.

— Vous n'avez pas laissé de nouveaux indices là-bas, j'espère.

— Non. Non. Je savais que nous allions bientôt nous rencontrer; il était inutile de vous tourmenter davantage. Je me suis juste promené dans la maison, pour admirer votre cerveau à l'œuvre, votre méticulosité.

— Les preuves indirectes, répondit Billy en bâillant. Il n'y a rien de pire.

— Vous devez être très fatigué.

— Je suis vanné.

— Je n'ai qu'une seule chambre, mais je vous offre volontiers le canapé.

Billy secoua la tête.

— C'est incroyable...

— Que je puisse faire montre d'hospitalité ?

— Non. Que je sois ici.

— L'art transforme le monde et les gens, Billy.

— Vais-je me sentir différent à mon réveil ?

— Non. Vous avez fait votre choix.

— Ils étaient terribles, ces choix...

— Ils vous ont donné l'occasion de découvrir votre potentiel.

— Ces sièges sont si immaculés et je me sens si sale.

— Vous êtes très bien. Et ils ont reçu un traitement anti-taches.

Au moment où ils se levaient simultanément, Billy sortit sa bombe cachée sous son T-shirt.

Surpris, Valis tenta de détourner le visage.

Trois mètres seulement les séparaient et Billy lui envoya un jet droit dans les yeux.

Aveuglé, Valis chercha à tâtons le revolver sur la table, mais il le fit tomber par terre.

Billy plongea, récupéra l'arme pendant que Valis fouettait l'air de ses bras, tentant vainement de l'attraper.

Billy passa derrière le dingue, lui asséna un grand coup sur le crâne avec la crosse du revolver, puis un autre.

Sans la moindre grâce, Valis s'écroula, face contre terre. Billy s'agenouilla à côté du tueur pour s'assurer qu'il était bien inconscient. Il l'était.

Valis portait sa chemise glissée dans son pantalon. Billy sortit les pans et les passa sur la tête de Valis, pour confectionner une sorte de capuche, en nouant les deux extrémités de la chemise autour du cou.

Il ne cherchait pas à bander les yeux de Valis, mais à confectionner un bandage de fortune pour arrêter le sang au cas où les coups de crosse avaient entaillé le cuir chevelu.

Billy ne voulait pas tacher la moquette.

72.

Billy enfila ses gants de latex. Il avait du pain sur la planche.

La chambre était encore plus somptueuse que le reste du mobil-home. La salle de bains luisait comme un bijou, un écrin de marbre, de verre, de miroirs ciselés et de robinets dorés.

Encastré dans le bureau marqueté, un écran sensitif permettait de commander les systèmes électroniques du véhicule, de la chaîne hi-fi aux caméras de surveillance.

Apparemment, ces commandes étaient accessibles avec un code secret. Par chance, Valis avait laissé le logiciel ouvert après avoir relevé les portes à rideaux et baissé les volets roulants aux fenêtres.

Tous les boutons portaient des icônes compréhensibles même pour le plus idiot des opérateurs. Billy déverrouilla la porte d'entrée.

Dans le salon, Valis gisait encore inconscient, sa tête emmaillotée dans sa chemise.

Billy le traîna jusqu'à la cabine et le balança dehors, au bas des marches.

Il restait tout au plus une heure avant l'aube. Le croissant de lune sillonnait à présent les étoiles à l'ouest.

Billy avait garé l'Explorer entre le chapiteau et le mobil-home, hors de vue. La route était déserte.

Il traîna Valis jusqu'au 4 × 4.

Il n'y avait aucun voisin. La taverne, en face, était fermée pour plusieurs heures encore.

Lorsque Valis avait tiré dans le fauteuil, il n'y avait personne alentour pour entendre la détonation.

Billy ouvrit le hayon arrière. Il sortit l'une des couvertures de déménagement avec lesquelles il avait enveloppé le pauvre Ralph Cottle et il l'étala sur le plancher du coffre.

Au sol, Valis bougea et se mit à gémir.

Billy se sentit sans force ; c'était moins de la fatigue physique qu'un épuisement émotionnel.

Le monde tourne, le monde change, mais une chose demeure. On a beau la déguiser, cette chose reste immuable : la lutte perpétuelle entre le Bien et le Mal.

Une autre couverture sous le bras, Billy s'agenouilla à côté de l'artiste de renom. Enveloppant le revolver avec le tissu, pour en faire un silencieux, il tira les cinq balles restantes dans la poitrine du dingue.

Il n'osa pas relever la tête et scruter la nuit pour savoir si, cette fois, on avait entendu les coups de feu. Sans perdre un instant, il déplia la couverture fumante au sol et emmaillota le mort.

Hisser le cadavre de Valis dans l'Explorer fut beaucoup plus pénible que prévu. Valis était bien plus lourd que Ralph Cottle.

On eût dit une scène de comédie macabre. C'était dans des moments semblables que Billy s'interrogeait sur Dieu. Il ne doutait pas de son existence, mais s'inquiétait de ses desseins.

Une fois le cadavre chargé dans le coffre, Billy referma le hayon et retourna dans le mobil-home.

La balle qu'avait tirée Valis avait traversé le dossier, puis ricoché sur la cloison de bois. À partir de ce dernier impact, Billy tenta de retrouver sa trace.

Son père et sa mère ayant été tués avec ce .38, la police avait établi le profil balistique du revolver. Il y avait peu de chance que l'on fasse une comparaison, mais Billy ne voulait prendre aucun risque.

Au bout de quelques minutes, il retrouva l'ogive de plomb sous la table basse. Il la glissa dans sa poche.

La police, en découvrant le trou dans le fauteuil, saurait que quelqu'un avait tiré un coup de feu ; c'était inévitable.

Mais il leur serait impossible de savoir si Valis était le tireur ou la victime visée. Sans traces de sang, ils ne pouvaient établir s'il y avait eu un blessé, et encore moins son identité.

Billy sonda la pièce du regard, tentant de se remémorer ses faits et gestes pendant qu'il était sans gants. Avait-il touché un meuble ? Non. Il n'y avait aucune empreinte.

Il laissa les volets baissés et les portes à rideaux ouvertes, pour révéler la collection de mains et de visages.

Il ne referma pas la porte du mobil-home en sortant du véhicule, une invite subliminale pour des visiteurs futurs.

Les équipes de construction auraient une belle surprise à leur arrivée demain matin.

Aucune voiture ne passa sur la route pendant que Billy traversait la prairie et rejoignait la chaussée.

Les empreintes qu'avaient pu laisser ses pneus dans la poussière seraient effacées par l'arrivée des ouvriers.

73.

Direction la cheminée volcanique. Cette fois par un chemin différent pour éviter d'écraser les mêmes buissons.

Pendant que Billy dévissait le couvercle, une blessure sanglante déchirait le ciel, sur la ligne des montagnes à l'orient.

Une prière ne s'imposait pas.

Comme si la gravité avait davantage d'emprise sur Valis, son cadavre parut tomber dans l'abîme avide plus vite que les trois autres corps.

Lorsque les bruits de la chute s'évanouirent, Billy lâcha :

— Plus expérimenté, mon cul !

Il pensa à jeter dans le gouffre le portefeuille de Lanny, puis remit en place le battant.

Alors que la nuit résistait encore aux feux pourpres du jour, Billy gara l'Explorer derrière le garage de Lanny et entra dans la maison.

On était jeudi ; c'était le deuxième jour de congé de Lanny. Personne n'allait s'inquiéter de son absence et faire un tour chez lui pour venir aux nouvelles – du moins pas avant vendredi.

Même si Valis affirmait ne pas avoir disséminé de nouveaux indices, Billy préférait s'en assurer lui-même. Certaines personnes étaient définitivement indignes de confiance.

Il commença son inspection par l'étage, ses gestes étaient rendus lents par son immense fatigue. Il passa au crible toute la maison et termina par la cuisine. Il ne trouva rien.

Le choix vous appartient

Assoiffé, il prit un verre dans un placard et se servit de l'eau au robinet. Il portait toujours ses gants ; il ne pouvait donc laisser d'empreintes.

Une fois sa soif apaisée, il rinça le verre, l'essuya avec un torchon et le rangea à sa place.

Quelque chose clochait.

Avait-il oublié un détail crucial, quelque chose qui allait signer sa perte ? Les sens engourdis par la fatigue, il jeta un regard circulaire dans la pièce sans rien remarquer de particulier.

Il retourna dans le salon, contourna le canapé où Valis avait installé le corps de Cottle. Aucune tache sur le meuble ou la moquette tout autour.

Billy souleva les coussins pour s'assurer qu'aucun effet personnel de Cottle n'était tombé de ses poches. Il n'y avait rien. Billy remit les coussins en place.

Mais le malaise persistait ; il avait oublié un détail. Forcément. Billy s'assit pour réfléchir. Crasseux comme il l'était, il ne voulait pas risquer de salir un siège ; il s'installa donc par terre, en tailleur.

Il venait de tuer un homme, ou plutôt un monstre à l'apparence d'homme, mais il s'inquiétait de salir les coussins ! Il restait un garçon bien élevé. Un barbare aux bonnes manières.

Cette contradiction était risible ; il en rit tout fort. Aux éclats. Plus il riait, plus ses scrupules lui paraissaient comiques, et il finit par rire de s'entendre rire, amusé par cet accès d'hilarité incongru.

C'était un rire dangereux ; il pouvait rompre son fragile équilibre mental. Billy s'allongea à même la moquette, sur le dos, et prit de profondes inspirations pour retrouver son calme.

Les rires refluèrent, la respiration se fit plus ample et, finalement, il s'endormit.

74.

Billy se réveilla en pleine confusion. Il contempla les pieds des meubles et des fauteuils autour de lui, en battant des paupières d'incrédulité ; il avait l'impression de s'être endormi au beau milieu d'un hall d'hôtel... comment le personnel avait-il pu le laisser dormir là ? C'était bien gentil de leur part...

Puis la mémoire lui revint d'un coup.

Il voulut s'agripper au dossier du canapé pour se remettre debout. Grossière erreur. La douleur jaillit dans sa main gauche. Il poussa un cri et faillit tomber à la renverse. La perforation était enflammée.

Le jour derrière les rideaux paraissait ardent et bien avancé.

Il consulta sa montre : 17 h 02. Il avait dormi près de dix heures d'affilée !

La panique l'envahit, son cœur se mit à battre comme des ailes endiablées. Son absence au travail faisait de lui le premier suspect quant à la disparition de Valis.

Puis il se souvint qu'il s'était fait porter pâle pour aujourd'hui aussi. Il n'avait aucun rendez-vous. Personne ne pouvait faire le lien entre lui et l'artiste mort.

Si la police voulait un suspect à se mettre sous la dent, Valis était leur meilleur espoir ; ils avaient, sans doute, un tas de questions à lui poser après avoir découvert sa collection dans son salon.

Dans la cuisine, Billy prit un verre dans le placard et se servit de l'eau au robinet.

En fouillant les poches de son jean, il trouva deux comprimés d'Anacin ; il les avala avec une gorgée d'eau. Il ingurgita également un Cipro et un Vicodin.

Pendant un moment, il se sentit nauséeux, puis le malaise se dissipa. Peut-être l'interaction entre tous ces médicaments allait lui être fatale ; il allait peut-être tomber raide mort mais, au moins, il lui aura été épargné de vomir !

Il ne s'inquiétait plus d'avoir oublié un détail crucial sur les lieux. Cette angoisse avait été le simple symptôme de l'épuisement. Maintenant qu'il était frais et dispos et qu'il passait en revue ses faits et gestes de la veille, il était certain de n'avoir rien oublié.

Après avoir fermé la porte d'entrée, Billy rangea le double de la clé à sa place, dans le trou de la souche.

Avec l'avantage du jour, il ouvrit le hayon de l'Explorer et examina le compartiment. Aucune trace du sang de Valis sur le plancher ; rien n'avait traversé les couvertures. Et les enveloppes étaient désormais au fond du gouffre avec le corps.

Il quitta la maison de Lanny, soulagé, avec un optimisme prudent, et une sensation grandissante de victoire.

Le chantier où trônait l'œuvre de Valis ressemblait à l'aire d'exposition d'un vendeur de voitures d'occasion ne proposant que des véhicules de police.

Les uniformes grouillaient autour du mobil-home, du chapiteau et du panneau articulé. Le shérif John Palmer devait se trouver parmi eux, car il y avait également une colonne de cars de télévision, pare-chocs contre pare-chocs, garés sur le bas-côté de la route.

Billy s'aperçut qu'il portait toujours ses gants de latex. Pas de panique. Personne ne pouvait le voir à cette distance et donc lui poser des questions.

Il ne restait pas une place libre sur le parking de la taverne. La nouvelle de la disparition de Valis et la découverte de sa collection morbide s'étaient propagées parmi les habitués comme parmi les clients de passage. On allait pouvoir discuter au comptoir d'autre chose que des cochons humains. Bonne nouvelle pour Jackie.

Voir sa maison se profiler au loin fit chaud au cœur de Billy. Enfin, chez lui. Maintenant que Valis était mort, il n'aurait pas besoin de changer les serrures. La sécurité était de retour, et l'intimité.

Dans le garage, il nettoya l'Explorer, vida la poubelle et rangea la visseuse électrique et ses autres outils à leur place dans son atelier.

L'endroit était truffé d'indices compromettants... un grand nettoyage s'imposait.

Lorsqu'il franchit le seuil de la cuisine, il laissa son instinct le guider. Valis n'avait sans doute pas apporté la main de Giselle Winslow dans un bocal de formol. Un tel conteneur était trop encombrant et fragile pour un raid éclair. La logique suggérait une solution plus simple.

Billy se dirigea vers le réfrigérateur et tira le compartiment congélation en bas. Parmi les boîtes de glaces et les restes de plats congelés, deux paquets enveloppés d'aluminium attirèrent son attention.

Il les déposa au sol et les ouvrit. Deux mains, chacune appartenant à une femme différente – l'une à Giselle Winslow, l'autre, sans doute, à la jeune femme rousse.

Valis avait utilisé des feuilles antiadhérentes. Le fabricant aurait été heureux d'apprendre que le procédé était aussi efficace que le prétendait leur publicité.

Billy ne parvenait à réprimer ses tremblements quand il remballa les reliques. Dernièrement, il s'était cru immunisé contre l'horreur. Il s'était trompé.

Avant la fin de la journée, il lui faudrait se débarrasser de tout le contenu du congélateur. Aucune contamination bactériologique n'était à craindre, mais la contamination psychologique, elle, était bien réelle. Pour un peu, il aurait jeté l'appareil à la déchetterie !

Il voulait sortir ces mains de la maison. Il y avait peu de risque que la police frappe à sa porte avec un mandat de perquisition, mais il ne voulait pas savoir ces reliques chez lui.

Les enterrer dans le jardin était une mauvaise idée. Il craignait de faire des cauchemars et de les voir gratter le sol pour s'échapper de leur tombe et revenir dans la maison la nuit en rampant.

En attendant de trouver une solution, il plaça les mains dans une petite glacière.

Il retira de son portefeuille la photo de Cottle jeune homme, sa carte de membre de la Société des agnostiques, et la photo de la femme rousse. Il avait gardé ces pièces dans le vague espoir de s'en servir contre le dingue, de lui retourner la monnaie de sa pièce en les semant comme indices. Il n'en avait plus l'utilité ; il les plaça donc dans la glacière.

Il avait également le téléphone portable de Lanny ; il hésitait à le mettre également dans la glacière. Comme si les mains pouvaient sortir de leur cocon d'aluminium pour composer le 911. Il posa le téléphone sur la table de la cuisine.

Il emporta la glacière dans l'Explorer, et la plaça au pied du siège passager. Il ferma le garage à clé.

La chaleur de l'après-midi s'était dissipée. Il était 18 h 30.

Haut dans le ciel, un faucon menait sa dernière chasse de la journée.

Billy regarda l'oiseau décrire de grands cercles dans l'azur.

Puis il rentra dans la maison, pressé de prendre une douche bouillante.

La découverte des mains dans le congélateur lui avait coupé l'appétit. Du moins, il n'avait pas envie de manger chez lui.

Peut-être pourrait-il retourner au relais routier avaler un morceau ? Il avait l'impression d'avoir une dette envers Jasmine, la serveuse, et il brûlait de lui laisser un pourboire bien plus généreux que la veille.

Dans le couloir, alors qu'il se dirigeait vers la salle de bains, il aperçut une lumière dans son bureau. Quand il passa la tête dans l'encadrement de la porte, il trouva les stores baissés aux fenêtres, comme il les avait laissés.

Il ne se souvenait pas avoir laissé la lampe du bureau allumée, mais c'est vrai qu'il était plutôt pressé la veille – se débarrasser du corps de Cottle occupait toutes ses pensées... Sans faire le tour du bureau, il éteignit la lampe.

Cottle n'était plus assis sur le siège des toilettes, même si le souvenir restait encore très vif dans la mémoire de Billy. Mais il n'y avait pas d'autres salles de bains dans la maison... et Billy avait vraiment besoin de se laver.

La chaleur de l'eau apaisa ses muscles douloureux. Le savon était une bénédiction.

À deux reprises, il eut une bouffée d'angoisse derrière son rideau de douche ; n'allait-il pas subir le même sort que Janet Leigh dans *Psychose* ?

Il résista à l'envie de finir sa toilette avec le rideau ouvert. Et il termina ses ablutions sans être poignardé.

Combien de temps s'écoulerait-il avant que disparaissent ces crises de panique ? Sans doute devrait-il vivre avec jusqu'à la fin de ses jours.

Après s'être séché et habillé, il posa des pansements propres sur ses entailles au front.

De retour dans la cuisine, il ouvrit une bière Elephant et la but avec deux comprimés d'ibuprofène. L'inflammation à sa main blessée l'inquiétait un peu.

Il emporta sa bière et s'installa à la table avec quelques produits de premiers soins ; il tenta d'introduire de la Betadine dans la perforation, puis appliqua un nouveau pansement liquide.

Derrière les fenêtres, le crépuscule approchait.

Il comptait se rendre à la clinique et y passer quelques heures. Grâce à son histoire de nuit de prière, il avait l'autorisation de séjourner dans la chambre jusqu'au matin, mais, malgré ses dix heures de sommeil, il doutait de pouvoir rester éveillé aussi longtemps. Maintenant que Valis était mort, les douze coups de minuit ne sonnaient plus l'heure du crime.

Une fois que Billy eut soigné sa blessure, il resta assis à la table de la cuisine pour finir sa bière. C'est alors que son regard fut attiré par le four à micro-ondes. La caméra vidéo !

Tout ce qu'il avait fait dans la cuisine avait été enregistré... y compris lorsqu'il avait retiré les mains coupées du congélateur ! La caméra avait un objectif grand-angle, mais il doutait que l'on puisse voir nettement ce qu'il y avait dans les paquets d'aluminium.

Mais on n'était jamais trop prudent...

Il alla chercher l'escabeau dans l'office, grimpa dessus et ouvrit le placard au-dessus du four.

Il passa en lecture arrière et fixa du regard le petit écran de contrôle ; il se vit se promener à reculons dans la cuisine. Sur les images, on ne voyait pas les mains coupées.

Se demandant si Valis était entré dans la maison depuis son départ la veille, Billy poursuivit le visionnage en marche arrière.

Il n'eut pas besoin de remonter bien loin. À 15 h 07, ce jour même, alors que Billy dormait chez Lanny Olsen, un homme arriva du salon en marche arrière, traversa la cuisine à reculons et sortit par la porte.

L'intrus ne pouvait être Valis, puisque Valis était mort à cette heure-là.

75.

Billy ne se souvenait pas du numéro. En utilisant le téléphone de Lanny, il dut appeler à nouveau les renseignements de Denver pour être mis en relation avec l'inspecteur Ramsey Ozgard.

Billy faisait les cent pas pendant que cela sonnait à l'autre bout du fil, là-bas à l'ombre des Rocheuses.

Peut-être Valis était-il sûr de la conversion de Billy parce qu'il avait déjà réussi à rallier quelqu'un à sa cause ? Aucun des seize membres de son équipe n'était au courant de la face sombre de Valis, mais cela ne signifiait pas pour autant que le monstre était un chasseur solitaire...

Ramsey Ozgard décrocha à la cinquième sonnerie. Billy se fit passer une nouvelle fois pour Lanny Olsen.

— J'entends l'excitation dans votre voix. Dites-moi que vous avez eu votre type.

— On va le coincer sous peu. Mais j'ai une urgence. J'ai besoin de savoir quelque chose : l'année où a disparu Judith Kesselman, y avait-il un dénommé Valis comme professeur à l'université ?

— Ce n'était pas un prof. C'était un artiste en résidence pour six mois. À la fin, il a fait une espèce de truc ridicule... une *performance,* comme il disait... il a emballé deux bâtiments du campus avec des milliers de mètres carrés de soie bleue et puis il les a...

— Steve Zillis avait un alibi parfait, vous dites ? l'interrompit Billy.

— En béton armé. Je peux vous détailler ça si vous avez dix minutes.

— Malheureusement, non. Mais je voudrais savoir… vous vous en souvenez peut-être… quelle était la matière que suivait Zillis à l'université ?

— Les beaux-arts.

— Sale fils de pute…

Voilà pourquoi Zillis n'avait pas voulu parler des mannequins. Ce n'était pas l'expression des fantasmes d'un tueur sociopathe… c'était, à ses yeux, de l'art, *son art*.

Lors de sa confrontation avec Zillis, Billy n'avait pas encore découvert les mots-clés qui allaient lui révéler l'identité du tueur. *Performance d'art*. Et Zillis, d'instinct, avait préféré ne pas s'étendre sur le sujet, puisqu'il jouait si bien le petit pervers inoffensif.

— Ce petit con mérite un Oscar, déclara Billy. Il n'a pas bronché quand j'ai dit que ces trucs chez lui étaient des horreurs innommables, l'expression d'un esprit dégénéré…

— Agent Olsen, tout va bien ?

— Le grand et glorieux Valis a couvert Zillis, c'est cela ? Il a dit que Zillis était avec lui le jour de la disparition de Judith Kesselman, qu'il travaillait avec lui, quelque chose comme ça ?

— C'est exact. Mais si vous dites ça, c'est que…

— Regardez les infos ce soir, inspecteur Ozgard ! Au moment de la disparition de Judith Kesselman, Steve et Valis étaient complices. Ils étaient chacun l'alibi de l'autre. Au revoir, inspecteur. Il faut que je file.

Pour un peu, Billy oubliait de couper la communication avant de lâcher le téléphone de Lanny.

Il avait encore le pistolet de Lanny et le Taser. Il passa l'arme à sa ceinture, dans son étui de combat.

Dans le placard de sa chambre, il choisit une veste, l'enfila, pour que les pans dissimulent le holster.

Il glissa le Taser dans la poche intérieure.

Qu'avait donc fait Steve, cet après-midi, dans sa maison ? Pourquoi était-il venu ? Il savait que son maître était hors course, que la collection de mains et de visages avait été découverte. Peut-être même se doutait-il que Valis était mort...

C'est alors que Billy se souvint de la lumière allumée dans le bureau. Il se rendit dans la pièce, fit le tour cette fois de sa table de travail et découvrit son ordinateur en veille. Il était certain de ne pas l'avoir laissé allumé.

Quand il déplaça la souris, un document apparut à l'écran :

Par la torture peut-on sortir quelqu'un du coma ?
Son sang, sa mutilation, sera votre troisième blessure.

Billy se précipita hors de la maison. Il sauta d'un bond les marches du perron, trébucha au sol, continua à courir.

La nuit était tombée. Un hibou hululait. Deux ailes noires contre les étoiles.

76.

À 21 h 06, il n'y avait qu'une seule voiture sur le parking de la clinique Whispering Pines. Les horaires de visite se terminaient à 21 heures.

La porte d'entrée était encore ouverte. Billy entra en trombe, traversa le hall vers la réception.

Il y avait deux infirmières derrière le comptoir. Billy les connaissait.

— J'ai l'autorisation de…, commença-t-il.

Les plafonniers s'éteignirent. Les lampadaires du parking aussi. Le hall d'entrée se trouva plongé dans les ténèbres – des ténèbres aussi noires que dans la cheminée d'un volcan.

Il abandonna les infirmières à leur confusion et suivit le couloir qui menait à l'aile ouest.

Au début, Billy courait, mais il heurta un fauteuil roulant après quelques enjambées. Billy tâta l'objet dans l'obscurité.

— Que se passe-t-il? s'écria une vieille femme dans le fauteuil roulant. Que faites-vous?

— Tout va bien? Il ne vous arrivera rien, lui assura Billy avant de poursuivre son chemin.

Il n'osait plus courir désormais; il progressait les bras tendus devant lui, comme un aveugle égaré.

Les lumières de secours encastrées dans les murs s'allumèrent un instant, vacillèrent puis s'éteignirent.

Une voix masculine résonna, autoritaire :

— Veuillez rester dans vos chambres. Nous allons passer vous voir. Restez dans vos chambres!

Les lumières de secours tentèrent encore de s'allumer. Mais elles ne parvinrent qu'à clignoter faiblement.

Cette alternance d'ombre et de lumière donnait le tournis, mais au moins permettait-elle à Billy d'éviter les gens sur son passage – une autre infirmière, un aide-soignant, un vieillard en pyjama l'air hébété…

Une alarme incendie lançait ses mugissements électroniques. Une voix de synthèse commençait à donner ses instructions pour l'évacuation du bâtiment.

Une femme, agrippée à un déambulateur, arrêta Billy en le retenant par la manche de sa chemise.

— Tout va bien, lui assura Billy, poursuivant son chemin. Ils sont en train de régler le problème.

Passé l'angle du couloir, il pénétra enfin dans l'aile ouest. Juste devant lui, sur sa droite, la chambre de Barbara. La porte était ouverte !

La pièce était plongée dans l'obscurité. Il n'y avait pas de veilleuse de secours. Et le corps de Billy occultait le peu de lumière qui venait du couloir.

Des portes claquaient quelque part, une cacophonie de chocs caverneux…. Non, c'était son cœur.

Il avança dans le noir, cherchant à tâtons le lit… Il aurait dû être là pourtant… Il fit encore deux pas. Le lit avait disparu.

Pris de panique, il tourna sur lui-même, battant des bras dans l'air. Tout ce que ses mains rencontrèrent, ce fut le tabouret haut.

Le lit de Barbara était sur roulettes. Quelqu'un l'avait emporté.

Il se rua dans le couloir, regarda à gauche, à droite. Les quelques patients en mesure de se déplacer étaient sortis de leur chambre. Une infirmière les guidait.

Dans le staccato stroboscopique de lumière, Billy aperçut un homme poussant un lit à l'autre bout du couloir, pressant le pas vers un panneau SORTIE DE SECOURS.

Des patients claudicants, des infirmières, des ombres partout. Billy se précipita vers l'homme.

La porte au fond du couloir s'ouvrit avec fracas quand le lit la heurta.

Une infirmière attrapa Billy par le bras pour l'arrêter. Il voulut lui faire lâcher prise, mais la femme tenait bon.

— Aidez-moi à sortir les lits, dit-elle.

— Il n'y a pas d'incendie.

— Mais si ! Il faut évacuer.

— Ma femme…, commença-t-il, bien que Barbara et lui n'eussent jamais été mariés. Ma femme a besoin d'aide !

Il repoussa l'infirmière, manquant de la faire tomber et se précipita vers la sortie de secours.

Il s'engouffra par la porte, dans les ténèbres de la nuit. Des poubelles, des voitures, des 4 × 4, le parking du personnel.

Il chercha l'homme, le lit… En vain.

Là ! Une ambulance attendait une dizaine de mètres plus loin, sur la gauche, moteur au ralenti. Le hayon arrière était ouvert. L'homme avec le lit avait presque atteint le véhicule.

Billy dégaina le pistolet .9 mm mais n'osa pas tirer. Il risquait de blesser Barbara.

Il s'élança sur le macadam, rangeant l'arme à feu et fouillant sa poche intérieure pour récupérer son Taser.

Au dernier moment, Steve aperçut Billy. Il avait un pistolet. Il tira deux fois d'un geste de réflexe.

Billy avait déjà plongé sur lui. Les balles passèrent au-dessus de sa tête.

Il enfonça l'extrémité du Taser dans l'abdomen de Steve et appuya sur la détente. La décharge passait à travers des vêtements fins, telle la chemise que portait Zillis… mais il n'avait pas vérifié les piles… Étaient-elles chargées ?

Zillis eut une convulsion au moment où l'onde électrique se propagea à travers son système nerveux. Il ne lâcha pas simplement son arme, il la projeta au loin dans un spasme. Ses jambes se dérobèrent sous lui et en s'écroulant son front heurta le pare-chocs de l'ambulance.

Billy le roua de coups de pied ; il visait la tête.

Les pompiers allaient arriver à cause de l'alerte incendie. La police aussi. Et tôt ou tard le shérif John Palmer…

Billy posa la main sur le visage de Barbara. Il sentit son souffle sur sa paume. Apparemment, elle allait bien. Il percevait le mouvement des yeux sous les paupières. Elle était dans ses rêves, avec Dickens.

Billy se retourna. Personne encore n'était sorti par l'issue de secours de l'aile ouest.

Il poussa le lit sur le côté.

Steve se tordait au sol, traversé de secousses nerveuses – une pâle imitation d'une crise d'épilepsie.

Billy lui envoya une nouvelle giclée d'électrons, puis il rangea le Taser.

Il l'attrapa par la ceinture et le col et le souleva de terre. À sa grande surprise, il hissa Zillis dans le compartiment de l'ambulance sans le moindre effort. L'adrénaline faisait vraiment des miracles...

Les phalanges de la main droite de Zillis trépidaient contre le plancher de l'ambulance, ainsi que son crâne.

Billy claqua la porte, attrapa le lit de Barbara et le poussa vers la clinique.

Lorsqu'il fut à trois mètres de l'issue de secours, la porte s'ouvrit ; un aide-soignant aidait un malade en déambulateur à sortir du bâtiment.

— C'est mon épouse ! lança Billy. Je viens de la faire sortir. Vous pouvez vous occuper d'elle, le temps que j'aille chercher d'autres malades ?

— Tout le monde est dehors, le rassura l'employé. Il vaut mieux l'emmener plus loin, au cas où il y ait le feu.

En faisant presser le pas au malade au déambulateur, il poussa le lit de Barbara loin du bâtiment et, en même temps, loin de l'ambulance.

Lorsque Billy s'installa au volant et claqua la portière, il entendit Zillis taper des pieds et émettre des borborygmes – peut-être des ébauches de jurons ?

Billy ignorait la durée de l'effet du Taser... Zillis se réveillait-il ? Ce n'était guère charitable, mais il pria pour que ce soit des convulsions.

Il désengagea le frein à main, enclencha la marche avant et fit le tour de la clinique pour rejoindre l'Explorer.

Les gens sortaient du bâtiment, envahissaient le parking. Dans l'affolement général, personne ne faisait attention à lui.

Il chargea la glacière avec les mains coupées dans l'ambulance et redémarra. Il roula sur deux cents mètres avant de trouver l'interrupteur des gyrophares et de la sirène.

Lorsqu'il croisa les véhicules des pompiers, qui arrivaient de Vineyard Hills, l'ambulance était un son et lumière sur roues.

Plus il attirait l'attention, moins il paraîtrait suspect. Il roula à tombeau ouvert en direction de la sortie de la ville, puis obliqua à l'est, sur la route qui menait chez Lanny Olsen.

Quand il fut à cinq kilomètres de la ville, environné par les vignes, il entendit Zillis marmonner, mais de façon plus cohérente, et heurter les parois. À l'évidence, il tentait de se lever.

Billy se gara sur le bas-côté, sans couper la sirène et les gyrophares. Il se faufila entre les sièges pour rejoindre le compartiment arrière.

À genoux, agrippé à une bouteille d'oxygène, Zillis tentait de se mettre debout. Ses yeux étaient brillants, comme ceux d'un coyote la nuit.

Billy lui envoya une nouvelle décharge et Zillis s'écroula, traversé de spasmes ; mais un Taser n'était pas une arme mortelle...

S'il tirait sur Zillis, il y aurait du sang partout dans l'ambulance et sur le matériel médical – un spectacle sinistre. Et la signature d'un meurtre.

Sur le brancard, il y avait deux petits oreillers. Billy s'en empara.

Étendu sur le dos, la tête roulant de droite à gauche, Zillis avait perdu le contrôle de ses muscles.

Billy se laissa tomber, genoux joints, sur la poitrine de Zillis, appuyant de tout son poids pour expulser l'air de ses poumons, lui cassant au passage une côte ou deux, puis il plaqua les oreillers sur le visage.

Les efforts du jeune homme pour survivre étaient vains et inopérants.

Billy faillit ne pas aller jusqu'au bout. Mais il pensa à Judith Kesselman, à ses yeux pétillants de malice, à son sourire d'ange ; Zillis lui avait-il enfoncé un pieu de fer dans le vagin ? Lui avait-il découpé le haut du crâne pendant qu'elle était encore vivante pour lui présenter comme un calice ?

Et, enfin, ce fut fini.

En pleurant – mais pas pour Zillis –, Billy s'installa de nouveau au volant et reprit son chemin.

Trois kilomètres avant d'arriver chez Lanny, Billy coupa les sirènes et les gyrophares. Il ralentit pour rouler à la vitesse autorisée.

Il n'y avait pas d'incendie à Whispering Pines ; les secours n'allaient pas s'attarder. Lorsqu'il reviendrait à la clinique, le parking du personnel serait de nouveau désert.

Il avait laissé sa visseuse chez lui. Mais il était certain que Lanny en avait une. Il la lui emprunterait. Lanny ne lui en tiendrait pas rigueur.

En approchant de la maison, Billy revit le croissant de lune, un peu plus épais que la veille, le tranchant peut-être un peu plus vif, comme une serpe d'argent.

Toute l'année, la vallée abritait des nuées de pigeons biset et de pigeons à queue barrée, des bruants chanteurs et même de mélodieux juncos ardoisés.

Les crécerelles d'Amérique et un faucon à longue queue y nichaient aussi. Leur plumage est chatoyant. Leurs cris, *killy-killy-killy-killy*, résonnaient dans le ciel, clairs, stridents, et pourtant agréables à l'oreille.

Billy acheta un nouveau réfrigérateur. Et un four à micro-ondes.

Il abattit un mur, pour unir le bureau et le salon; il avait l'intention de réorganiser toute la maison.

Il repeignit toutes les pièces en un joli et gai jaune safran.

Il jeta sa moquette, ses tapis et changea tout le mobilier, parce qu'il ne savait pas où la femme rousse se trouvait au moment où elle avait été étranglée et mutilée.

Il songea à faire raser la maison et en reconstruire une nouvelle, mais les fantômes n'habitent pas les maisons. Jamais. Ils habitent en nous, quelle que soit l'architecture de la prison où l'on s'enferme. Ils vivent en nous jusqu'à ce qu'on devienne à notre tour les fantômes de quelqu'un d'autre.

Quand Billy ne travaillait pas dans la maison ou derrière le comptoir à la taverne, il passait son temps dans la chambre de la clinique, ou sur le perron, à lire des livres de Charles Dickens, car c'était là que vivait désormais Barbara.

Avec l'automne, les piouis de l'est quittèrent la vallée; leurs *pi-didip, pi-didip* ne résonneraient plus dans le ciel avant le printemps. La plupart des moucherolles des saules migrèrent aussi, mais quelques-unes s'adaptèrent au froid et passèrent l'hiver.

À l'automne, Valis faisait encore les choux gras des médias, en particulier dans la presse *people*, et les émissions télévisées qui diffusaient des reportages à sensation en se targuant de faire du journalisme d'investigation. Ils se repurent de la charogne pendant au moins un an, comme des pics flamboyants se nourrissant des vers enfermés dans leurs glands, même si à l'inverse des pics, ce n'était pas une question de survie.

On savait la complicité de Steve Zillis et de Valis. On disait avoir repéré le couple – grimé mais reconnaissable – en Amérique du Sud, en Asie, et dans des pays belliqueux de l'ex-Union soviétique.

On disait Lanny Olsen mort, mais il était devenu, pour des raisons mystérieuses, un héros. Il n'était pas inspecteur, juste un simple agent, et ses états de service n'étaient pas brillants. Mais ses appels à Ramsey Ozgard, inspecteur de la police de Denver, prouvaient qu'il avait vu juste quant à la culpabilité de Zillis et de Valis.

Personne ne pouvait expliquer pourquoi Lanny n'avait pas rapporté ses soupçons à ses supérieurs. Le shérif Palmer avait déclaré que Lanny était « un loup solitaire qui montrait toutes ses qualités en dehors des voies normales » et, curieusement, personne n'avait ricané ni demandé au shérif à quoi au juste il faisait allusion.

Une théorie – très populaire au bar – soutenait que Lanny avait blessé Valis, mais que Steve Zillis était arrivé *in extremis* et avait tué Lanny. Steve avait fait disparaître le corps de Lanny et avait emmené l'artiste blessé quelque part pour le soigner, puisque les médecins étaient tenus de déclarer à la police toute blessure par balles.

Personne ne savait dans quel véhicule Steve s'était enfui, puisque sa voiture personnelle se trouvait toujours dans son garage ; selon toute logique, il avait dû voler quelque moyen de locomotion. Il n'avait pas pris le mobil-home parce qu'il n'avait pas le permis poids lourd et qu'il craignait d'attirer trop l'attention lorsque la nouvelle de la disparition de Valis se serait répandue.

Psychologues et criminologues, experts en comportement des sociopathes, s'inscrivaient contre cette théorie, car selon leur expérience, un tueur psychopathe n'était guère enclin à porter secours à un autre tueur psychopathe. Les sociopathes n'étaient pas altruistes. Le lien affectif qui semblait unir les deux monstres sanguinaires plaisait toutefois grandement à la presse et, par la suite, au public. Puisque le comte Dracula et le monstre de Frankenstein pouvaient être bons amis, comme cela avait été montré dans deux vieux films, Zillis pouvait avoir eu envie de soigner son complice et mentor.

Personne ne nota la disparition de Ralph Cottle.

Certes, on avait dû rapporter la disparition de la femme rousse, mais peut-être était-elle originaire d'une tout autre région du pays et avait-elle été kidnappée alors qu'elle traversait le comté ? En tout cas, même si sa disparition avait été consignée quelque part, personne n'avait fait le rapprochement avec l'affaire Valis. Billy ne connut jamais son nom.

Des gens disparaissaient tous les jours. Les médias n'avaient pas la place de parler de la chute de chaque moineau.

Même si les piouis de l'est et la plupart des moucherolles des saules étaient partis avec l'été, les bécassines des marais revinrent dès la fin de l'automne, comme les roitelets à couronne rubis qui avaient des chants et des phrasés si mélodieux.

Dans ces cercles élitistes où les pensées les plus élémentaires passent pour des réflexions transcendantales, ou le gris n'est pas gris, mais « nuance cendrée », un mouvement s'éleva pour terminer l'œuvre inachevée. Et pour la brûler comme l'artiste l'avait prévu. Valis était peut-être fou, disait ses défenseurs, mais l'art est au-dessus de tout et doit être respecté.

Les flammes attirèrent une telle foule de Hells Angels enthousiastes, d'anarchistes organisés et de nihilistes convaincus que Jackie O'Hara ferma la taverne pour le week-end. Il ne voulait pas de ces gens dans son « bar familial ».

À la fin de l'automne, Billy démissionna et ramena Barbara à la maison. Une partie du grand salon servait à la fois de chambre pour elle et de bureau pour lui. Avec sa présence silencieuse à ses côtés, Billy se remit à écrire.

Barbara n'avait pas besoin de respirateur artificiel ni autres systèmes de survie, juste d'une sonde dans l'estomac pour la nourrir, mais Billy faisait appel à des infirmières patentées pour les soins quotidiens. Peu à peu, toutefois, il apprit à s'occuper d'elle et au bout de quelques semaines, il n'avait plus besoin d'assistance extérieure, sauf d'une infirmière de nuit quand il dormait.

Il nettoyait le cathéter de Barbara, changeait ses couches, la nettoyait, la lavait, sans éprouver la moindre répulsion. Il préférait réaliser ces tâches lui-même plutôt que de confier Barbara à des mains étrangères. Contre toute attente, s'occuper d'elle ainsi chaque jour la rendait plus belle à ses yeux.

Elle l'avait sauvé une fois déjà, avant que le destin ne le prive d'elle, et elle le sauvait à nouveau... Après la terreur, la violence, les meurtres, elle lui donnait la chance de se repentir par la compassion et de retrouver une douceur en lui qu'il aurait, autrement, perdue à jamais.

Curieusement, des amis commencèrent à lui rendre visite. Jackie, Ivy, les cuisiniers Ramon et Ben, et Shirley Trueblood. Harry Avarkian faisait souvent le voyage de Napa. Parfois, ils venaient avec des membres de leurs familles ou des amis, qui à leur tour devinrent des amis de Billy. De plus en plus, les gens se sentaient bien chez les Wiles. À Noël, il y avait foule.

Au printemps, quand les piouis et les moucherolles des saules revinrent en nombre, Billy avait agrandi la porte d'entrée et construit une rampe pour pouvoir installer le lit de Barbara sous l'auvent. Grâce à une rallonge du tuyau de la sonde, il pouvait redresser son lit pour qu'elle puisse sentir la brise tiède courir sur son visage.

Billy lisait sur le perron, parfois à voix haute. Il écoutait les trilles des oiseaux. Il la regardait rêver d'*Un chant de Noël*.

Ce fut un beau printemps, un été plus doux encore, un automne à ravir, un hiver enchanteur. Cette année-là, les gens commencèrent à l'appeler Bill, et non plus Billy – il ne remarqua ce changement que lorsque l'usage fut définitivement pris.

Au printemps de l'année suivante, un jour que lui et Barbara profitaient du soleil sur le perron et qu'il lisait en silence, elle articula :

— Des hirondelles de cheminée…

Billy ne notait plus ce que Barbara disait, car il ne craignait plus qu'elle soit effrayée ou en souffrance. Elle n'était pas perdue.

Quand il releva les yeux de son livre, il aperçut une nuée de ces oiseaux dans le ciel, se mouvant comme une seule entité, décrivant des courbes gracieuses au-dessus du jardin.

Il regarda Barbara. Elle avait les yeux ouverts et elle paraissait admirer le ballet des volatiles.

— Ce sont les hirondelles les plus belles, dit-il.

— Je les aime.

Les oiseaux étaient élégants avec leurs longues ailes pointues et leurs grandes queues fourchues. Leurs dos étaient d'un noir bleuté, leur poitrail orange.

— Oui, je les aime beaucoup, dit-elle encore, avant de refermer les yeux.

Après avoir retenu son souffle, Bill articula :

— Barbara ?

Elle ne répondit pas.

J'ai dit à mon âme, tiens-toi tranquille et attends sans espérance, car l'espérance serait l'espérance fourvoyée.

L'espoir, l'amour, la foi, tous résident dans l'attente. Le pouvoir n'est pas l'essence de la vie ; l'amour du pouvoir c'est l'amour de la mort.

Les hirondelles s'éloignèrent et disparurent. Bill revint à sa lecture.

Ce qui doit advenir adviendra. Il y a toujours un temps pour les miracles… tant qu'il existe du temps… et le temps n'a pas de fin.

Notes

Dans les moments de stress et d'indécision, des maximes de sagesse résonnent dans l'esprit de Billy Wiles pour le guider. Il ne précise pas que ces maximes sont toutes extraites d'œuvres de T.S Eliot[1].

Chapitre 9 : *Préservez-moi de l'ennemi qui a quelque chose à gagner, et de l'ami qui a quelque chose à perdre.* Et plus loin dans le même chapitre : *Apprenez-nous l'amour et le détachement. Apprenez-nous à rester en repos.*

Chapitre 13 : *La seule sagesse que nous puissions espérer acquérir est la sagesse de l'humilité.*

Chapitre 17 : *Puisse le jugement sur nous ne point peser trop lourd.*

Chapitre 33 : *Quelqu'un se souvient du chemin jusqu'à votre porte. On peut fuir sa vie, mais pas sa mort.*

Chapitre 66 : *Pour posséder ce que vous ne possédez pas, vous devez d'abord passer par la voie de la dépossession.[...] Et ce que vous ne savez pas est la seule chose que vous sachiez.*

Chapitre 71 : *Pour arriver à ce que vous n'êtes pas, vous devez passer par la voie dans laquelle vous n'êtes pas.*

Chapitre 72 : *Le monde tourne, le monde change, mais une chose demeure. On a beau la déguiser, cette chose reste immuable : la lutte perpétuelle entre le Bien et le Mal.*

---

1. Pour information, il s'agit des poèmes : *East Coker* (chap. 13, 66, 77) (in *Quatre Quatuors*), *Mercredi des Cendres* (chap. 9, 17) – traduction Pierre Leyris – et des Chœurs de *The Rock* (chap. 9, 33, 72). *(N.d.T.)*

Chapitre 77 : *J'ai dit à mon âme, tiens-toi tranquille et attends sans espérance, car l'espérance serait l'espérance fourvoyée*[1].

La police du comté de Napa décrite dans ce livre de fiction ne présente aucune ressemblance avec l'irréprochable service de police du même comté dans la vie réelle, et les personnages de ce roman ne sont en rien inspirés de quelques personnes existantes ou ayant existé dans ledit comté.

Les paroles mystérieuses de Barbara – *Je veux savoir ce qu'elle dit, la mer. Ce qu'elle essaie de dire, encore et encore* – sont extraites de *Dombey et Fils*[2].

---

1. Le lecteur aura peut-être repéré une autre citation de T.S. Eliot, extraite encore une fois des Chœurs de *The Rock* : « Il ne peut y avoir de vie hors de la communauté » (chap. 38). Une autre référence à T.S. Eliot est remarquable au chapitre 48, quand Billy dit que le passé, le présent et le futur sont éternellement présents dans la trame du temps. On trouve cette idée dans Burnt Norton *in Quatre Quatuors. (N.d.T.)*

2. Pour les autres phrases de Dickens, le lecteur sera peut-être intéressé de savoir qu'elles sont extraites (outre des *Grandes Espérances* – cité chap. 70) de *Bleak House*, *La Petite Dorrit, Oliver Twist, Paris et Londres en 1793* et de *La Vie et les aventures de Martin Chuzzlewit*.

Quant aux paroles que prononce Barbara au dernier chapitre, elles ne proviennent pas, à ma connaissance, d'une œuvre de Dickens... *(N.d.T.)*

*Ce volume a été composé
par Asiatype*

*Impression réalisée par
CPI BRODARD ET TAUPIN
La Flèche
en mars 2009*

Imprimé en France
Dépôt légal : mars 2009
N° d'édition : 01 – N° d'impression : 51695